KB129468

세상이 변해도
배움의 즐거움은
변함없도록

시대는 빠르게 변해도
배움의 즐거움은
변함없어야 하기에

어제의 비상은
남다른 교재부터
결이 다른 콘텐츠
전에 없던 교육 플랫폼까지

변함없는 혁신으로
교육 문화 환경의 새로운 전형을
실현해왔습니다.

비상은 오늘, 다시 한번
새로운 교육 문화 환경을 실현하기 위한
또 하나의 혁신을 시작합니다.

오늘의 내가 어제의 나를 초월하고
오늘의 교육이 어제의 교육을 초월하여
배움의 즐거움을 지속하는 혁신,

바로, 메타인지학습을.

상상을 실현하는 교육 문화 기업 비상

메타인지학습

초월을 뜻하는 meta와 생각을 뜻하는 인지가 결합된 메타인지는
자신이 알고 모르는 것을 스스로 구분하고 학습계획을 세우도록 하는
궁극의 학습 능력입니다. 비상의 메타인지학습은 메타인지를 키워주어
공부를 100% 내 것으로 만들도록 합니다.

soobak | visang

비상교재 구매자 전용 혜택

비상교재 속 모르는 부분은?

콕 강의로 바로 해결!

업계유일 비상교재 독점강의

한끝 개념+유형 오투 완벽 내공의힘 READER'S BANK 알찬 기출문제집 만렙 최고득점 수학 고2개념 개념잡기 All that 중학영어

콕강의란? 수박씨알파S의 강좌를 개념 키워드, 교재 페이지 번호로 **필요한 부분을 쉽게 검색해 내가 필요한 강의만 효율적으로 찾아 들을 수 있는** 수박씨닷컴만의 차별화된 강의 서비스입니다.

콕 강의 30회 무료 **자유 수강권**

※ 박스 안을 연필 또는 샤프펜슬로 칠하면 번호가 보입니다.

콕 강의 수강권 등록 즉시! 간식, 학용품 등 100% 선물 당첨

수행평가 자료 다운로드권

족보닷컴 기출문제 다운로드권

이용 방법

콕 강의 수강권은 수박씨닷컴 홈페이지 중앙 '비상교재 혜택존'에서 이용 가능합니다.

콕 강의 자유수강은 ID당 1회만 사용할 수 있습니다.

당첨 경품은 매월 변경됩니다.

수박씨알파S는 비상교육 1등* 교과서·교재 컨텐츠와 TOP급 강사진의 강의, 실시간 학습 관리로 **중등내신 97.1%** 성적향상 환경을 제공합니다.

*2014~2021 국가브랜드대상 <교과서> <중고등 교재> 부문 8년 연속 1위 **알파ON 클래스를 이용한 1,732명 회원 전수조사 결과 6개월~1년 6개월 만에 1,681명인 97.1% 성적 향상 (2019.09 기준)
(회원들이 자발적으로 제출한 성적에 근거한 자료로서, 성적표 결과와 완전히 일치하지 않을 수 있습니다.)

문의 1544-7380 | www.soobakc.com

soobak | visang

중등 공부, 성적을 플러스 알파하다

수박씨알파S

전 학년 전 강좌
무제한 수강

전용기기
무료 제공

방끝생끝
학습 플래너

수행평가 가이드
자료 포털

특목·자사고
골든클래스

S급 내신 학습

전과목 100% 우리 학교 맞춤 학습
중등 베스트셀러 **비상교재 독점 강의**
영/수 전문 수준별 강좌
중간/기말고사 **시험대비 & 서술형 특강**

01

S급 평가 시스템

수강 전 실력 진단 **과목별 레벨테스트**
핵심내용 암기 **사/과 복습 마스터**
단원별 성취도 점검 **단원평가**
실전 시험대비 **내맘대로 테스트**

02

S

04

03

S급 학습 서비스

실시간 원격 화상코칭 **알파ON 클래스**
온라인 독서실 **알파ON LIVE 캠스터디**
쉽고 편리한 **AI 음성인식 서비스**
베스트/개념별/교재별 **콕강의**

업계
최초

S급 진로 설계

프리미엄 **진로 컨설팅** 진행
4차 산업시대 대비 **미래교육 강좌**
학습성향검사 4종 실시
학습/입시/진로 고민 **알파ON 멘토**

업계
최초

수박씨알파S란?

성적 향상을 위한 S급 노하우를 담아 2020년 12월 신규 론칭되었으며,
강좌 무제한 수강 및 1:4 학습 관리가 종합된 중등 학습 서비스입니다.
수박씨알파S의 강좌는 앞면 **콕 강의 체험권**으로 수강해볼 수 있습니다.

**수박씨알파S는 비상교육 1등* 교과서·교재 컨텐츠와 TOP급 강사진의 강의,
실시간 학습 관리로 중등내신 97.1%** 성적향상 환경을 제공합니다.**

*2014~2021 국가브랜드대상 <교과서> <중고등 교재> 부문 8년 연속 1위
**알파ON 클래스를 이용한 1,732명 회원 전수조사 결과 6개월~1년 6개월 만에 1,681명이 97.1% 성적 향상 (2019.09 기준)
(회원들이 자발적으로 제출한 성적에 근거한 자료로서, 성적표 결과와 완전히 일치하지 않을 수 있습니다.)

문의 1544-7380 l www.soobakc.com

개념＋유형

PLUS

최고수준 TOP 탑

중등 수학

2·2

Step1

개념+대표 문제 확인하기

단원별로 꼭 알아야 할 핵심 개념과 출제율이 가장 높은 대표
문제로 내신 기본기를 다질 수 있다.

Step2

내신 5% 따라잡기

까다로운 기출문제와 적중률이 높은 예상 문제로 내신 만점을
달성할 수 있다.
다양한 창의 사고력 문제들로 문제 해결력을 높일 수 있다.

---

step 1   개념+ 대표 문제 확인하기

● 정답과 해설 47쪽

03 대표 뽑기 / 선분 또는 삼각형의 개수

1 대표 뽑기
(1) 뽑는 순서와 관계가 있는 경우 → n명 중에서 일부를 뽑아 한 줄로 세우는 경우의 수와 같다.

n명 중에서 자격이 다른 3명을 뽑는 경우의 수
→ $n \times (n-1) \times (n-2)$

(2) 뽑는 순서와 관계가 없는 경우
n명 중에서 자격이 같은 3명을 뽑는 경우의 수
→ $\dfrac{n \times (n-1) \times (n-2)}{3 \times 2 \times 1}$ ← 뽑는 순서와 관계가 있는 경우의 수
← 중복되는 경우의 수

2 선분 또는 삼각형의 개수
어느 세 점도 한 직선 위에 있지 않은 n개의 점에서 → 뽑는 순서와 관계가 없는 경우의 대표 뽑기와 같다.
(1) 두 점을 이어 만들 수 있는 선분의 개수 → $\dfrac{n \times (n-1)}{2 \times 1}$(개)

(2) 세 점을 이어 만들 수 있는 삼각형의 개수 → $\dfrac{n \times (n-1) \times (n-2)}{3 \times 2 \times 1}$(개)

개념 더하기

● 대표 뽑기의 응용
서로 다른 n개에서 순서에 관계 없이 r개를 뽑는 경우의 수
(단, $0 < r \le n$)

$$\dfrac{n \times (n-1) \times (n-2) \times \cdots \times (n-r+1)}{r \times (r-1) \times (r-2) \times \cdots \times 1}$$
(단, $0 < r \le n$)

대표 문제

12 6개 국가의 대표가 모여서 회의를 하려고 한다. 이때 6명의 대표 중 의장과 부의장을 한 명씩 뽑는 경우의 수는?
① 15   ② 20   ③ 24
④ 30   ⑤ 36

13 세라, 은이, 효정, 영주 4명이 노인 복지관에 봉사활동을 하러 갔다. 이때 화장실을 청소할 사람 2명을 뽑는 경우의 수를 구하시오.

14 월드컵 본선 경기에서는 먼저 32개 국가의 축구 대표 팀을 4팀씩 8개 조로 나누어 각 조에 속한 팀끼리 경기를 하여 조별로 순위를 정한다. 이때 각 조의 조별 순위는 한 조에 속한 4팀이 서로 한 번씩 모두 경기를 하여 정한다고 할 때, 조별 순위를 정하기 위해 8개 조에서 치르는 모든 경기 수를 구하시오.

15 오른쪽 그림과 같이 한 원 위에 6개의 점이 있을 때, 두 점을 이어 만들 수 있는 선분의 개수를 구하시오.

16 오른쪽 그림과 같이 직사각형 위에 8개의 점이 있을 때, 세 점을 이어 만들 수 있는 삼각형의 개수는?
① 50개   ② 52개
③ 54개   ④ 56개
⑤ 58개

17 서로 다른 맛의 아이스크림 8개 중에서 5개를 고르는 경우의 수는?
① 28   ② 40   ③ 56
④ 60   ⑤ 72

개념 더하기 핵심 개념과 연계되는 심화 개념 또는 상위 개념

---

step 2   내신 5% 따라잡기

● 정답과 해설 40쪽

01 사건과 경우의 수

1 다음 그림과 같이 서로 다른 세 개의 주머니에 1, 2, 3의 숫자가 각각 적혀 있는 3개의 공이 들어 있다. 각각의 주머니에서 1개의 공을 꺼낼 때, 꺼낸 3개의 공에 적혀 있는 숫자의 합이 5가 되는 경우의 수를 구하시오.

2 A, B 두 개의 주사위를 동시에 던져서 나오는 눈의 수를 각각 a, b라 할 때, 두 직선 $y = ax + 1$과 $y = (2b - 1)x + a$가 서로 평행한 경우의 수는?
① 2   ② 3   ③ 4
④ 5   ⑤ 6

3 50원짜리 동전 4개, 100원짜리 동전 3개를 각각 1개 이상씩 사용하여 지불할 수 있는 모든 금액의 수를 구하시오.

4 길이가 3 cm, 5 cm, 6 cm, 7 cm, 9 cm인 5개의 막대가 있다. 이 중에서 3개를 선택하여 만들 수 있는 삼각형의 개수는?
① 7개   ② 8개   ③ 9개
④ 10개   ⑤ 11개

5 경주, 서희, 정민, 근석 4명의 학생이 각자 자신의 우산을 한 개씩 꽂아 우산 통에서 무심코 우산을 한 개씩 집어 들었을 때, 4명 모두 다른 사람의 우산을 집어 드는 경우의 수는? (단, 4개의 우산은 모두 모양과 크기가 같다.)
① 4   ② 6   ③ 9
④ 16   ⑤ 24

6 주사위 한 개를 같은 눈이 세 번 나올 때까지 계속 던져서 그때까지 나오는 모든 눈의 수의 합을 점수로 얻는 게임이 있다. 예를 들어 주사위를 먼저서 나오는 눈의 수가 1, 3, 4, 1, 1이면, 즉 1의 눈이 세 번 나오면 게임이 끝나고 이 경우에 얻는 점수는 10점이다. 이 게임에서 얻을 수 있는 최소 점수와 최대 점수의 합을 구하시오.

31 다음 그림과 같이 자음자 모음을 나타내는 자석이 각각 5개, 3개가 있다. 자음자 모음을 조합하여 글자를 만들려고 하는데, 글자 1개를 만드는 방법은 자음자 모음을 하나씩 조합하는 방법과 자음자 모음을 하나씩 조합한 후 자음 하나를 받침으로 더하는 방법의 두 가지가 있다. 주어진 방법으로 자석 8개를 조합하여 글자 2개를 이루어지는 단어를 만들려고 할 때, 만들 수 있는 단어의 개수를 구하시오. (단, 단어의 의미는 생각하지 않는다)

32 오른쪽 그림과 같은 미로에서 출발 지점에서 도착 지점까지 가는 경우의 수를 구하시오. (단, 한 번 지나간 곳은 다시 지나가지 않는다.)

33 미주에서 떠나는 원 말 8개와 검은 말 8개를 이용하여 다음과 같은 규칙에 따라 놀이를 하려고 한다.

VISANG

Step3

내신 1% 뛰어넘기

경시대회와 고난도 기출문제의 변형 및 예상 문제로 내신 만점 이상의 실력을 쌓을 수 있다.

서술형

서술형 완성하기

2~3개의 단원마다 다양한 유형의 서술형 문제와 고난도 서술형 문제를 연습할 수 있다.

---

01 18을 서로 다른 세 자연수의 곱으로 나타내는 방법은 $1 \times 2 \times 9$, $1 \times 3 \times 6$의 2가지가 있다. 이 와 같은 방법으로 96을 서로 다른 세 자연수의 곱으로 나타내는 방법의 수를 구하시오.
(단, $1 \times 2 \times 9$, $2 \times 1 \times 9$와 같이 곱이 곱하는 순서만 다른 것은 같은 것으로 생각한다.)

TOP 02 오른쪽 그림과 같이 7개의 방이 있고, 이웃한 방끼리는 통로로 연결되어 있다. 한 번 들어갔던 방에는 다시 들어가지 않는다고 할 때, 입구에서 출구까지 가는 경우의 수를 구하시오.

입구 ─── 출구

03 어느 동물병원에서 오른쪽 그림과 같이 1, 2, 3, 4, 5, 6, 7의 번호가 각각 적혀 있는 7칸의 우리에 강아지 1마리와 고양이 1마리를 포함한 서로 다른 종류의 동물 7마리를 넣으려고 한다. 강아지와 고양이를 이웃하지 않게 넣으려고 할 때, 7마리의 동물을 서로 다른 우리에 넣는 경우의 수를 구하시오.

1	2	3
4	5	
6		
7		

---

1 어느 해 동계올림픽의 경기 종목 중 쇼트트랙 경기에 총 7개 국가가 참가하였다. 이 중 4개 국가는 유럽 지역의 국가이고, 3개 국가는 아시아 지역의 국가이다. 참가국의 쇼트트랙 감독들이 한 줄로 서서 사진을 찍을 때, 다음 조건을 모두 만족시키도록 세우는 경우의 수를 구하시오.

> (개) 유럽 지역의 쇼트트랙 감독들을 양 끝에 세운다.
> (내) 유럽 지역의 쇼트트랙 감독들은 서로 이웃하지 않도록 세운다.

풀이 과정

답

2 지우네 동네의 어떤 영화관에서 3개월간 상영할 예정인 영화는 코믹 8편, 드라마 4편, 공포 6편이다. 지우가 이 중에서 3개월간 관람할 영화 5편을 고르려고 할 때, 코믹 1편, 드라마 2편, 공포 2편을 고르는 경우의 수를 구하시오.

풀이 과정

답

3 오른쪽 그림과 같이 한 원 위에 5개의 점이 있다. 이 중 두 점을 이어 만들 수 있는 직선의 개수를 x개, 세 점을 이어 만들 수 있는 삼각형의 개수를 y개라 할 때, $x+y$의 값을 구하시오.

풀이 과정

답

4 1부터 5까지의 수험 번호를 각각 발급받은 5명의 수험생이 1부터 5까지의 숫자가 각각 적힌 5개의 자리에 임의로 앉았다. 이때 2명만 자신의 수험 번호와 같은 숫자가 적힌 자리에 앉고 나머지 3명은 자신의 수험 번호와 다른 숫자가 적힌 자리에 앉을 확률을 구하시오.

풀이 과정

답

이 책의 차례

CONTENTS

1 삼각형의 성질

개념+ ^{대표} 문제 확인하기

01 이등변삼각형의 성질

1 **이등변삼각형**: 두 변의 길이가 같은 삼각형($\overline{AB}=\overline{AC}$)

(1) 꼭지각: 길이가 같은 두 변이 이루는 각($\angle A$)

(2) 밑변: 꼭지각의 대변($\overline{BC}$)

(3) 밑각: 밑변의 양 끝 각($\angle B$, $\angle C$)

> 참고 꼭지각, 밑각은 이등변삼각형에서만 사용되는 용어이다.

2 **이등변삼각형의 성질**

(1) 이등변삼각형의 두 밑각의 크기는 같다.

➡ $\angle B = \angle C$

(2) 이등변삼각형의 꼭지각의 이등분선은 밑변을 수직이등분한다. ➡ $\overline{AD} \perp \overline{BC}$, $\overline{BD}=\overline{CD}$

3 **이등변삼각형이 되는 조건**

두 내각의 크기가 같은 삼각형은 이등변삼각형이다. ➡ $\angle B = \angle C$이면 $\overline{AB}=\overline{AC}$

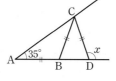

개념 활용하기

■ 폭이 일정한 종이 접기

다음 그림과 같이 폭이 일정한 직사각형 모양의 종이를 접으면 $\angle BAC = \angle BCA$ 따라서 $\triangle ABC$는 $\overline{AB}=\overline{BC}$인 이등변삼각형이다.

대표 문제

1 오른쪽 그림에서 $\overline{AB}=\overline{BC}=\overline{CD}$이고 $\angle A=35°$일 때, $\angle x$의 크기를 구하시오.

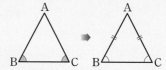

2 오른쪽 그림에서 $\triangle ABC$는 $\overline{AB}=\overline{AC}$인 이등변삼각형이다. $\angle A=36°$이고 $\angle ABD=\angle DBC$일 때, $\angle BDC$의 크기와 $\overline{AD}$의 길이를 각각 구하시오.

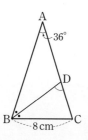

3 오른쪽 그림과 같이 $\overline{AB}=\overline{AC}$인 이등변삼각형 ABC에서 $\angle B$의 이등분선과 $\angle C$의 외각의 이등분선의 교점을 D라 하자. $\angle A=46°$일 때, $\angle x$의 크기를 구하시오.

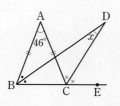

4 오른쪽 그림과 같이 $\overline{AB}=\overline{AC}$인 이등변삼각형 ABC에서 $\angle A$의 이등분선과 $\overline{BC}$의 교점을 D라 하고, $\overline{AD}$ 위의 한 점을 P라 할 때, 다음 중 옳지 않은 것은?

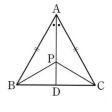

① $\overline{BD}=\overline{CD}$ ② $\angle ABP=\angle ACP$

③ $\overline{BP}=\overline{CP}$ ④ $\angle ABP=\angle DBP$

⑤ $\triangle PBD \equiv \triangle PCD$

5 폭이 일정한 직사각형 모양의 종이를 오른쪽 그림과 같이 접었을 때, $\triangle ABC$의 넓이는?

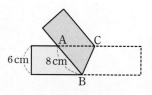

① $12\,cm^2$ ② $20\,cm^2$ ③ $24\,cm^2$

④ $32\,cm^2$ ⑤ $48\,cm^2$

1 직각삼각형의 합동 조건

두 직각삼각형은 다음의 각 경우에 서로 합동이다.

(1) 두 직각삼각형의 빗변의 길이와 한 예각의 크기가 각각 같을 때 두 삼각형은 합동이다.

　➡ RHA 합동

(2) 두 직각삼각형의 빗변의 길이와 다른 한 변의 길이가 각각 같을 때 두 삼각형은 합동이다.

　➡ RHS 합동

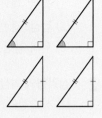

2 각의 이등분선의 성질

(1) 각의 이등분선 위의 한 점에서 그 각을 이루는 두 변까지의 거리는 같다.

　➡ $\angle AOP = \angle BOP$이면 $\overline{PQ} = \overline{PR}$

(2) 각을 이루는 두 변에서 같은 거리에 있는 점은 그 각의 이등분선 위에 있다.

　➡ $\overline{PQ} = \overline{PR}$이면 $\angle AOP = \angle BOP$

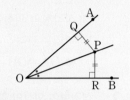

대표 문제

6 오른쪽 그림과 같이 $\overline{AB} = \overline{BC}$인 직각이등변삼각형 ABC의 두 꼭짓점 A, C에서 꼭짓점 B를 지나는 직선 l 위에 내린 수선의 발을 각각 D, E라 하자. $\overline{AD} = 3\,\text{cm}$, $\overline{CE} = 2\,\text{cm}$일 때, 사각형 ADEC의 넓이를 구하시오.

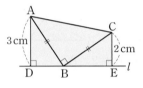

7 오른쪽 그림과 같은 △ABC에서 변 BC의 중점을 M이라 하고, 점 M에서 $\overline{AB}$와 $\overline{AC}$에 내린 수선의 발을 각각 D, E라 하자. $\angle A = 80°$, $\overline{MD} = \overline{ME}$일 때, $\angle BMD$의 크기를 구하시오.

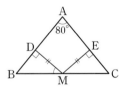

8 오른쪽 그림과 같이 $\angle C = 90°$인 직각삼각형 ABC에서 $\overline{AD} = \overline{AC}$이고, $\overline{AB} \perp \overline{ED}$이다. $\overline{AB} = 10\,\text{cm}$, $\overline{BC} = 8\,\text{cm}$, $\overline{CA} = 6\,\text{cm}$일 때, △BED의 둘레의 길이를 구하시오.

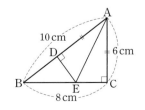

9 오른쪽 그림과 같이 $\angle XOY$의 이등분선 위의 한 점 P에서 $\overrightarrow{OX}$, $\overrightarrow{OY}$에 내린 수선의 발을 각각 A, B라 할 때, 다음 중 옳지 <u>않은</u> 것은?

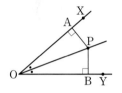

① $\angle AOP = \angle BOP$

② $\triangle AOP \equiv \triangle BOP$

③ $\overline{PA} = \overline{PB}$

④ $\overline{OA} = \overline{OP}$

⑤ $\angle APO = \angle BPO$

10 오른쪽 그림과 같이 $\angle B = 90°$인 직각삼각형 ABC에서 $\angle A$의 이등분선이 $\overline{BC}$와 만나는 점을 D라 하자. $\overline{AC} = 15\,\text{cm}$, $\overline{BD} = 4\,\text{cm}$일 때, △ADC의 넓이는?

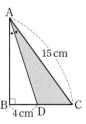

① $15\,\text{cm}^2$ 　　② $\dfrac{45}{2}\,\text{cm}^2$ 　　③ $30\,\text{cm}^2$

④ $\dfrac{75}{2}\,\text{cm}^2$ 　　⑤ $45\,\text{cm}^2$

03 삼각형의 외심

1 **원과 접선**: 원과 직선이 한 점에서 만날 때 이 직선은 원에 접한다고 한다.

(1) **접선**: 원과 한 점에서 만나는(접하는) 직선

(2) **접점**: 접선이 원과 만나는 점

(3) 원의 접선은 그 접점을 지나는 반지름과 수직이다.

2 **삼각형의 외심(O)**: 삼각형의 외접원의 중심

(1) 삼각형의 세 변의 수직이등분선은 한 점(O, 외심)에서 만난다.

(2) 삼각형의 외심에서 삼각형의 세 꼭짓점에 이르는 거리는 같다.

➡ $\overline{OA}=\overline{OB}=\overline{OC}$=(외접원의 반지름의 길이)

3 **삼각형의 외심의 활용**: 점 O가 △ABC의 외심일 때

(1) ➡

$\angle x+\angle y+\angle z=90°$

(2) ➡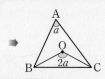

$\angle BOC=2\angle A$

■ 삼각형의 외심의 위치

① 예각삼각형
➡ 삼각형의 내부

② 직각삼각형
➡ 빗변의 중점

③ 둔각삼각형
➡ 삼각형의 외부

11 오른쪽 그림에서 점 O는 △ABC의 외심이고 점 O에서 $\overline{AB}$, $\overline{BC}$, $\overline{CA}$에 내린 수선의 발을 각각 D, E, F라 할 때, 다음 중 옳지 <u>않은</u> 것은?

① $\overline{OA}=\overline{OB}=\overline{OC}$ ② $\angle OBE=\angle OCE$

③ $\overline{AD}=\overline{AF}$ ④ $\triangle AFO \equiv \triangle CFO$

⑤ $\triangle OBE \equiv \triangle OCE$

12 오른쪽 그림에서 점 O는 △ABC의 외심이다.
$\overline{AC}=9\,cm$이고 △AOC의 둘레의 길이가 25 cm일 때, △ABC의 외접원의 둘레의 길이를 구하시오.

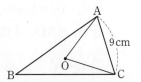

13 오른쪽 그림에서 ∠C=90°인 직각삼각형 ABC의 외접원의 둘레의 길이가 10π cm일 때, $\overline{AB}$의 길이를 구하시오.

14 오른쪽 그림에서 점 O는 △ABC의 외심이고 ∠OAB=15°일 때, ∠C의 크기를 구하시오.

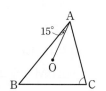

15 오른쪽 그림에서 점 O는 △ABC의 외심이다.
∠ABO=36°, ∠ACO=24°일 때, $\angle x+\angle y$의 크기를 구하시오.

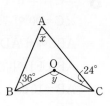

04 삼각형의 내심

1 **삼각형의 내심(I):** 삼각형의 내접원의 중심

(1) 삼각형의 세 내각의 이등분선은 한 점(I, 내심)에서 만난다.

(2) 삼각형의 내심에서 삼각형의 세 변에 이르는 거리는 같다.

➡ $\overline{ID}=\overline{IE}=\overline{IF}=$(내접원의 반지름의 길이)

2 **삼각형의 내심의 활용**

(1) 점 I가 △ABC의 내심일 때

①  ➡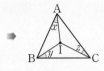

$$\angle x+\angle y+\angle z=90°$$

② 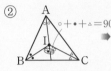 ➡

$$\angle BIC=90°+\frac{1}{2}\angle A$$

(2) △ABC의 내접원의 반지름의 길이를 r, 내접원이 세 변과 만나는 점을 각각 D, E, F라 하면

① $\triangle ABC=\dfrac{1}{2}r(\overline{AB}+\overline{BC}+\overline{CA})$

② $\overline{AD}=\overline{AF}$, $\overline{BD}=\overline{BE}$, $\overline{CE}=\overline{CF}$

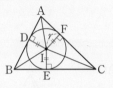

개념 활용하기

■ 삼각형의 내심과 평행선

다음 그림에서 점 I가 △ABC의 내심이고 $\overline{DE}/\!/\overline{BC}$일 때

① ∠DBI=∠DIB,
∠EIC=∠ECI이므로
△DBI, △EIC는 이등변삼각형이다.

② $\overline{DI}=\overline{DB}$, $\overline{EI}=\overline{EC}$이므로
(△ADE의 둘레의 길이)
$=\overline{AB}+\overline{AC}$

대표 문제

16 오른쪽 그림에서 점 I는 △ABC의 내심이다. 점 I에서 $\overline{AB}$, $\overline{BC}$, $\overline{CA}$에 내린 수선의 발을 각각 D, E, F라 할 때, 다음 중 옳은 것을 모두 고르면? (정답 2개)

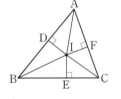

① ∠IAB=∠IBA
② ∠BIE=∠CIE
③ $\overline{IA}=\overline{IB}=\overline{IC}$
④ $\overline{ID}=\overline{IE}=\overline{IF}$
⑤ △IEC≡△IFC

17 오른쪽 그림에서 점 I는 △ABC의 내심이다.
∠A=68°, ∠ABI=25°일 때, ∠x의 크기를 구하시오.

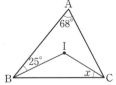

18 오른쪽 그림에서 점 I는 직각삼각형의 ABC의 내심이다. $\overline{AB}=20\,cm$, $\overline{BC}=16\,cm$, $\overline{CA}=12\,cm$일 때, 색칠한 부분의 넓이를 구하시오.

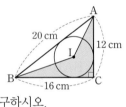

19 오른쪽 그림에서 원 I는 △ABC의 내접원이고, 세 점 D, E, F는 각각 그 접점이다. $\overline{AB}=10$, $\overline{BC}=14$, $\overline{CA}=8$일 때, $\overline{BD}$의 길이를 구하시오.

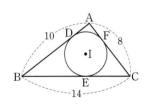

20 오른쪽 그림에서 점 I는 △ABC의 내심이고, $\overline{DE}/\!/\overline{BC}$이다. $\overline{BC}=6\,cm$이고, △ADE의 둘레의 길이가 20 cm일 때, △ABC의 둘레의 길이를 구하시오.

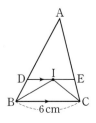

01 이등변삼각형의 성질

1 오른쪽 그림과 같이
∠A＝90°, ∠C＝52°인
직각삼각형 ABC에서
$\overline{AD} \perp \overline{BC}$, $\overline{AE}=\overline{AF}$일 때,
∠x의 크기는?

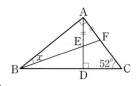

① 16°   ② 17°   ③ 18°

④ 19°   ⑤ 20°

2 오른쪽 그림과 같이 $\overline{AB}=\overline{AC}$
인 이등변삼각형 ABC에서
$\overline{BC}$ 위의 한 점을 D라 할 때,
꼭짓점 C에서 $\overline{AD}$에 내린 수
선의 발을 E라 하자.
∠DCE＝16°이고 ∠BAC＝4∠BAD일 때,
∠BAD의 크기를 구하시오.

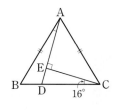

3 오른쪽 그림에서
$\overline{OA}=\overline{AB}=\overline{BC}=\overline{CD}$이고
∠ECD＝100°일 때,
∠CAB의 크기는?

*중요

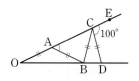

① 35°   ② 40°   ③ 45°

④ 50°   ⑤ 55°

4 오른쪽 그림은 $\overline{AB}=\overline{AC}$인 이
등변삼각형 ABC에서 $\overline{DE}$를 접
는 선으로 하여 꼭짓점 A가 꼭
짓점 B에 오도록 접은 것이다.
∠EBC＝18°일 때, ∠BED의
크기는?

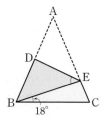

① 40°   ② 41°   ③ 42°

④ 43°   ⑤ 44°

5 오른쪽 그림과 같이
$\overline{AB}=\overline{AC}$인 이등변삼각형
ABC에서 ∠A의 이등분선과
$\overline{BC}$의 교점을 P, 점 P에서
$\overline{AB}$에 내린 수선의 발을 D라
하자. $\overline{AB}=25$ cm, $\overline{AP}=20$ cm, $\overline{DP}=12$ cm일 때,
$\overline{BC}$의 길이를 구하시오.

6 오른쪽 그림과 같이
$\overline{AB}=\overline{AC}$인 직각이등변삼
각형 ABC가 있다. $\overline{CA}$의
연장선 위의 한 점 D에서
$\overline{BC}$에 내린 수선의 발을 E
라 하고, $\overline{AB}$와 $\overline{DE}$의 교점을 F라 하자.
$\overline{AC}=13$ cm, $\overline{BF}=9$ cm일 때, $\overline{AD}$의 길이를 구하
시오.

7 오른쪽 그림과 같이 $\overline{AB}=\overline{AC}$인 이등변삼각형 ABC의 $\overline{BC}$ 위에 $\overline{AC}=\overline{CD}$, $\overline{AB}=\overline{BE}$가 되도록 두 점 D, E를 각각 잡았다. ∠DAE=36°일 때, ∠BAD의 크기를 구하시오.

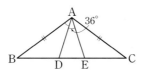

8 가로와 세로의 길이의 비가 3 : 1인 직사각형 모양의 종이 ABCD를 다음 그림과 같이 접었다. $\overline{GC}=6$ cm, $\overline{FC}=10$ cm일 때, △EGC의 넓이를 구하시오.

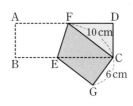

9 오른쪽 그림과 같이 $\overline{AB}=\overline{AC}$인 이등변삼각형 ABC의 밑변 BC 위의 한 점 D에 대하여 $\overline{BD}=\overline{CE}$가 되도록 $\overline{AC}$ 위에 점 E를 잡고 $\overline{CD}=\overline{BF}$가 되도록 $\overline{AB}$ 위에 점 F를 잡았다. ∠A=48°일 때, ∠DEF의 크기를 구하시오.

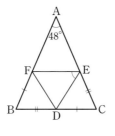

02 직각삼각형의 합동

10 오른쪽 그림과 같이 $\overline{AB}=\overline{BC}$인 직각이등변삼각형 ABC의 두 꼭짓점 A, C에서 꼭짓점 B를 지나는 직선 l에 내린 수선의 발을 각각 D, E라 하자. $\overline{AD}=3$ cm, $\overline{CE}=8$ cm일 때, $\overline{DE}$의 길이를 구하시오.

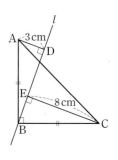

11 오른쪽 그림과 같이 $\overline{AB}=\overline{BC}$인 직각이등변삼각형 ABC의 두 꼭짓점 A, C에서 꼭짓점 B를 지나는 직선 l 위에 내린 수선의 발을 각각 D, E라 하자. $\overline{AD}=4$ cm이고 △BEC의 넓이가 6 cm²일 때, △ABC의 넓이를 구하시오.

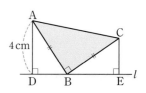

중요

12 오른쪽 그림과 같은 △ABC에서 $\overline{BC}$의 중점을 M이라 하고, 점 M에서 $\overline{AB}$와 $\overline{AC}$에 내린 수선의 발을 각각 D, E라 하자. $\overline{DM}=\overline{EM}=4$ cm, $\overline{AB}=10$ cm일 때, △ABC의 넓이를 구하시오.

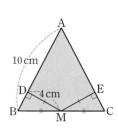

교과서 속 심화

13 오른쪽 그림과 같은 정사각형 ABCD에서 점 E는 $\overline{AB}$ 위의 점이고, 점 F는 $\overline{BC}$의 연장선 위에 $\overline{DE}=\overline{DF}$가 되도록 잡은 것이다. ∠ADE=30°일 때, ∠BFE의 크기를 구하시오.

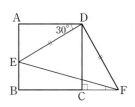

중요

14 오른쪽 그림과 같이 ∠C=90°인 직각삼각형 ABC의 $\overline{BC}$ 위의 한 점 D에서 $\overline{AB}$에 내린 수선의 발을 E라 하자. $\overline{CD}=\overline{DE}$이고 $\overline{AB}=15$ cm, $\overline{BC}=9$ cm, $\overline{CA}=12$ cm일 때, △BDE의 넓이는?

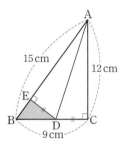

① 3 cm² ② 4 cm² ③ 5 cm²
④ 6 cm² ⑤ 7 cm²

15 오른쪽 그림과 같이 ∠B=90°이고 $\overline{AB}=\overline{BC}$인 직각이등변삼각형 ABC에서 ∠A의 이등분선이 $\overline{BC}$와 만나는 점을 D라 하자. $\overline{AC}=13$ cm일 때, $\overline{AB}+\overline{BD}$의 길이를 구하시오.

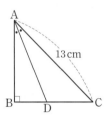

03 삼각형의 외심

중요

16 오른쪽 그림에서 점 O는 △ABC의 외심이다. $\overline{CE}=4$ cm, $\overline{OE}=3$ cm이고 사각형 ADOF의 넓이가 10 cm²일 때, △ABC의 넓이는?

① 24 cm² ② 28 cm² ③ 30 cm²
④ 32 cm² ⑤ 34 cm²

17 오른쪽 그림에서 점 O는 △ABC의 외심이다. ∠BOC=34°, ∠AOC=76°일 때, ∠BCA의 크기는?

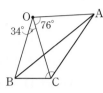

① 110° ② 115° ③ 120°
④ 125° ⑤ 130°

18 오른쪽 그림은 ∠A=90°이고 $\overline{AB}=\overline{AC}$인 직각이등변삼각형 ABC에서 점 A를 중심으로 하여 $\overline{BC}$에 접하는 원의 일부를 그린 것이다. $\overline{BC}=8$ cm일 때, 색칠한 부채꼴의 넓이는?

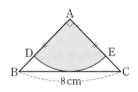

① 3π cm² ② $\frac{7}{2}π$ cm² ③ 4π cm²
④ $\frac{9}{2}π$ cm² ⑤ 5π cm²

19 오른쪽 그림에서 점 O는 △ABC의 외심이다. $\overline{AO}$가 ∠A의 이등분선이고 ∠OBC=∠OAB+12°일 때, ∠BOC의 크기를 구하시오.

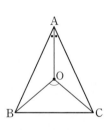

20 오른쪽 그림에서 두 점 O, O'은 각각 △ABC, △AOC의 외심이다. ∠OCO'=26°일 때, ∠AOB의 크기는?

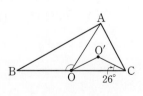

① 120° ② 122° ③ 126°
④ 128° ⑤ 130°

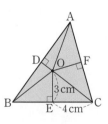
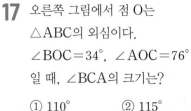

21 오른쪽 그림에서 점 O는
△ABC의 외심이다.
∠ABC=25°,
∠OBC=15°일 때, ∠A의
크기는?

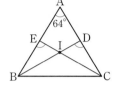

① 100°　　② 105°　　③ 110°

④ 115°　　⑤ 120°

04 삼각형의 내심

교과서 속 심화

24 오른쪽 그림에서 점 I는
△ABC의 내심이고 $\overline{BI}$와 $\overline{CI}$
의 연장선이 $\overline{AC}$, $\overline{AB}$와 만나
는 점을 각각 D, E라 하자.
∠A=64°일 때,
∠BDC+∠BEC의 크기를 구하시오.

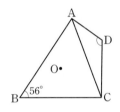

22 오른쪽 그림에서 점 O는
△ABC의 외심인 동시에
△ACD의 외심이다.
∠B=56°일 때, ∠D의 크기
는?

① 112°　　② 116°　　③ 120°

④ 124°　　⑤ 128°

25 오른쪽 그림에서 점 I는 한 변
의 길이가 12 cm인 정삼각형
ABC의 내심이다. $\overline{AB}$∥$\overline{ID}$,
$\overline{AC}$∥$\overline{IE}$일 때, △IDE의 둘레
의 길이는?

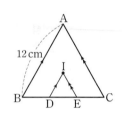

① 10 cm　　② 12 cm　　③ 13 cm

④ 15 cm　　⑤ 16 cm

23 오른쪽 그림과 같이
△ABC의 꼭짓점 B에서
$\overline{AC}$에 내린 수선의 발을 H
라 하고, $\overline{BC}$의 중점을 N이
라 하자. $\overline{AC}$ 위의 점 M에 대하여 $\overline{AB}$∥$\overline{MN}$이고
$\overline{MN}=5$, ∠A=2∠C일 때, $\overline{HM}$의 길이를 구하시오.

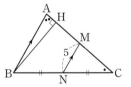

26 오른쪽 그림에서 점 I는
△ABC의 내심이고,
$\overline{DE}$∥$\overline{BC}$이다. $\overline{AB}=10$ cm,
$\overline{AC}=8$ cm이고 △ADE의
넓이가 15 cm²일 때,
△ADE의 내접원의 반지름의 길이를 구하시오.

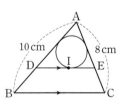

27 오른쪽 그림에서 점 I는 △ABC의 내심이고, 점 I를 중심으로 하고 두 점 A, B를 지나는 원이 있다. 이 원이 $\overline{BC}$, $\overline{AC}$와 만나는 점을 각각 D, E라 하고 $\overline{AB}=7$, $\overline{BC}=10$일 때, $\overline{EC}$의 길이를 구하시오.

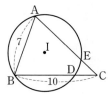

28 오른쪽 그림에서 원 I는 ∠C=90°인 직각삼각형 ABC의 내접원이다. $\overline{AB}=13\,cm$, $\overline{BC}=5\,cm$, $\overline{CA}=12\,cm$일 때, 색칠한 부분의 넓이를 구하시오.

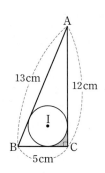

교과서 속 심화

29 오른쪽 그림에서 점 O와 점 I는 각각 $\overline{AB}=\overline{AC}$인 이등변삼각형 ABC의 외심과 내심이다. ∠ABC=70°일 때, ∠OBI의 크기는?

① 10° ② 12.5°
③ 15° ④ 17.5°
⑤ 20°

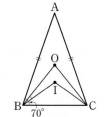

30 오른쪽 그림에서 점 O와 점 I는 각각 ∠B=90°인 직각삼각형 ABC의 외심과 내심이고, 점 P는 $\overline{IC}$와 $\overline{OB}$의 교점이다. ∠A=56°일 때, ∠BPC의 크기를 구하시오.

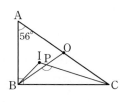

중요

31 오른쪽 그림에서 점 O와 점 I는 각각 △ABC의 외심과 내심이다. ∠B=50°, ∠C=64°일 때, ∠OAI의 크기는?

① 5° ② 6° ③ 7°
④ 8° ⑤ 9°

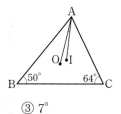

32 오른쪽 그림에서 △ABC의 외심 O와 내심 I는 $\overline{AF}$ 위에 있고, ∠BAC=76°, $\overline{AB}\perp\overline{OD}$일 때, ∠BED의 크기를 구하시오.

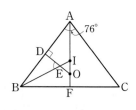

33 오른쪽 그림에서 △ABC는 ∠C=90°인 직각삼각형이고, △ABC의 외접원 O와 내접원 O′의 반지름의 길이가 각각 10, 4일 때, △ABC의 넓이를 구하시오.

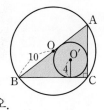

34 다음 [그림 1]과 같이 세로의 길이가 3 cm인 직사각형 ABCD를 [그림 2]와 같이 두 점 A, C가 일치하고 점 B가 $\overline{EH}$와 $\overline{CG}$의 교점에 오도록 접어서 오각형 DEFGH를 만들었다. [그림 2]에서 $\overline{EH}+\overline{FG}=15$ cm일 때, [그림 1]의 직사각형 ABCD의 넓이를 구하시오.

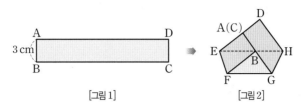

[그림 1]　　　　　[그림 2]

35 어느 회사에서는 본사와 같은 거리에 있는 네 지점에 A, B, C, D 4개의 공장을 짓고, 오른쪽 그림과 같이 각 지점을 연결하는 직선 도로를 만들었다. A 공장과 C 공장, B 공장과 D 공장을 각각 직접 연결하는 두 직선 도로를 추가로 만든다고 할 때, 새로 만들게 될 두 직선 도로가 이루는 각 중에서 작은 각의 크기를 구하시오. (단, 도로의 폭은 생각하지 않는다.)

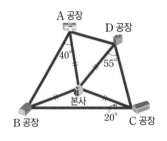

36 오른쪽 그림과 같이 전체 넓이가 60 m²인 삼각형 모양의 분수대를 합동인 4개의 삼각형 모양으로 나누어 각각의 공간에 서로 다른 색의 물이 나오는 분수 꼭지 4개를 설치하려고 한다. 각 분수 꼭지에서 나오는 물줄기는 모든 방향으로 같은 거리만큼 퍼지고 그 분수대를 벗어나거나 다른 색의 물이 나오는 공간에는 떨어지지 않을 때, 각 물줄기는 분수 꼭지에서 최대 몇 m까지 퍼질 수 있는지 구하시오.
(단, 분수대 테두리의 두께는 생각하지 않는다.)

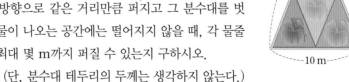

01 오른쪽 그림에서 △ADE는 △ABC를 점 A를 중심으로 하여 $\overline{BA}$와 $\overline{DE}$가 평행이 될 때까지 회전시킨 것이다. $\overline{BC}$와 $\overline{DE}$, $\overline{DA}$의 교점을 각각 F, G라 하고 $\overline{AB}=6\,\text{cm}$, $\overline{BC}=9\,\text{cm}$일 때, $\overline{CF}$의 길이를 구하시오.

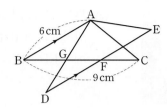

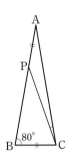

02 오른쪽 그림과 같이 $\overline{AB}=\overline{AC}$인 이등변삼각형 ABC의 $\overline{AB}$ 위에 $\overline{AP}=\overline{BC}$가 되도록 점 P를 잡았다. $\angle B=80°$일 때, $\angle ACP$의 크기를 구하시오.

03 오른쪽 그림과 같은 정사각형 ABCD에서 $\overline{BC}$ 위의 임의의 한 점 E에 대하여 $\angle EAD$의 이등분선과 $\overline{CD}$의 교점을 F라 할 때, 다음 중 $\overline{AE}$와 길이가 같은 것은?

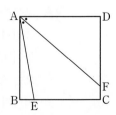

① $\overline{AF}$ ② $\overline{AB}+\overline{BE}$ ③ $\overline{BE}+\overline{DF}$
④ $\overline{DF}$ ⑤ $\overline{CE}+\overline{CF}$

04 오른쪽 그림에서 삼각형 ABC는 $\angle A=90°$, $\angle ABC=30°$인 직각삼각형이고, 사각형 BDEC는 $\overline{BC}=2\overline{BD}$인 직사각형이다. $\overline{BC}$와 $\overline{AE}$의 교점을 F라 할 때, $\angle AFB$의 크기를 구하시오.

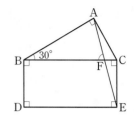

TOP
05 오른쪽 그림과 같이 $\overline{AB}=10$, $\overline{BC}=8$, $\overline{CA}=6$인 직각삼각형 ABC의 내부에 반지름의 길이가 같은 세 원이 있다. 세 원이 삼각형 ABC의 한 변 또는 두 변과 접할 때, 이 원의 반지름의 길이를 구하시오.

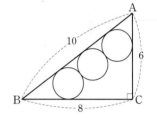

06 오른쪽 그림과 같이 $\overline{AB}=\overline{AC}$인 이등변삼각형 ABC의 외접원과 내접원의 중심을 각각 O, I라 하고, $\overline{AI}$의 연장선과 외접원의 교점을 D라 하자. 외접원 O의 둘레의 길이가 22π이고 $\overline{OI}=3$, $\angle CAD=\angle CBD$일 때, $\overline{BD}$의 길이를 구하시오.

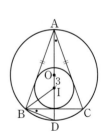

2 사각형의 성질

개념+ 대표 문제 확인하기

● 정답과 해설 9쪽

01 평행사변형의 성질

개념 활용하기

1 **사각형 기호**: 사각형 ABCD를 기호로 □ABCD와 같이 나타낸다.

2 **평행사변형**

평행사변형은 두 쌍의 대변이 각각 평행한 사각형이다.

➡ $\overline{AB} /\!/ \overline{DC}$, $\overline{AD} /\!/ \overline{BC}$

참고 사각형에서 마주 보는 변을 대변, 마주 보는 각을 대각이라 한다.

3 **평행사변형의 성질**

(1) 두 쌍의 대변의 길이가 각각 같다.

➡ $\overline{AB}=\overline{DC}$, $\overline{AD}=\overline{BC}$

(2) 두 쌍의 대각의 크기가 각각 같다.

➡ $\angle A=\angle C$, $\angle B=\angle D$

(3) 두 대각선은 서로 다른 것을 이등분한다.

➡ $\overline{OA}=\overline{OC}$, $\overline{OB}=\overline{OD}$

■ **평행사변형에서 이웃하는 두 내각의 크기의 합**

평행사변형에서 이웃하는 두 내각의 크기의 합은 180°이다.

$\angle A+\angle B=\angle B+\angle C$
$=\angle C+\angle D$
$=\angle D+\angle A$
$=180°$

대표 문제

1 오른쪽 그림과 같은 평행사변형 ABCD에서 $\angle x+\angle y$의 크기는?

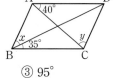

① 75°　② 85°　③ 95°

④ 105°　⑤ 115°

2 오른쪽 그림과 같은 평행사변형 ABCD에서 $\overline{AE}$, $\overline{DF}$는 각각 $\angle A$, $\angle D$의 이등분선이다. $\overline{AB}=5\,cm$, $\overline{AD}=7\,cm$일 때, $\overline{EF}$의 길이를 구하시오.

3 오른쪽 그림과 같은 평행사변형 ABCD에서 $\angle DAC$의 이등분선과 $\overline{BC}$의 연장선의 교점을 E라 하자.
$\angle B=64°$, $\angle ACD=52°$일 때, $\angle AEC$의 크기를 구하시오.

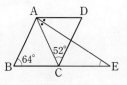

4 오른쪽 그림과 같은 평행사변형 ABCD에서 $\overline{AB}=\overline{BP}$이고
$\angle DAB : \angle ABP=5 : 4$일 때, $\angle x$의 크기는?

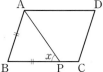

① 40°　② 45°　③ 50°

④ 55°　⑤ 60°

5 오른쪽 그림과 같이 평행사변형 ABCD의 두 대각선의 교점 O를 지나는 직선이 $\overline{AB}$, $\overline{DC}$와 만나는 점을 각각 E, F라 할 때, 다음 중 옳지 <u>않은</u> 것은?

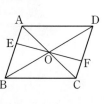

① $\overline{AE}=\overline{CF}$　② $\overline{BE}=\overline{DF}$

③ $\overline{OE}=\overline{OF}$　④ $\triangle BOE \equiv \triangle DOF$

⑤ $\angle AEO=\angle OFD$

1 **평행사변형이 되는 조건**: 다음의 어느 한 조건을 만족시키는 사각형은 평행사변형이다.

두 쌍의 대변이 각각 평행하다.	두 쌍의 대변의 길이가 각각 같다.	두 쌍의 대각의 크기가 각각 같다.	두 대각선이 서로 다른 것을 이등분한다.	한 쌍의 대변이 평행하고 그 길이가 같다.
$\overline{AB}$∥$\overline{DC}$, $\overline{AD}$∥$\overline{BC}$	$\overline{AB}=\overline{DC}$, $\overline{AD}=\overline{BC}$	∠A=∠C, ∠B=∠D	$\overline{OA}=\overline{OC}$, $\overline{OB}=\overline{OD}$	$\overline{AD}$∥$\overline{BC}$, $\overline{AD}=\overline{BC}$

2 **평행사변형과 넓이**: 평행사변형 ABCD에서 두 대각선의 교점을 O라 하면

(1) $\triangle ABC=\triangle BCD=\triangle CDA=\triangle DAB=\dfrac{1}{2}\square ABCD$

(2) $\triangle ABO=\triangle BCO=\triangle CDO=\triangle DAO=\dfrac{1}{4}\square ABCD$

(3) 내부의 임의의 한 점 P에 대하여

$\triangle PAB+\triangle PCD=\triangle PDA+\triangle PBC=\dfrac{1}{2}\square ABCD$

대표 문제

6 다음 중 □ABCD가 평행사변형인 것을 모두 고르면? (단, 점 O는 두 대각선의 교점이다.) (정답 2개)

① $\overline{AB}=6\,cm$, $\overline{BC}=7\,cm$, $\overline{CD}=6\,cm$

② ∠A=110°, ∠B=70°, ∠D=70°

③ $\overline{OA}=3\,cm$, $\overline{OB}=3\,cm$, $\overline{OC}=4\,cm$, $\overline{OD}=4\,cm$

④ ∠A=80°, ∠B=100°, $\overline{AD}=5\,cm$, $\overline{BC}=5\,cm$

⑤ $\overline{AB}$∥$\overline{DC}$, $\overline{AD}=\overline{BC}=5\,cm$

7 오른쪽 그림과 같은 평행사변형 ABCD에서 대각선 BD 위에 $\overline{BE}=\overline{DF}$인 두 점 E, F를 잡을 때, 다음 중 옳지 <u>않은</u> 것은?

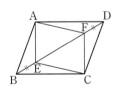

① ∠ABE=∠CDF ② $\triangle ABE\equiv\triangle CDF$
③ $\overline{AE}=\overline{CF}$ ④ ∠ADF=∠CDF
⑤ □AECF는 평행사변형이다.

8 오른쪽 그림과 같은 평행사변형 ABCD에서 두 대각선의 교점을 O라 하고, 점 O를 지나는 직선이 $\overline{BC}$, $\overline{AD}$와 만나는 점을 각각 E, F라 하자. $\triangle AOF$와 $\triangle BEO$의 넓이의 합이 $7\,cm^2$일 때, □ABCD의 넓이를 구하시오.

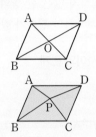

9 오른쪽 그림과 같은 평행사변형 ABCD에서 $\overline{AD}$, $\overline{BC}$의 중점을 각각 M, N이라 하고 $\overline{AN}$과 $\overline{BM}$의 교점을 P, $\overline{MC}$와 $\overline{ND}$의 교점을 Q라 하자. □ABCD$=32\,cm^2$일 때, □PNQM의 넓이를 구하시오.

10 오른쪽 그림과 같은 평행사변형 ABCD에서 내부의 한 점 P에 대하여 □ABCD$=82\,cm^2$, $\triangle PAD=18\,cm^2$일 때, $\triangle PBC$의 넓이를 구하시오.

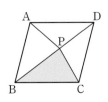

03 여러 가지 사각형

1 여러 가지 사각형

(1) **직사각형**: 네 내각의 크기가 같은 사각형
  - 성질: 두 대각선은 길이가 같고, 서로 다른 것을 이등분한다.

(2) **마름모**: 네 변의 길이가 같은 사각형
  - 성질: 두 대각선은 서로 다른 것을 수직이등분한다.

(3) **정사각형**: 네 변의 길이가 같고, 네 내각의 크기가 같은 사각형
  - 성질: 두 대각선은 길이가 같고, 서로 다른 것을 수직이등분한다.

(4) **등변사다리꼴**: 아랫변의 양 끝 각의 크기가 같은 사다리꼴
  - 성질: ① 평행하지 않은 한 쌍의 대변의 길이가 같다.
    ② 두 대각선의 길이가 같다.

■ 사각형의 각 변의 중점을 연결
하여 만든 사각형
① 사각형, 사다리꼴, 평행사변형
  ➡ 평행사변형
② 등변사다리꼴, 직사각형
  ➡ 마름모
③ 마름모 ➡ 직사각형
④ 정사각형 ➡ 정사각형

2 여러 가지 사각형 사이의 관계

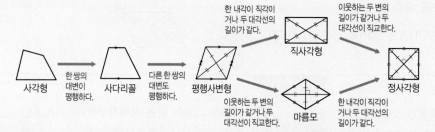

11 오른쪽 그림과 같은 평행사변형 ABCD에서 ∠DAC=52°, ∠DBC=38°일 때, ∠BDC의 크기를 구하시오. (단, 점 O는 두 대각선의 교점이다.)

12 오른쪽 그림과 같이 $\overline{AD} /\!/ \overline{BC}$인 등변사다리꼴 ABCD에서 다음 중 옳지 <u>않은</u> 것은? (단, 점 O는 두 대각선의 교점이다.)

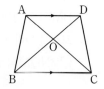

① $\overline{AC}=\overline{BD}$ ② $\overline{OB}=\overline{OC}$
③ ∠BAD=∠ADC   ④ △ABC≡△DCB
⑤ ∠BAD=∠BCD

13 오른쪽 그림과 같은 평행사변형 ABCD의 네 내각의 이등분선의 교점을 각각 E, F, G, H라 할 때, □EFGH는 어떤 사각형인가?

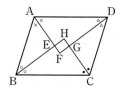

① 평행사변형   ② 사다리꼴   ③ 직사각형
④ 마름모   ⑤ 정사각형

14 오른쪽 그림과 같은 사각형 ABCD의 각 변의 중점을 각각 E, F, G, H라 하자. $\overline{EF}=4$ cm, $\overline{EH}=6$ cm일 때, □EFGH의 둘레의 길이를 구하시오.

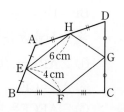

1 평행선과 삼각형의 넓이

두 직선 l과 m이 평행할 때, $\triangle ABC$와 $\triangle DBC$는 밑변 BC가 공통이고 높이가 h로 같으므로 넓이가 서로 같다.

➡ $l /\!/ m$이면 $\triangle ABC = \triangle DBC$

2 높이가 같은 삼각형의 넓이의 비

높이가 같은 두 삼각형의 넓이의 비는 밑변의 길이의 비와 같다.

➡ $\overline{BC} : \overline{CD} = m : n$이면 $\triangle ABC : \triangle ACD = m : n$

참고 오른쪽 그림에서 점 C가 $\overline{BD}$의 중점, 즉 $\overline{BC} = \overline{CD}$일 때,
$\triangle ABC = \triangle ACD$

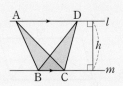

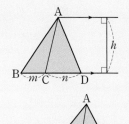

■ 평행선과 넓이의 활용

①

$\triangle ACD = \triangle ACE$
$\square ABCD = \triangle ABE$

② $\triangle ABC = \triangle DBC$
$\triangle ABO = \triangle DCO$

③

$\triangle ABE = \triangle DBE$
$= \triangle DBF = \triangle DAF$

대표 문제

15 오른쪽 그림에서 $\overline{AB} /\!/ \overline{DC}$이고
$\triangle DBE = 24\,\text{cm}^2$,
$\triangle DCE = 6\,\text{cm}^2$일 때, $\triangle ACD$
의 넓이를 구하시오.

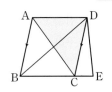

16 오른쪽 그림과 같은 평행사변
형 ABCD에서 $\overline{AC} /\!/ \overline{PQ}$일
때, 다음 삼각형 중 넓이가
나머지 넷과 다른 하나는?

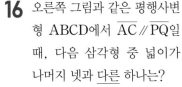

① $\triangle ACQ$　　② $\triangle BCQ$　　③ $\triangle ACP$
④ $\triangle ABP$　　⑤ $\triangle AQP$

17 오른쪽 그림에서 $\overline{AC} /\!/ \overline{DE}$
이고 $\overline{BC} : \overline{CE} = 3 : 2$이다.
$\square ABCD = 40\,\text{cm}^2$일 때,
$\triangle ACD$의 넓이를 구하시오.

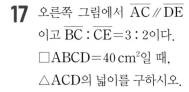

18 오른쪽 그림과 같은 $\triangle ABC$에
서 점 M은 $\overline{BC}$의 중점이고
$\overline{AP} : \overline{PM} = 1 : 2$,
$\triangle ABC = 36\,\text{cm}^2$일 때,
$\triangle PBM$의 넓이는?

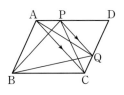

① $12\,\text{cm}^2$　　② $13\,\text{cm}^2$　　③ $14\,\text{cm}^2$
④ $15\,\text{cm}^2$　　⑤ $16\,\text{cm}^2$

19 오른쪽 그림과 같이 $\overline{AD} /\!/ \overline{BC}$인
사다리꼴 ABCD에서
$\overline{OB} : \overline{OD} = 3 : 2$이고
$\triangle ABD = 30\,\text{cm}^2$일 때,
$\square ABCD$의 넓이는?

（단, 점 O는 두 대각선의 교점이다.）

① $60\,\text{cm}^2$　　② $65\,\text{cm}^2$　　③ $70\,\text{cm}^2$
④ $75\,\text{cm}^2$　　⑤ $80\,\text{cm}^2$

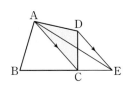

01 평행사변형의 성질

1 오른쪽 그림과 같은 평행사변형 ABCD에서 점 M은 $\overline{AD}$의 중점이고 $\overline{BC}=2\overline{AB}$ 일 때, ∠BMC의 크기는?

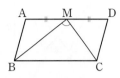

① 75°   ② 80°   ③ 85°

④ 90°   ⑤ 95°

2 오른쪽 그림과 같은 평행사변형 ABCD에서 점 C를 지나고 ∠B의 이등분선과 수직인 직선이 $\overline{AD}$와 만나는 점을 E라 하자. $\overline{AB}=7$ cm, $\overline{BC}=10$ cm일 때, $\overline{AE}$의 길이를 구하시오.

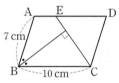

중요

3 오른쪽 그림과 같은 평행사변형 ABCD에서 ∠A의 이등분선이 $\overline{BC}$와 만나는 점을 E, $\overline{DC}$의 연장선과 만나는 점을 F라 하자.
$\overline{AB}=15$ cm이고 $\overline{BE}:\overline{EC}=3:2$일 때, $\overline{CF}$의 길이는?

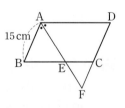

① 8 cm   ② 9 cm   ③ 10 cm

④ 11 cm   ⑤ 12 cm

4 오른쪽 그림과 같은 평행사변형 ABCD에서 $\overline{AE}$는 ∠A의 이등분선이고, $\overline{BF}$는 ∠B의 이등분선이다.
∠BFD=138°일 때, ∠x의 크기를 구하시오.

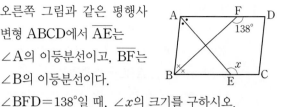

5 오른쪽 그림과 같은 평행사변형 ABCD에서 두 대각선의 교점을 O라 하면 $\overline{AO}=7$, $\overline{DO}=10$이다. ∠BDC의 이등분선이 $\overline{AB}$의 연장선과 만나는 점을 E라 할 때, $\overline{BE}$의 길이를 구하시오.

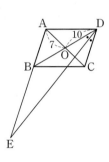

6 오른쪽 그림과 같은 평행사변형 ABCD에서 $\overline{CD}$ 위의 한 점 E에 대하여 $\overline{AD}=\overline{AE}$이고 $\overline{AB}=4$, $\overline{AC}=7$, $\overline{AD}=6$일 때, $\overline{BE}$의 길이를 구하시오.

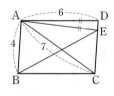

7 오른쪽 그림에서 □ABCD는 $\overline{AD}=3$ cm, $\overline{CD}=6$ cm인 평행사변형이고, △FEC는 $\overline{FE}=\overline{FC}=10$ cm인 이등변삼각형이다. 세 점 A, B, D가 각각 $\overline{EF}$, $\overline{EC}$, $\overline{CF}$ 위의 점일 때, $\overline{AF}$의 길이를 구하시오.

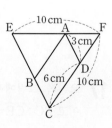

8 다음 보기의 조건을 만족시키는 □ABCD 중 평행사변형인 것을 모두 고른 것은?

┌ 보기 ├
ㄱ. $\angle A + \angle B = \angle A + \angle D = 180°$
ㄴ. $\angle C + \angle D = 180°$, $\overline{AB} = \overline{CD}$
ㄷ. $\angle A = \angle C$, $\angle ADB = \angle CBD$
ㄹ. $\triangle ABC \equiv \triangle CDA$
ㅁ. $\overline{AC} = \overline{BD}$, $\overline{AC} \perp \overline{BD}$

① ㄱ, ㄷ   ② ㄷ, ㄹ   ③ ㄱ, ㄷ, ㄹ
④ ㄴ, ㄹ, ㅁ   ⑤ ㄷ, ㄹ, ㅁ

9 오른쪽 그림과 같이 $\overline{BD}$를 대각선으로 하는 두 평행사변형 ABCD와 BEDF가 있다. 이때 □AECF는 어떤 사각형인지 말하시오.

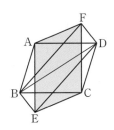

10 오른쪽 그림과 같은 평행사변형 ABCD에서 ∠B, ∠D의 이등분선이 $\overline{AD}$, $\overline{BC}$와 만나는 점을 각각 E, F라 하자. $\overline{AB} = 6$ cm, $\overline{BC} = 8$ cm이고 □ABCD = 40 cm²일 때, □EBFD의 넓이는?

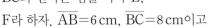

① 8 cm²   ② 10 cm²   ③ 12 cm²
④ 14 cm²   ⑤ 16 cm²

11 오른쪽 그림에서 점 O는 사각형 ABCD의 두 대각선의 교점이고, □ABCD와 □OECD는 모두 평행사변형이다. $\overline{OE}$와 $\overline{BC}$가 만나는 점을 F라 하고 $\overline{AB} = 4$, $\overline{AD} = 6$일 때, $\overline{CF} + \overline{OF}$의 길이를 구하시오.

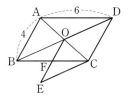

12 오른쪽 그림과 같은 □ABCD는 $\overline{AD} /\!/ \overline{BC}$이고, $\overline{AD} = 16$ cm, $\overline{BC} = 24$ cm인 사다리꼴이다. 점 P는 점 A에서 점 D까지 $\overline{AD}$를 따라 매초 2 cm의 속력으로, 점 Q는 점 B에서 점 C까지 $\overline{BC}$를 따라 매초 4 cm의 속력으로 움직인다. 점 P가 점 A를 출발한 지 3초 후에 점 Q가 점 B를 출발한다면 □AQCP가 평행사변형이 되는 것은 점 P가 점 A를 출발한 지 몇 초 후인지 구하시오.

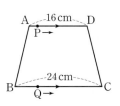

교과서 **속** 심화

13 오른쪽 그림에서 △DBA, △EBC, △FAC는 △ABC의 각 변을 각각 한 변으로 하는 정삼각형이다. 다음 보기 중 옳은 것을 모두 고른 것은?

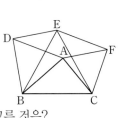

┌ 보기 ├
ㄱ. $\triangle DBE \equiv \triangle FEC$
ㄴ. $\overline{AB} = \overline{EF}$
ㄷ. □AFED는 평행사변형이다.
ㄹ. $\angle BAC = \angle BED$

① ㄱ, ㄴ   ② ㄴ, ㄷ   ③ ㄷ, ㄹ
④ ㄱ, ㄴ, ㄷ   ⑤ ㄴ, ㄷ, ㄹ

14 오른쪽 그림과 같은 평행사변형 ABCD에서 $\overline{AB}$, $\overline{CD}$의 중점을 각각 E, F라 하고, $\overline{BD}$와 $\overline{EC}$, $\overline{AF}$의 교점을 각각 G, H라 하자. 평행사변형 ABCD의 넓이가 64 cm²일 때, □AEGH의 넓이를 구하시오.

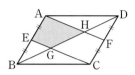

15 오른쪽 그림과 같이 평행사변형 ABCD의 내부의 한 점 P를 지나고 $\overline{AB}$, $\overline{AD}$와 각각 평행하도록 $\overline{HF}$, $\overline{EG}$를 그었다. □ABCD=28 cm²일 때, 색칠한 부분의 넓이를 구하시오.

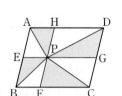

03 여러 가지 사각형

16 오른쪽 그림에서 □ABCD는 $\overline{AB} : \overline{BC}=2 : 3$인 직사각형이다. 점 F는 $\overline{DC}$의 중점이고 $\overline{BE}=\dfrac{1}{2}\overline{EC}$일 때, ∠AFD+∠CFE의 크기를 구하시오.

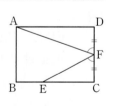

교과서 속 심화

17 오른쪽 그림과 같은 마름모 ABCD에서 $\overline{BC}=10$, $\overline{BE}=\overline{BF}=6$일 때, $\overline{OD}$의 길이를 구하시오. (단, 점 O는 두 대각선의 교점이다.)

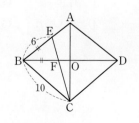

중요

18 오른쪽 그림과 같은 마름모 ABCD의 꼭짓점 A에서 $\overline{BC}$, $\overline{DC}$에 내린 수선의 발을 각각 E, F라 하자. ∠B=80°일 때, ∠AFE의 크기를 구하시오.

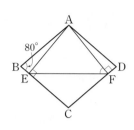

19 오른쪽 그림과 같은 마름모 ABCD의 내부의 임의의 한 점 P에서 네 변에 내린 수선의 발을 각각 E, F, G, H라 하자. $\overline{AC}=24$ cm, $\overline{BD}=18$ cm, $\overline{AD}=15$ cm일 때, $\overline{PE}+\overline{PF}+\overline{PG}+\overline{PH}$의 길이를 구하시오.

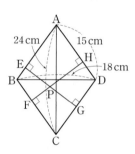

20 오른쪽 그림과 같은 정사각형 ABCD에서 $\overline{AD}=\overline{AE}$, ∠ABE=35°일 때, ∠EDF의 크기를 구하시오.

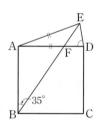

중요

21 오른쪽 그림과 같은 정사각형 ABCD에서 △PBC가 정삼각형일 때, ∠APD의 크기는?

① 140° ② 145°

③ 150° ④ 155°

⑤ 160°

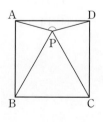

22 오른쪽 그림과 같이 정사각형 ABCD의 대각선 BD 위에 점 E를 잡고, $\overline{BC}$의 연장선과 $\overline{AE}$의 연장선의 교점을 F라 하자. ∠AFC=40°일 때, ∠BCE의 크기를 구하시오.

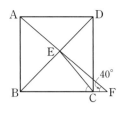

23 오른쪽 그림과 같은 정사각형 ABCD의 두 변 BC, CD 위에 ∠AEF=64°, ∠FAE=45°가 되도록 두 점 E, F를 잡을 때, ∠AFD의 크기를 구하시오.

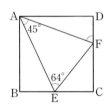

24 오른쪽 그림과 같이 $\overline{AD} /\!/ \overline{BC}$인 사다리꼴 ABCD에서 ∠A=2∠C 이고 $\overline{AD}$=3 cm, $\overline{AB}$=4 cm일 때, $\overline{BC}$의 길이는?

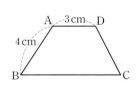

① 6 cm   ② $\frac{13}{2}$ cm   ③ 7 cm

④ $\frac{15}{2}$ cm   ⑤ 8 cm

중요

25 오른쪽 그림과 같이 평행사변형 ABCD의 네 내각의 이등분선의 교점을 E, F, G, H라 하고, □EFGH의 두 대각선의 교점을 O라 하자. $\overline{EG}+\overline{FH}$=12일 때, $\overline{EO}$의 길이를 구하시오.

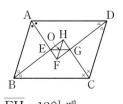

26 오른쪽 그림과 같은 평행사변형 ABCD에서 $\overline{BC}=2\overline{AB}$이고, $\overline{CD}$의 연장선 위에 $\overline{CD}=\overline{CE}=\overline{DF}$가 되도록 두 점 E, F를 잡을 때, 다음 중 옳지 않은 것은?

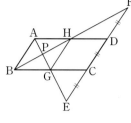

① $\overline{AB}=\overline{BG}$ ② $\overline{AG}\perp\overline{BH}$

③ $\overline{AB} /\!/ \overline{HG}$ ④ ∠PFE+∠PEF=90°

⑤ $\overline{AG}=\overline{BH}$

27 오른쪽 그림과 같이 $\overline{AB} /\!/ \overline{DC}$, $\overline{AD} /\!/ \overline{BC}$인 □ABCD에 원 O가 내접한다. $\overline{AC}$=6, $\overline{BD}$=8일 때, □ABCD의 넓이를 구하시오.

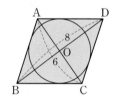

28 사각형 A_n의 각 변의 중점을 차례로 연결하여 만든 사각형을 A_{n+1}이라 할 때, 다음 중 옳지 않은 것은?
(단, $n=1, 2, 3 \cdots$)

① A_1이 평행사변형이면 A_3은 평행사변형이다.

② A_1이 직사각형이면 A_4는 마름모이다.

③ A_n이 정사각형이면 A_{2n}도 정사각형이다.

④ A_1이 등변사다리꼴이면 A_{2n}은 마름모이다.

⑤ A_2가 정사각형이면 A_1은 정사각형이다.

04 평행선과 넓이

29 오른쪽 그림과 같이 지름의 길이가 6 cm인 원 O에서 $\overline{CD}$는 지름이고, $\overline{AB}\,/\!/\,\overline{CD}$이다. 호 AB의 길이가 원 O의 둘레의 길이의 $\frac{1}{6}$일 때, 색칠한 부분의 넓이를 구하시오.

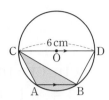

30 오른쪽 그림과 같이 한 변의 길이가 10 cm인 정사각형 ABCD의 꼭짓점 A를 지나는 직선이 $\overline{DC}$, $\overline{BC}$의 연장선과 만나는 점을 각각 E, F라 하자. $\overline{DE}=8$ cm일 때, △DEF의 넓이를 구하시오.

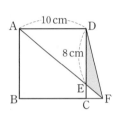

31 오른쪽 그림과 같이 평행사변형 ABCD의 꼭짓점 B를 지나는 직선이 $\overline{CD}$의 연장선, $\overline{AC}$, $\overline{AD}$와 만나는 점을 각각 E, F, G라 할 때, 다음 중 △AGE와 넓이가 같은 삼각형은?

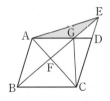

① △ABF ② △AFG ③ △BCF
④ △CDG ⑤ △GFC

32 오른쪽 그림과 같은 △ABC에서 $\overline{AE}:\overline{EC}=1:3$이고, $\overline{BD}=\overline{DC}$이다. △AFE$=6$ cm²일 때, △ABC의 넓이를 구하시오.

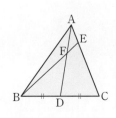

33 오른쪽 그림과 같은 평행사변형 ABCD에서 $\overline{BC}$, $\overline{CD}$의 중점을 각각 M, N이라 하자. △MCN$=5$일 때, △AMN의 넓이를 구하시오.

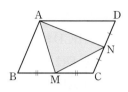

34 오른쪽 그림과 같은 직사각형 ABCD에서 $\overline{AB}$, $\overline{DC}$의 중점을 각각 E, F라 하고, $\overline{AC}$와 $\overline{ED}$, $\overline{BF}$의 교점을 각각 G, H라 하자. $\overline{AB}=6$, $\overline{BC}=8$일 때, □GHFD의 넓이는?

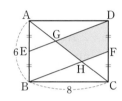

① 8 ② 10 ③ 12
④ 14 ⑤ 16

35 오른쪽 그림에서 □ABCD는 $\overline{BD}=12$, $\overline{AC}=10$인 마름모이다. 점 N이 $\overline{BC}$의 중점일 때, △CMN의 넓이를 구하시오.

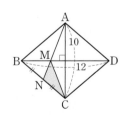

36 유경이와 동하가 오른쪽 그림과 같은 평행사변형 모양의 쿠키를 똑같이 나누어 먹으려고 한다. 다음 보기 중 두 사람이 쿠키를 나누는 방법으로 옳은 것을 모두 고르시오.

(단, 쿠키의 두께는 생각하지 않는다.)

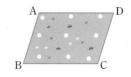

> 보기
>
> ㄱ. 점 A와 점 C를 지나는 직선으로 자른다.
> ㄴ. 점 B와 점 D를 지나는 직선으로 자른다.
> ㄷ. 네 변 중 두 변의 중점을 지나는 직선으로 자른다.
> ㄹ. $\overline{AC}$와 $\overline{BD}$의 교점을 지나는 임의의 직선으로 자른다.

37 오른쪽 그림과 같이 한 변의 길이가 4 cm인 정사각형의 두 대각선의 교점에 한 변의 길이가 8 cm인 정사각형의 한 꼭짓점이 일치하도록 고정하고, 한 변의 길이가 8 cm인 정사각형의 두 대각선의 교점에 한 변의 길이가 6 cm인 정사각형의 한 꼭짓점이 일치하도록 고정하였다. 고정한 두 점을 중심으로 정사각형을 각각 회전시킬 때, 세 정사각형이 모두 겹쳐지는 부분의 최대 넓이를 구하시오.

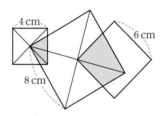

38 오른쪽 그림과 같이 직사각형 모양의 텃밭이 꺾어진 경계선에 의해 두 부분으로 나누어져 있다. 경계선 위의 세 점을 각각 A, B, C라 할 때, 두 텃밭의 넓이를 변화시키지 않고 점 A를 지나는 선분으로 새로운 경계선을 그리시오.

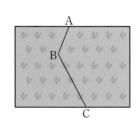

TOP

01 오른쪽 그림과 같은 평행사변형 ABCD에서 $\overline{CD}$의 중점을 M이라 하고, 점 A에서 $\overline{BM}$에 내린 수선의 발을 E라 하자. $\angle MBC=26°$일 때, $\angle ADE$의 크기를 구하시오.

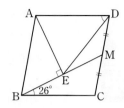

02 오른쪽 그림과 같이 $\overline{AD} /\!/ \overline{BC}$인 사다리꼴 ABCD에서 $\overline{CD}$의 중점을 M이라 하고, 점 M에서 $\overline{AB}$의 연장선 위에 내린 수선의 발을 E라 하자. $\overline{AB}=10\,cm$, $\overline{EM}=8\,cm$일 때, $\square ABCD$의 넓이를 구하시오.

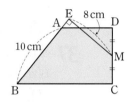

03 오른쪽 그림과 같이 직사각형 ABCD의 내부의 임의의 한 점 P에 대하여 $\triangle PAB=16\,cm^2$, $\triangle PBC=10\,cm^2$일 때, $\triangle PDB$의 넓이를 구하시오.

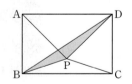

04 다음 [그림 1]과 같이 둘레의 길이가 $8\,cm$인 평행사변형 ABCD를 $\overline{BD}$를 접는 선으로 하여 한 번 접은 후 점 B가 $\overline{AD}$ 위의 점 B′, 점 D가 $\overline{AB}$ 위의 점 D′에 오도록 2번 더 접어 [그림 2] 와 같이 정오각형 AD′EFB′을 만들었을 때, $\overline{AB}$의 길이를 구하시오.

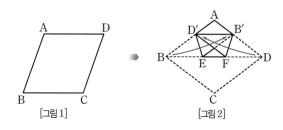

[그림 1]　　　　[그림 2]

TOP
05 오른쪽 그림과 같이 한 변의 길이가 3인 정사각형 ABCD에서 $\angle EBF = 45°$일 때, $\triangle DEF$의 둘레의 길이를 구하시오.

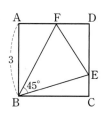

06 오른쪽 그림과 같이 $\overline{AD} /\!/ \overline{BC}$인 사다리꼴 ABCD에서 두 대각선의 교점 O에 대하여 $\overline{OA} = \overline{OD}$, $\overline{OB} = \overline{OC}$이고, $\angle AOD = 90°$, $\overline{AB} = 2x$이다. 점 O를 지나고 $\overline{AB}$에 수직인 직선이 $\overline{AB}$, $\overline{CD}$와 만나는 점을 각각 P, Q라 할 때, $\overline{OQ} + \overline{DQ}$의 길이를 x에 대한 식으로 나타내시오.

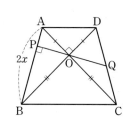

1~2 서술형 완성하기

1 오른쪽 그림과 같이 ∠A=32°이고 $\overline{AB}=\overline{AC}$인 이등변삼각형 ABC에서 세 점 D, E, F는 각각 $\overline{BC}$, $\overline{AC}$, $\overline{AB}$ 위의 점이다. $\overline{CD}=\overline{BF}$, $\overline{BD}=\overline{CE}$일 때, ∠FDE의 크기를 구하시오.

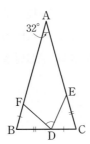

풀이 과정

답

2 오른쪽 그림과 같은 △ABC에서 ∠A의 외각의 이등분선과 ∠C의 외각의 이등분선의 교점을 P라 하고, 점 P에서 $\overline{AB}$와 $\overline{BC}$의 연장선 위에 내린 수선의 발을 각각 D, E라 하자. $\overline{AC}=6$, $\overline{DP}=5$일 때, △PDA와 △PEC의 넓이의 합을 구하시오.

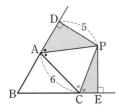

풀이 과정

답

3 오른쪽 그림과 같은 △ABC가 다음 조건을 모두 만족시킬 때, ∠BAC의 크기를 구하시오.

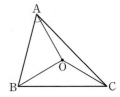

(가) 점 O는 △ABC의 외심이다.

(나) ∠ABO : ∠CBO=3 : 2

(다) ∠BAC : ∠BCA=4 : 3

풀이 과정

답

4 오른쪽 그림과 같은 평행사변형 ABCD에서 $\overline{BC}$ 위의 중점을 E라 할 때, $\overline{AE}$의 연장선과 $\overline{DC}$의 연장선이 만나는 점을 F라 하자. $\overline{AB}=8\,\text{cm}$, $\overline{AD}=12\,\text{cm}$일 때, $\overline{DF}$의 길이를 구하시오.

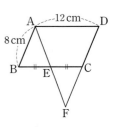

풀이 과정

답

5 오른쪽 그림과 같은 마름모 ABCD에서 ∠ABC=72° 이고, △ABP는 정삼각형 일 때, ∠APD의 크기를 구 하시오.

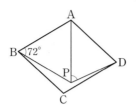

풀이 과정

답

6 오른쪽 그림과 같은 평행 사변형 ABCD에서 ∠A, ∠B의 이등분선과 $\overline{BC}$, $\overline{AD}$가 만나는 점을 각각 E, F라 하고, $\overline{AE}$와 $\overline{BF}$의 교점을 G라 하자. $\overline{AB}$=4 cm, $\overline{AD}$=6 cm일 때, 다음 물음에 답하시오.

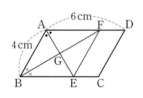

(1) □ABEF는 어떤 사각형인지 말하고, 그 이유를 설명하시오.

(2) □ABCD : △GAF를 가장 간단한 자연수의 비 로 나타내시오.

풀이 과정

(1)

(2)

답 (1)   (2)

7 오른쪽 그림에서 두 점 I, I'은 각각 △ABD, △DBC의 내심 이고, $\overline{AB}$=$\overline{AD}$, $\overline{BD}$=$\overline{BC}$, ∠DBC=48°이다. $\overline{AI}$의 연장 선과 $\overline{DI'}$의 연장선이 만나는 점을 O라 할 때, ∠AOD의 크기를 구하시오.

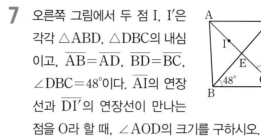

풀이 과정

답

8 오른쪽 그림과 같은 평행사변형 ABCD에서 $\overline{AE}$: $\overline{EF}$: $\overline{FD}$=1 : 2 : 3이고 □ABCD=84 cm²일 때, △GAE와 △GFD의 넓이의 합을 구하시오.

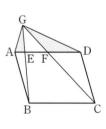

풀이 과정

답

3 도형의 닮음

● 정답과 해설 20쪽

01 닮은 도형

1 도형의 닮음

(1) 닮음: 한 도형을 일정한 비율로 확대 또는 축소한 도형이 다른 도형과 합동일 때, 이 두 도형은 서로 닮음인 관계가 있다고 한다.

(2) 닮은 도형: 닮음인 관계가 있는 두 도형

(3) 닮음의 기호: △ABC와 △DEF가 서로 닮은 도형일 때, 기호 ∽를 사용하여 다음과 같이 나타낸다.

$$\triangle ABC \backsim \triangle DEF \leftarrow \text{대응하는 꼭짓점을 순서대로 쓴다.}$$

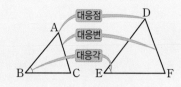

2 닮음의 성질

(1) 평면도형에서 닮음의 성질

① 대응변의 길이의 비는 일정하다.

② 대응각의 크기는 각각 같다.

③ 닮음비: 대응하는 변의 길이의 비

(2) 입체도형에서 닮음의 성질

① 대응하는 모서리의 길이의 비는 일정하다.

② 대응하는 면은 서로 닮은 도형이다.

③ 닮음비: 대응하는 모서리의 길이의 비

대표 문제

1 다음 보기 중 항상 닮음인 도형을 모두 고르시오

| 보기 |
| ㄱ. 두 원   ㄴ. 두 마름모 |
| ㄷ. 두 직사각형 ㄹ. 두 정삼각형 |
| ㅁ. 두 부채꼴   ㅂ. 두 정팔면체 |

2 오른쪽 그림에서 $\overline{AE}=\overline{ED}$ 이고 □ABCD∽□EFGA 일 때, 다음 중 옳은 것은?

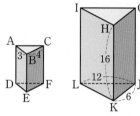

① ∠EFG=100°

② ∠AEF=90°

③ $\overline{AG}$=2 cm

④ $\overline{BC}$의 대응변은 $\overline{EA}$이다.

⑤ □ABCD와 □EFGA의 닮음비는 2 : 1이다.

3 오른쪽 그림에서 □ABCD∽□EABF이고 $\overline{AD}$=18 cm, $\overline{AB}$=12 cm 일 때, $\overline{FC}$의 길이를 구하시오.

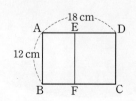

4 다음 그림에서 두 삼각기둥은 서로 닮은 도형이다. △ABC∽△GHI일 때, 다음 중 옳은 것은?

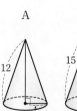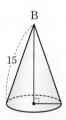

① $\overline{AB} : \overline{GH}$=2 : 3

② $\overline{AC}$=5

③ $\overline{IH}$=6

④ $\overline{BE}$=6

⑤ □BEFC에 대응하는 면은 □HKLI이다.

5 오른쪽 그림에서 두 원뿔 A, B가 서로 닮은 도형일 때, 원뿔 B의 밑면인 원의 둘레의 길이를 구하시오.

1 서로 닮은 두 평면도형에서의 비

서로 닮은 두 평면도형의 닮음비가 $m:n$일 때

(1) 둘레의 길이의 비 ➡ $m:n$ ← 닮음비와 같다.

(2) 넓이의 비 ➡ $m^2:n^2$

참고 두 삼각형 ABC와 DEF에서

(1) 둘레의 길이의 비 ➡ $m(a+b+c):n(a+b+c)=m:n$

(2) $\triangle ABC : \triangle DEF = \frac{1}{2}m^2ab : \frac{1}{2}n^2ab = m^2:n^2$

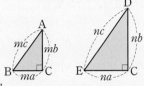

닮은 두 기둥의 닮음비가
$m:n$일 때
① 옆넓이의 비 ➡ $m^2:n^2$
② 밑넓이의 비 ➡ $m^2:n^2$

2 서로 닮은 두 입체도형에서의 비

서로 닮은 두 입체도형의 닮음비가 $m:n$일 때

(1) 대응하는 모서리의 길이의 비 ➡ $m:n$

(2) 겉넓이의 비 ➡ $m^2:n^2$

(3) 부피의 비 ➡ $m^3:n^3$

참고 두 직육면체 A, B에서

(2) 겉넓이의 비 ➡ $2m^2(ab+bc+ca):2n^2(ab+bc+ca)=m^2:n^2$

(3) 부피의 비 ➡ $m^3abc:n^3abc=m^3:n^3$

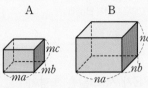

대표 문제

6 오른쪽 그림에서
□ABCD∽□A′BC′D′이고
□A′BC′D′=18 cm²일 때, 색
칠한 부분의 넓이를 구하시오.

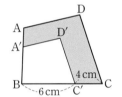

7 오른쪽 그림에서
$\overline{AB}=\overline{BC}=\overline{CD}$이고, $\overline{AB}$,
$\overline{AC}$, $\overline{AD}$는 각각 세 원의 지
름이다. 가장 큰 원의 넓이
가 36π cm²일 때, 가장 작은
원의 넓이를 구하시오.

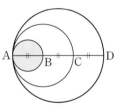

8 오른쪽 그림과 같이 넓이가
20 cm²인 사진을 150 % 확대했
을 때, 확대한 사진의 넓이를 구
하시오.

9 서로 닮은 두 직육면체 A, B의 겉넓이가 각각
90 cm², 160 cm²이고 직육면체 B의 부피가 128 cm³
일 때, 직육면체 A의 부피를 구하시오.

10 오른쪽 그림과 같이 닮음비가
3 : 5인 구 모양의 두 사탕 A,
B에 초콜릿을 녹여 칠하려고
한다. 사탕 A의 겉면을 칠하는
데 필요한 초콜릿의 양이 54 mL일 때, 사탕 B의 겉
면을 칠하는 데 필요한 초콜릿의 양은 몇 mL인지 구
하시오. (단, 겉면을 칠하는 두께는 일정하다.)

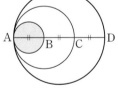

11 오른쪽 그림과 같은 원뿔 모양의 그릇
에 일정한 속도로 물을 채우고 있다.
전체 높이의 $\frac{1}{3}$만큼 물을 채우는 데 5
분이 걸렸다고 할 때, 그릇에 물을 가
득 채울 때까지 몇 분이 더 걸리는지 구하시오.

두 삼각형 △ABC와 △A'B'C'은 다음의 각 경우에 서로 닮음이다.

(1) 세 쌍의 대응변의 길이의 비가 같다. (SSS 닮음)

➡ $a:a'=b:b'=c:c'$

(2) 두 쌍의 대응변의 길이의 비가 같고, 그 끼인각의 크기가 같다. (SAS 닮음)

➡ $a:a'=b:b'$, $\angle C=\angle C'$

(3) 두 쌍의 대응각의 크기가 각각 같다. (AA 닮음)

➡ $\angle A=\angle A'$, $\angle B=\angle B'$

└ 두 쌍의 각의 크기가 각각 같으면 나머지 한 쌍의 각의 크기도 같다. 즉, $\angle C=\angle C'$

■ 정삼각형 모양의 종이 접기

정삼각형 ABC에서
① $\angle DBA'=\angle A'CE=60°$
② $\angle BDA'=120°-\angle DA'B$
$=\angle CA'E$
(또는 $\angle BA'D=\angle CEA'$)
➡ $\triangle BA'D \backsim \triangle CEA'$
(AA 닮음)

12 다음 그림의 △ABC와 △DFE가 서로 닮은 도형이 되려면 다음 중 어떤 조건을 추가해야 하는가?

① $\overline{AB}=4$, $\overline{DF}=3$ ② $\overline{AB}=15$, $\overline{DE}=12$

③ $\overline{AC}=6$, $\overline{DE}=4$ ④ $\angle A=80°$, $\angle F=45°$

⑤ $\angle C=65°$, $\angle F=40°$

13 다음 중 오른쪽 그림과 같은 △ABC와 △EBD에 대한 설명으로 옳지 <u>않은</u> 것은?

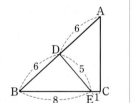

① △ABC∽△EBD

② $\dfrac{\overline{ED}}{\overline{AC}}=\dfrac{\overline{BD}}{\overline{BC}}$

③ $\overline{AC}=9$

④ $\angle EDB=\angle C$

⑤ △ABC와 △EBD의 닮음비는 3 : 2이다.

14 오른쪽 그림과 같은 △ABC에서 $\angle B=\angle CAD$이고 $\overline{BD}=10\,\mathrm{cm}$, $\overline{CD}=8\,\mathrm{cm}$일 때, $\overline{AC}$의 길이를 구하시오.

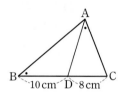

15 오른쪽 그림과 같은 평행사변형 ABCD에서 $\overline{AD}$ 위의 한 점 E에 대하여 $\overline{BE}$와 $\overline{AC}$가 만나는 점을 F라 하자. $\overline{AF}=4\,\mathrm{cm}$, $\overline{CF}=6\,\mathrm{cm}$, $\overline{BC}=9\,\mathrm{cm}$일 때, $\overline{AE}$의 길이를 구하시오.

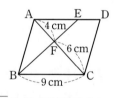

16 오른쪽 그림과 같이 정삼각형 ABC를 $\overline{DF}$를 접는 선으로 하여 꼭짓점 A가 $\overline{BC}$ 위의 점 E에 오도록 접었을 때, $\overline{AD}$의 길이를 구하시오.

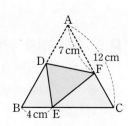

$\angle A = 90°$인 직각삼각형 ABC에서 $\overline{AD} \perp \overline{BC}$일 때

$$\triangle ABC \backsim \triangle DBA \backsim \triangle DAC \,(\text{AA 닮음})$$

(1) $\overline{AB}^2 = \overline{BD} \times \overline{BC}$
  └ $\triangle ABC \backsim \triangle DBA$에서
  $\overline{AB} : \overline{DB} = \overline{BC} : \overline{BA}$

(2) $\overline{AC}^2 = \overline{CD} \times \overline{CB}$
  └ $\triangle ABC \backsim \triangle DAC$에서
  $\overline{AC} : \overline{DC} = \overline{BC} : \overline{AC}$

(3) $\overline{AD}^2 = \overline{DB} \times \overline{DC}$
  └ $\triangle DBA \backsim \triangle DAC$에서
  $\overline{DB} : \overline{DA} = \overline{AD} : \overline{CD}$

참고 직각삼각형 ABC의 넓이에서 $\frac{1}{2} \times \overline{BC} \times \overline{AD} = \frac{1}{2} \times \overline{AB} \times \overline{AC}$이므로

$\overline{BC} \times \overline{AD} = \overline{AB} \times \overline{AC}$가 성립한다.

■ 직사각형 모양의 종이 접기

직사각형 ABCD에서
① $\angle EAB' = \angle B'DC = 90°$
② $\angle AEB' = 90° - \angle AB'E$
    $= \angle DB'C$
    (또는 $\angle EB'A = \angle B'CD$)
➡ $\triangle AEB' \backsim \triangle DB'C$
          (AA 닮음)

대표 문제

17 오른쪽 그림에서 $\overline{AB} \perp \overline{CF}$, $\overline{AC} \perp \overline{DF}$일 때, 다음 중 옳지 않은 것은?

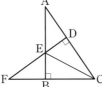

① $\triangle ADE \backsim \triangle FBE$
② $\triangle ABC \backsim \triangle ADE$
③ $\triangle ABC \backsim \triangle FDC$
④ $\triangle FBE \backsim \triangle FDC$
⑤ $\triangle EBC \backsim \triangle EDC$

18 오른쪽 그림과 같이 $\triangle ABC$의 두 꼭짓점 A, B에서 $\overline{BC}$, $\overline{CA}$에 내린 수선의 발을 각각 D, E라 하자. $\overline{BD} : \overline{CD} = 2 : 1$이고 $\overline{AC} = 6\,\text{cm}$, $\overline{BC} = 9\,\text{cm}$일 때, $\overline{AE}$의 길이는?

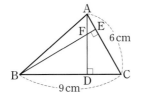

① $\frac{4}{3}\,\text{cm}$ ② $\frac{3}{2}\,\text{cm}$ ③ $\frac{5}{3}\,\text{cm}$

④ $2\,\text{cm}$ ⑤ $\frac{7}{3}\,\text{cm}$

19 오른쪽 그림과 같이 $\angle A = 90°$인 직각삼각형 ABC에서 $\overline{AH} \perp \overline{BC}$이고 $\overline{AB} = 20$, $\overline{BH} = 16$일 때, $x + y$의 값을 구하시오.

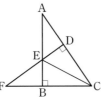

20 오른쪽 그림과 같이 직사각형 ABCD의 한 꼭짓점 A에서 대각선 BD에 내린 수선의 발을 E라 하자. $\overline{AE} = 6$, $\overline{DE} = 9$일 때, $\square ABCD$의 넓이를 구하시오.

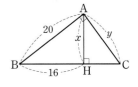

21 오른쪽 그림과 같이 직사각형 ABCD를 $\overline{AE}$를 접는 선으로 하여 꼭짓점 D가 $\overline{BC}$ 위의 점 D′에 오도록 접었을 때, $\overline{DE}$의 길이를 구하시오.

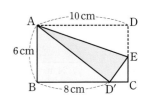

05 닮음의 활용 – 높이의 측정, 축도와 축척 　　　　　개념 활용하기

직접 측정하기 어려운 실제 높이나 거리 등은 도형의 닮음을 이용하여 축도를 그려서 구할 수 있다.
(1) 축도: 도형을 일정한 비율로 줄여 그린 그림
(2) 축척: 축도에서 실제 길이를 줄인 비율

① $(축척) = \dfrac{(축도에서의 길이)}{(실제 길이)}$

② $(축도에서의 길이) = (실제 길이) \times (축척)$

③ $(실제 길이) = \dfrac{(축도에서의 길이)}{(축척)}$

예 어떤 지도에서 거리가 6 cm인 두 지점 사이의 실제 거리가 3 km일 때

$(축척) = \dfrac{6\,cm}{3\,km} = \dfrac{6\,cm}{3000\,m} = \dfrac{6\,cm}{300000\,cm} = \dfrac{1}{50000}$

■ **사물의 높이를 구하는 순서**
❶ 닮은 두 도형을 찾는다.
❷ 닮음비를 구한다.
❸ 비례식을 이용하여 사물의 높이를 구한다.

■ **단위의 통일**
문제에서 주어지는 값들의 단위가 다른 경우 단위를 통일시켜야 한다.
• 10 mm = 1 cm
　100 cm = 1 m
　1000 m = 1 km
• 10000 cm² = 1 m²
　1000000 m² = 1 km²

　　　　　大표 문제

22 유라는 다음 그림과 같이 빛이 거울에서 반사될 때 입사각과 반사각의 크기가 같음을 이용하여 나무의 높이를 구하려고 한다. 유라의 눈높이가 1.5 m이고 유라와 거울 사이의 거리는 2.4 m, 거울과 나무 사이의 거리는 17.6 m일 때, 나무의 높이를 구하시오.
(단, 거울의 두께는 무시한다.)

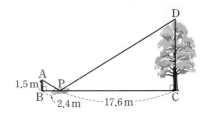

23 다음 그림과 같이 한 변의 길이가 24 m인 정사각형을 밑면으로 하는 사각뿔 모양의 피라미드의 높이를 구하기 위해 길이가 1 m인 막대의 그림자의 길이를 측정하였더니 1.6 m이었다. 같은 시각에 피라미드의 그림자의 길이가 36 m일 때, 이 피라미드의 부피를 구하시오. (단, 막대의 굵기는 무시한다.)

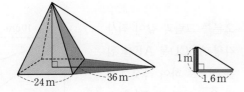

24 실제 넓이가 1.4 km²인 땅이 있다. 축척이 $\dfrac{1}{5000}$인 지도에서 이 땅의 넓이는 몇 cm²인지 구하시오.

25 다음 그림과 같이 건물의 높이를 구하기 위해 축도를 그렸더니 $\overline{B'C'} = 6$ cm, $\overline{A'C'} = 8.4$ cm이었다. 이때 건물의 높이는 몇 m인지 구하시오.

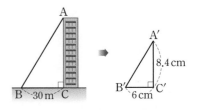

26 오른쪽 그림과 같은 지도에서 $\overline{AB} /\!/ \overline{CD}$이고, $\overline{AC} = 3$ cm, $\overline{CP} = 2$ cm, $\overline{CD} = 3$ cm일 때, 두 지점 A, P 사이의 실제 거리는 250 m라 한다. 이때 두 지점 A, B 사이의 실제 거리는 몇 m인지 구하시오.

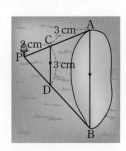

01 닮은 도형

1 다음 그림에서 △ABC∽△DEF이고 닮음비가 2 : 5일 때, $\overline{AC}+\overline{DE}+\overline{EF}$의 길이는?

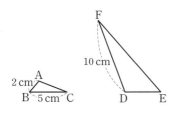

① 20 cm   ② 21 cm   ③ $\dfrac{43}{2}$ cm

④ 22 cm   ⑤ $\dfrac{45}{2}$ cm

2 오른쪽 그림과 같이 원뿔을 밑면과 평행한 면으로 잘랐을 때, 처음 원뿔의 밑면의 반지름의 길이를 구하시오.

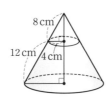

3 오른쪽 그림과 같이 B4 용지를 반으로 접을 때마다 생기는 용지의 크기를 각각 B5, B6, B7, …이라 할 때, B8 용지와 B4 용지의 닮음비는?

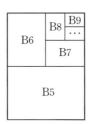

① 1 : 2   ② 1 : 4   ③ 1 : 8

④ 1 : 12   ⑤ 1 : 16

02 닮은 도형의 넓이와 부피

4 오른쪽 그림과 같이 큰 정사각형 모양의 종이에서 합동인 작은 정사각형 모양 2개를 오려 내었다. 큰 정사각형과 작은 정사각형의 한 변의 길이의 비가 4 : 1이고 처음 종이의 넓이가 96 cm²일 때, 남은 종이의 넓이를 구하시오.

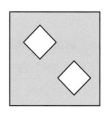

5 오른쪽 그림과 같이 $\overline{AB}$를 지름으로 하는 반원 O에서 두 점 C, D는 각각 $\overline{AO}$, $\overline{OB}$의 중점이다. $\overline{CD}$를 지름으로 하는 반원의 넓이가 28 cm²일 때, 색칠한 부분의 넓이는?

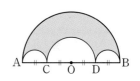

① 92 cm²   ② 77 cm²   ③ 70 cm²

④ 63 cm²   ⑤ 56 cm²

6 다음 그림과 같이 크기가 같은 정육면체 모양의 두 상자 A와 B가 있다. 상자 A에는 꼭 맞는 큰 공 1개를 넣고, 상자 B에는 크기와 모양이 같은 작은 공 27개를 꼭 맞게 넣었을 때, 두 상자 A와 B에 들어 있는 공 전체의 겉넓이의 비를 가장 간단한 자연수의 비로 나타내시오.

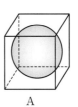

A   B

7 오른쪽 그림과 같이 서로 닮음인 원기둥 모양의 두 용기 A, B에 벌꿀을 담아 판매하려고 한다. 두 용기에 담은 벌꿀의 가격의 합이 153000원일 때, 용기 A에 담은 벌꿀의 가격을 구하시오. (단, 벌꿀의 가격은 용기의 부피에 정비례하고, 용기의 가격은 생각하지 않는다.)

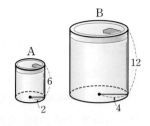

8 오른쪽 그림과 같이 두 밑면의 넓이가 각각 16π cm², 64π cm²인 원뿔대를 높이의 이등분점을 지나면서 밑면에 평행한 평면으로 자를 때 생기는 두 입체도형을 차례로 P, Q라 하자. 입체도형 P의 부피가 57π cm³일 때, 입체도형 Q의 부피를 구하시오.

03 삼각형의 닮음 조건

9 오른쪽 그림과 같은 △ABC에서 ∠A=∠DEC이고 △ABC의 넓이가 50 cm²일 때, □ABED의 넓이를 구하시오.

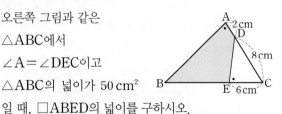

중요

10 오른쪽 그림과 같은 △ABC에서 $\overline{AB}=20$, $\overline{AC}=25$, $\overline{CD}=9$, ∠ADB=110°일 때, ∠BAC+∠ACB의 크기는?

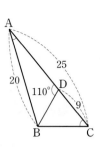

① 70°　　② 72°
③ 75°　　④ 78°
⑤ 80°

11 오른쪽 그림과 같은 △ABC에서 $\overline{AD}:\overline{BD}=1:3$, $\overline{AB}:\overline{AC}=2:1$이고 $\overline{CD}=2$일 때, $\overline{BC}$의 길이를 구하시오.

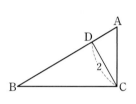

12 오른쪽 그림과 같이 △ABC의 꼭짓점 C에서 ∠A의 이등분선 $\overline{AD}$ 위에 내린 수선의 발을 E라 하고, $\overline{CE}$의 연장선이 $\overline{AB}$와 만나는 점을 F라 하자. $\overline{BC}$의 중점을 M이라 하고 $\overline{AB}=8$, $\overline{AC}=6$일 때, $\overline{EM}$의 길이를 구하시오.

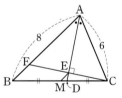

13 오른쪽 그림과 같은 △ABC에서 ∠ABD=∠ADE이고 $\overline{AB}=\overline{AC}=12$, $\overline{BD}=3$, $\overline{DC}=6$일 때, $\overline{CE}$의 길이를 구하시오.

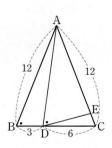

14 오른쪽 그림과 같은 △ABC에서 ∠BAE=∠CBF=∠ACD이고 $\overline{AB}$=16 cm, $\overline{BC}$=18 cm, $\overline{CA}$=21 cm일 때, $\overline{DE}$: $\overline{EF}$를 가장 간단한 자연수의 비로 나타내시오.

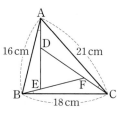

15 오른쪽 그림과 같이 △ABC에 직사각형 DEFG가 내접하고 있다. 점 A에서 $\overline{BC}$에 내린 수선의 발을 H라 하고, $\overline{BC}$=10 cm, $\overline{DE}$: $\overline{DG}$=2 : 3일 때, □DEFG의 둘레의 길이를 구하시오.

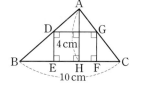

16 오른쪽 그림에서 △ABC와 △ADE는 정삼각형이고, 점 F는 $\overline{BE}$의 연장선과 $\overline{CD}$의 교점이다. $\overline{AB}$=6, $\overline{AD}$=4일 때, $\dfrac{\overline{FC}}{\overline{FE}}$의 값을 구하시오.

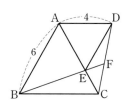

17 오른쪽 그림과 같이 $\overline{AD}$ // $\overline{BC}$인 사다리꼴 ABCD에서 △AOD의 넓이가 52 cm²일 때, △DBC의 넓이를 구하시오. (단, 점 O는 두 대각선의 교점이다.)

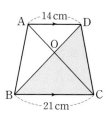

18 오른쪽 그림과 같은 평행사변형 ABCD에서 $\overline{BC}$의 연장선 위에 점 E를 잡고, $\overline{AE}$와 $\overline{CD}$의 교점을 F라 하자. △EDF=5 cm², △EFC=3 cm²일 때, $\overline{BE}$: $\overline{CE}$를 가장 간단한 자연수의 비로 나타내시오.

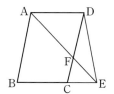

19 오른쪽 그림과 같이 한 변의 길이가 15 cm인 정삼각형 ABC를 $\overline{DE}$를 접는 선으로 하여 꼭짓점 A가 $\overline{BC}$ 위의 점 A′에 오도록 접었다. $\overline{BA'}$=10 cm일 때, $\overline{EC}$의 길이를 구하시오.

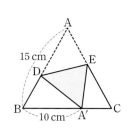

20 오른쪽 그림과 같이 한 모서리의 길이가 a인 정사면체에서 $\overline{BC}$ 위의 한 점 E에 대하여 $\overline{BE}$: $\overline{EC}$=5 : 1이다. 점 E에서 출발하여 $\overline{AC}$ 위의 점 F와 $\overline{AD}$ 위의 점 G를 지나 점 B에 도달하는 실의 길이가 최소가 될 때, $\overline{AF}$의 길이를 a에 대한 식으로 나타내시오.

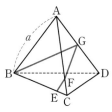

04 직각삼각형의 닮음

21 오른쪽 그림과 같이
∠A＝90°인 직각삼각형
ABC의 꼭짓점 A에서 $\overline{BC}$
에 내린 수선의 발을 D라
하자. $\overline{AB} /\!/ \overline{ED}$일 때, △ABC와 서로 닮음인 삼각
형의 개수는?

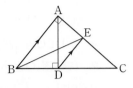

① 1개　　② 2개　　③ 3개

④ 4개　　⑤ 5개

22 오른쪽 그림과 같은 직사각형
ABCD에서 $\overline{PQ} \perp \overline{BD}$이고,
$\overline{BO}＝\overline{DO}$이다. $\overline{AB}＝12$,
$\overline{AD}＝16$, $\overline{BD}＝20$일 때,
$\overline{PQ}$의 길이를 구하시오.

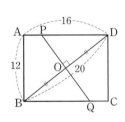

23 오른쪽 그림과 같이
∠C＝90°인 직각삼각형
ABC의 변 AB 위의 점 D
에서 $\overline{BC}$, $\overline{CA}$에 내린 수선
의 발을 각각 E, F라 하면
□DECF는 정사각형이다. $\overline{AC}＝6$ cm, $\overline{BC}＝9$ cm
일 때, □DECF의 넓이를 구하시오.

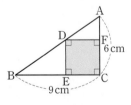

교과서 속 심화

24 오른쪽 그림과 같이
∠A＝90°인 직각삼각
형 ABC에서 점 M은
$\overline{BC}$의 중점이다.
$\overline{AH} \perp \overline{BC}$, $\overline{HG} \perp \overline{AM}$이고 $\overline{BH}＝4$ cm, $\overline{HC}＝1$ cm
일 때, $\overline{HG}$의 길이를 구하시오.

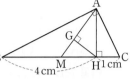

25 오른쪽 그림에서
∠BAC＝∠ACE＝90°,
$\overline{AE} \perp \overline{BC}$이고 $\overline{AB}＝6$,
$\overline{BD}＝2\overline{CD}$일 때, $\overline{DE}^2$의
값을 구하시오.

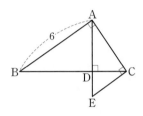

26 오른쪽 그림과 같이
∠A＝90°인 직각삼각형
ABC를 $\overline{PQ}$를 접는 선으
로 하여 꼭짓점 B가 $\overline{BC}$
위의 점 D에 오도록 접었
다. $\overline{AB}＝6$, $\overline{PB}＝4$, $\overline{BC}＝10$일 때, $\overline{CD}$의 길이를 구
하시오.

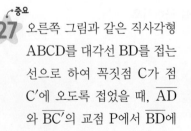

중요

27 오른쪽 그림과 같은 직사각형
ABCD를 대각선 BD를 접는
선으로 하여 꼭짓점 C가 점
C′에 오도록 접었을 때, $\overline{AD}$
와 $\overline{BC'}$의 교점 P에서 $\overline{BD}$에
내린 수선의 발을 H라 하자.
$\overline{AB}＝18$, $\overline{BC}＝24$, $\overline{BD}＝30$일 때, $\overline{PH}$의 길이를 구
하시오.

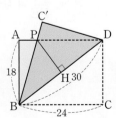

28 오른쪽 그림과 같이 정사각형 ABCD를 $\overline{EF}$를 접는 선으로 하여 꼭짓점 A가 $\overline{BC}$ 위의 점 A′에 오도록 접었다. $\overline{AE}=10$, $\overline{EB}=6$, $\overline{BA'}=8$일 때, $\overline{GD'}$의 길이를 구하시오.

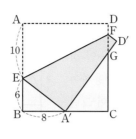

29 오른쪽 그림과 같이 $\angle BAD = \angle BCD = 90°$인 사각형 ABCD의 두 꼭짓점 D, B에서 대각선 AC에 내린 수선의 발을 각각 E, F라 하자. $\overline{AE}=4$, $\overline{ED}=6$, $\overline{EC}=8$일 때, $\overline{EF}$의 길이는?

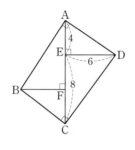

① $\dfrac{15}{4}$ ② 4 ③ $\dfrac{9}{2}$

④ 5 ⑤ 6

30 오른쪽 그림과 같이 $\overline{AD} /\!/ \overline{BC}$, $\angle C = \angle D = 90°$인 사다리꼴 ABCD에서 $\overline{CM}=\overline{DM}=\overline{EM}$, $\overline{AB}\perp\overline{EM}$이고 $\overline{AD}=4$, $\overline{BC}=9$일 때, $\overline{CD}$의 길이를 구하시오.

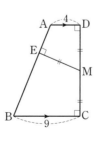

---

05 닮음의 활용 – 높이의 측정, 축도와 축척

31 오른쪽 그림과 같이 철봉의 그림자 일부가 벽면에 생겼다. 철봉에서 벽면까지의 거리는 6 m이고, 벽면에 생긴 철봉의 그림자의 길이는 1.6 m라 할 때, 같은 위치, 같은 시각에 길이가 2 m인 막대기의 그림자의 길이는 2.5 m이었다. 이때 철봉의 높이를 구하시오.
(단, 철봉과 막대기는 지면에 수직으로 세워져 있다.)

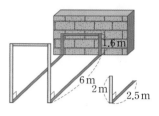

32 축척이 $\dfrac{1}{50000}$인 지도에서 거리가 20 cm인 두 지점 사이의 실제 거리를 자전거를 타고 시속 10 km로 왕복하는 데 걸리는 시간을 구하시오.

33 다음 그림과 같이 눈높이가 1.8 m인 민수가 나무로부터 28 m 떨어진 곳에서 나무의 끝인 A 지점을 올려다본 각의 크기가 30°이었다. $\angle E = 30°$, $\angle F = 90°$, $\overline{EF}=3.5$ cm인 직각삼각형 DEF를 그렸더니 $\overline{DF}=2$ cm이었을 때, 이를 이용하여 이 나무의 실제 높이를 구하시오.

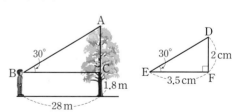

34 오른쪽 그림은 한 변의 길이가 각각 1, 1, 2, 3, 5, …인 정사각형을 시계 방향으로 이어 그린 다음, 컴퍼스를 이용하여 각 정사각형의 두 꼭짓점을 지나는 사분원의 호를 이어 그린 것이다. 이때 4번째 그린 사분원의 호의 길이와 8번째 그린 사분원의 호의 길이의 비를 가장 간단한 자연수의 비로 나타내시오.

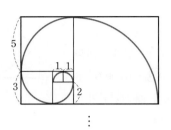

35 다음 그림과 같이 정삼각형 하나를 그리고, 세 변의 중점을 이어 4개의 정삼각형으로 나눈 다음 한가운데 정삼각형 하나를 지운다. 남은 3개의 정삼각형도 같은 방법으로 각각을 4개의 정삼각형으로 나눈 다음 한가운데 정삼각형 하나를 지운다. 이와 같은 과정을 계속 반복할 때, 첫 번째 그림의 정삼각형의 넓이는 네 번째 그림의 색칠한 부분의 넓이의 몇 배인지 구하시오.

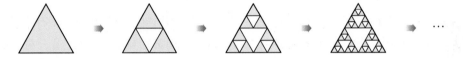

36 직사각형 모양의 종이를 다음과 같은 방법으로 접었다.

(ⅰ) 직사각형의 가로선을 반으로 접었다 편다.		(ⅱ) 두 대각선을 접는 선으로 하여 각각 접었다 편다.	
(ⅲ) 직사각형의 왼쪽 위 꼭짓점과 밑변의 중점을 잇는 선분을 접는 선으로 하여 접었다 편다.		(ⅳ) (ⅱ), (ⅲ)에서 접은 선이 만나는 점을 지나고 직사각형의 세로선에 평행한 선분을 접는 선으로 하여 접었다 편다.	

위의 (ⅰ)~(ⅳ)의 방법으로 접은 종이가 오른쪽 그림과 같을 때, 다음 보기 중 옳은 것을 모두 고르시오.

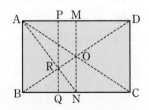

┌ 보기 ├─
ㄱ. $\overline{BN}=\overline{CN}$　　　　ㄴ. $\triangle RON \backsim \triangle RBA$
ㄷ. $\overline{AB}:\overline{ON}=3:1$　　ㄹ. $\overline{PR}:\overline{RQ}=2:1$

01 오른쪽 그림과 같이 직선 l 위에 한 변이 있고 직선 m 위에 한 꼭짓점이 있는 5개의 정사각형 P, Q, R, S, T가 있다. 이 중 세 정사각형 P, R, T의 넓이가 각각 $2\,cm^2$, $8\,cm^2$, $32\,cm^2$일 때, 두 정사각형 Q, S 의 넓이의 합을 구하시오.

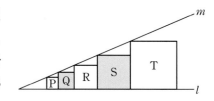

TOP

02 다음 그림과 같이 한 모서리의 길이가 2인 정사면체를 각 꼭짓점에서 만나는 세 모서리의 중점을 지나는 4개의 평면으로 자르면 한 모서리의 길이가 1인 정사면체 4개와 한 모서리의 길이가 1인 정팔면체 1개가 만들어진다. 이때 한 모서리의 길이가 1인 정사면체 한 개와 한 모서리의 길이가 1인 정팔면체 한 개의 부피의 비를 가장 간단한 자연수의 비로 나타내시오.

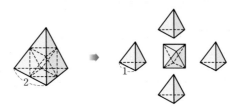

03 오른쪽 그림과 같은 □ABCD에서 △ABD∽△ECD이고 ∠C=80°, ∠DBE=20°, ∠CDE=15°일 때, ∠BAE의 크기를 구하시오.

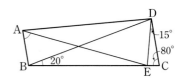

04 오른쪽 그림과 같이 $\overline{AD} /\!/ \overline{BC}$인 사다리꼴 ABCD에서 점 D를 지나면서 $\overline{AB}$에 평행한 선을 그어 $\overline{AC}$, $\overline{BC}$와 만나는 점을 각각 E, F라 하고, $\overline{AD}$의 중점 M에 대하여 $\overline{BM}$과 $\overline{AC}$의 교점을 G 라 하자. $2\overline{DE}=3\overline{EF}$일 때, $\overline{AG}:\overline{GE}:\overline{EC}$를 가장 간단한 자연 수의 비로 나타내시오.

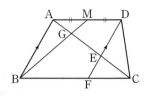

TOP
05 오른쪽 그림과 같이 $\overline{BC}=18\,cm$인 $\triangle ABC$의 변 AC 위에 $\overline{AP}=5\,cm$, $\overline{PC}=10\,cm$가 되도록 점 P를 잡았다. 점 Q가 점 B 에서 출발하여 매초 $0.5\,cm$의 속력으로 점 C까지 움직일 때, $\triangle ABC$와 $\triangle PQC$는 점 Q가 출발한 지 x초 후에 처음으로 서로 닮음이 되고 y초 후에 두 번째로 서로 닮음이 된다고 한다. 이때 $x+y$의 값을 구하시오.

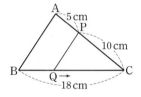

06 오른쪽 그림과 같은 정사각형 ABCD의 두 변 BC, CD 위에 $\angle EAF=45°$가 되도록 두 점 E, F를 각각 잡은 후, 두 점 E, F에 서 대각선 AC에 내린 수선의 발을 각각 P, Q라 하자. $\overline{AP}=14$, $\overline{AQ}=18$일 때, $\square ABCD$의 넓이를 구하시오.

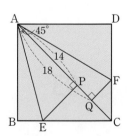

07 오른쪽 그림과 같이 높이가 2 m인 전봇대가 지면과 수직으로 서 있는데 이 전봇대의 P 지점에 길이가 56 cm인 쇠막대를 지면과 평행하게 설치하였다. 이 전봇대의 한가운데인 A 지점에 가로등을 설치했을 때 지면에 생기는 쇠막대의 그림자의 길이를 T_A, 전봇대의 맨 꼭대기인 B 지점에 가로등을 설치했을 때 지면에 생기는 쇠막대의 그림자의 길이를 T_B라 하면 $T_A : T_B = 5 : 3$이 될 때, $\overline{AP} : \overline{BP}$를 가장 간단한 자연수의 비로 나타내시오.

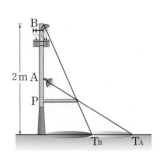

08 오른쪽 그림과 같이 △ABC의 두 꼭짓점 B, C에서 $\overline{AC}$, $\overline{AB}$에 내린 수선의 발을 각각 D, E라 하고, 점 D에서 $\overline{BC}$에 내린 수선의 발을 G, $\overline{DG}$의 연장선이 $\overline{AB}$의 연장선과 만나는 점을 H라 하자. $\overline{GF} = 3$, $\overline{FH} = 9$일 때, $\overline{DG}$의 길이를 구하시오.

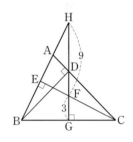

TOP
09 오른쪽 그림과 같이 높이가 6 m인 전봇대가 지면에 수직으로 서 있다. 전봇대의 그림자의 길이가 그림과 같을 때, 같은 위치, 같은 시각에 지면에 수직으로 서 있는 높이가 2 m인 막대의 그림자의 길이를 구하시오.
　　(단, 막대는 그 그림자가 담벼락에 생기지 않는 위치에 세운다.)

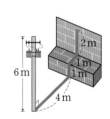

4 평행선 사이의 선분의 길이의 비

01 삼각형과 평행선

1 삼각형에서 평행선과 선분의 길이의 비

△ABC에서 $\overline{AB}$, $\overline{AC}$ 또는 그 연장선 위에 각각 점 D, E가 있을 때

(1) $\overline{BC} /\!/ \overline{DE}$이면 $a : a' = b : b' = c : c'$

참고 $a : a' = b : b' = c : c'$이면 $\overline{BC} /\!/ \overline{DE}$

(2) $\overline{BC} /\!/ \overline{DE}$이면 $a : a' = b : b'$

참고 $a : a' = b : b'$이면 $\overline{BC} /\!/ \overline{DE}$

2 삼각형의 각의 이등분선

(1) 삼각형의 내각의 이등분선

△ABC에서 ∠A의 이등분선과 $\overline{BC}$가 만나는 점을 D라 하면 $\overline{AB} : \overline{AC} = \overline{BD} : \overline{CD}$

(2) 삼각형의 외각의 이등분선

△ABC에서 ∠A의 외각의 이등분선과 $\overline{BC}$의 연장선이 만나는 점을 D라 하면 $\overline{AB} : \overline{AC} = \overline{BD} : \overline{CD}$

대표 문제

1 오른쪽 그림과 같은 △ABC에서 $\overline{BC} /\!/ \overline{DE}$이고 $\overline{AD}=8$, $\overline{DB}=4$, $\overline{AE}=6$, $\overline{BC}=10$일 때, $\overline{DE}-\overline{EC}$의 길이를 구하시오.

2 오른쪽 그림에서 $\overline{BC} /\!/ \overline{DE} /\!/ \overline{FG}$일 때, $x+y$의 값을 구하시오.

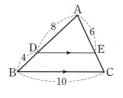

3 오른쪽 그림과 같은 △ABC에서 $\overline{BC} /\!/ \overline{DE}$이고 $\overline{DF}=3$, $\overline{FE}=6$, $\overline{BC}=12$일 때, $\overline{CG}$의 길이를 구하시오.

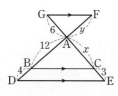

4 오른쪽 그림과 같은 △ABC에서 $\overline{AD}$, $\overline{BE}$는 각각 ∠A, ∠B의 이등분선이고 $\overline{AB}=10$, $\overline{AC}=15$, $\overline{BD}=4$일 때, $\overline{CE}$의 길이는?

① 6 ② $\dfrac{13}{2}$ ③ 7

④ $\dfrac{15}{2}$ ⑤ 8

5 오른쪽 그림과 같은 △ABC에서 $\overline{AD}$가 ∠A의 외각의 이등분선이고 △ACD의 넓이가 $\dfrac{5}{2}$일 때, △ABC의 넓이를 구하시오.

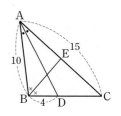

1 삼각형의 두 변의 중점을 연결한 선분의 성질

(1) $\triangle ABC$에서

$\overline{AM}=\overline{MB}$, $\overline{AN}=\overline{NC}$이면

$\overline{MN}/\!/\overline{BC}$, $\overline{MN}=\dfrac{1}{2}\overline{BC}$

(2) $\triangle ABC$에서

$\overline{AM}=\overline{MB}$, $\overline{MN}/\!/\overline{BC}$이면

$\overline{AN}=\overline{NC}$

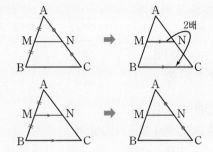

2 사다리꼴에서 삼각형의 두 변의 중점을 연결한 선분의 성질의 응용

$\overline{AD}/\!/\overline{BC}$인 사다리꼴 ABCD에서 $\overline{AB}$, $\overline{DC}$의 중점을 각각 M, N이라 하면

(1) $\overline{AD}/\!/\overline{MN}/\!/\overline{BC}$

(2) $\overline{MN}=\overline{MP}+\overline{PN}=\dfrac{1}{2}(\overline{AD}+\overline{BC})$

(3) $\overline{PQ}=\overline{MQ}-\overline{MP}=\dfrac{1}{2}(\overline{BC}-\overline{AD})$ (단, $\overline{BC}>\overline{AD}$)

■ 사각형의 각 변의 중점을 연결하여 만든 사각형

□ABCD의 네 변의 중점을 각각 P, Q, R, S라 하면 삼각형의 두 변의 중점을 연결한 선분의 성질에 의하여

① $\overline{PQ}/\!/\overline{AC}$, $\overline{PQ}=\dfrac{1}{2}\overline{AC}$

② $\overline{SR}/\!/\overline{AC}$, $\overline{SR}=\dfrac{1}{2}\overline{AC}$

$\overline{PQ}/\!/\overline{SR}$, $\overline{PQ}=\overline{SR}$이므로

□PQRS는 평행사변형이다.

대표 문제

6 오른쪽 그림과 같은 $\triangle ABC$에서 $\overline{AB}$, $\overline{BC}$, $\overline{CA}$의 중점을 각각 D, E, F라 하자. $\triangle ABC$의 둘레의 길이가 20 cm일 때, $\triangle DEF$의 둘레의 길이를 구하시오.

7 오른쪽 그림과 같은 $\triangle ABC$에서 점 D는 $\overline{AB}$의 중점이고, 두 점 E, F는 각각 $\overline{AC}$의 삼등분점이다. $\overline{BG}=9\,\text{cm}$일 때, $\overline{GF}$의 길이를 구하시오.

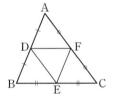

8 오른쪽 그림과 같은 $\triangle ABC$에서 두 점 E, F는 각각 $\overline{AB}$, $\overline{ED}$의 중점이고 $\overline{BC}=12\,\text{cm}$일 때, $\overline{BC}$의 길이를 구하시오.

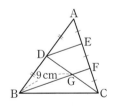

9 오른쪽 그림과 같은 □ABCD의 네 변의 중점을 각각 E, F, G, H라 하자. □EFGH의 둘레의 길이가 28 cm이고 $\overline{AC}=16\,\text{cm}$일 때, $\overline{BD}$의 길이를 구하시오.

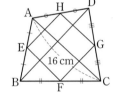

10 오른쪽 그림과 같이 $\overline{AD}/\!/\overline{BC}$인 사다리꼴 ABCD에서 두 점 M, N은 각각 $\overline{AB}$, $\overline{DC}$의 중점이다. $\overline{AD}=3$, $\overline{PQ}=1$일 때, $\overline{BC}$의 길이를 구하시오.

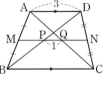

03 평행선과 선분의 길이의 비

1 평행선 사이의 선분의 길이의 비

세 개 이상의 평행선이 다른 두 직선과
만나서 생긴 선분의 길이의 비는 같다.
즉, 오른쪽 그림에서 $l /\!/ m /\!/ n$이면
$a : b = a' : b'$ 또는 $a : a' = b : b'$

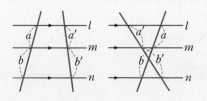

2 사다리꼴에서 평행선과 선분의 길이의 비

$\overline{AD} /\!/ \overline{BC}$인 사다리꼴 ABCD에서 $\overline{EF} /\!/ \overline{BC}$일 때,
$\overline{AD} = a$, $\overline{BC} = b$, $\overline{AE} = m$, $\overline{EB} = n$이면

$$\overline{EF} = \frac{an + bm}{m + n}$$

3 평행선과 선분의 길이의 비의 응용

$\overline{AC}$와 $\overline{BD}$의 교점을 E라 하고 $\overline{AB} /\!/ \overline{EF} /\!/ \overline{DC}$일 때,
$\overline{AB} = a$, $\overline{CD} = b$이면

(1) $\overline{EF} = \dfrac{ab}{a + b}$

(2) $\overline{AE} : \overline{EC} = \overline{BE} : \overline{ED} = \overline{BF} : \overline{FC} = a : b$

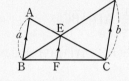

참고 △ABE∽△CDE이고 닮음비는 $a : b$, △ABC∽△EFC이고 닮음비는 $(a+b) : b$,
△BFE∽△BCD이고 닮음비는 $a : (a+b)$

■ 사다리꼴에서 $\overline{EF}$의 길이 구하는 방법

방법 1 $\overline{DC}$와 평행한 보조선 $\overline{AH}$ 긋기

△ABH에서
$\overline{EG} : \overline{BH} = m : (m+n)$
$\overline{GF} = \overline{AD} = \overline{HC} = a$
➡ $\overline{EF} = \overline{EG} + \overline{GF}$

방법 2 보조선 $\overline{AC}$ 긋기

△ABC에서
$\overline{EG} : \overline{BC} = m : (m+n)$
△CDA에서
$\overline{GF} : \overline{AD} = n : (m+n)$
➡ $\overline{EF} = \overline{EG} + \overline{GF}$

대표 문제

11 오른쪽 그림에서 $l /\!/ m /\!/ n$
일 때, $x + y$의 값은?

① 9 　　② $\dfrac{19}{2}$

③ 10 　　④ $\dfrac{21}{2}$

⑤ 11

12 오른쪽 그림과 같은 사다리꼴
ABCD에서 $\overline{AD} /\!/ \overline{EF} /\!/ \overline{BC}$
일 때, x, y의 값을 각각 구하
시오.

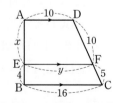

13 오른쪽 그림과 같은 사다리꼴
ABCD에서 $\overline{AD} /\!/ \overline{EF} /\!/ \overline{BC}$
이고 $\overline{EF}$는 두 대각선의 교점
O를 지날 때, $\overline{EF}$의 길이는?

① $\dfrac{32}{5}$ 　　② $\dfrac{34}{5}$

③ 7 　　④ $\dfrac{36}{5}$

⑤ $\dfrac{38}{5}$

14 오른쪽 그림에서
$\overline{AB} /\!/ \overline{EF} /\!/ \overline{DC}$일 때,
다음 중 옳지 <u>않은</u> 것은?

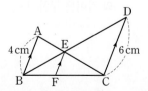

① △ABE∽△CDE

② △CAB∽△CEF

③ $\overline{AE} : \overline{CE} = 3 : 4$

④ $\overline{DB} : \overline{DE} = 5 : 3$

⑤ $\overline{EF} = \dfrac{12}{5}$ cm

04 삼각형의 무게중심

1 삼각형의 중선과 무게중심

(1) 삼각형의 중선

① 삼각형의 중선: 삼각형의 한 꼭짓점과 그 대변의 중점을 이은 선분

② 삼각형의 중선은 그 삼각형의 넓이를 이등분한다. ➡ $\triangle ABD = \triangle ACD$

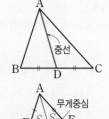

(2) 삼각형의 무게중심

① 삼각형의 무게중심: 삼각형의 세 중선의 교점

② 삼각형의 무게중심은 세 중선의 길이를 꼭짓점으로부터 각각 $2:1$로 나눈다.

➡ $\overline{AG}:\overline{GD}=\overline{BG}:\overline{GE}=\overline{CG}:\overline{GF}=2:1$

③ 삼각형의 세 중선에 의해 삼각형의 넓이는 6등분된다.

➡ $S_1=S_2=S_3=S_4=S_5=S_6=\dfrac{1}{6}\triangle ABC$

$\triangle GAB=\triangle GBC=\triangle GCA=\dfrac{1}{3}\triangle ABC$

2 평행사변형에서 삼각형의 무게중심의 응용

평행사변형 ABCD에서 두 대각선의 교점을 O라 하고, $\overline{BC}$, $\overline{CD}$의 중점을 각각 M, N이라 하면

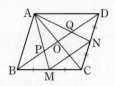

(1) 두 점 P, Q는 각각 $\triangle ABC$와 $\triangle ACD$의 무게중심이다.

(2) $\overline{BP}=\overline{PQ}=\overline{QD}=\dfrac{1}{3}\overline{BD}$

(3) $\overline{MN}=\dfrac{1}{2}\overline{BD}=\dfrac{3}{2}\overline{PQ}$

대표 문제

15 오른쪽 그림에서 $\overline{AD}$는 $\triangle ABC$의 중선이고, $\overline{AE}=\overline{EF}=\overline{FD}$이다. $\triangle EBF$의 넓이가 $4\,cm^2$일 때, $\triangle ABC$의 넓이는?

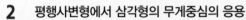

① $16\,cm^2$ ② $20\,cm^2$ ③ $24\,cm^2$
④ $28\,cm^2$ ⑤ $32\,cm^2$

16 오른쪽 그림과 같이 $\angle C=90°$인 직각삼각형 ABC에서 점 G는 $\triangle ABC$의 무게중심이다. $\overline{AB}=12\,cm$일 때, $\overline{CG}$의 길이는?

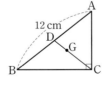

① $2\,cm$ ② $3\,cm$ ③ $4\,cm$
④ $5\,cm$ ⑤ $6\,cm$

17 오른쪽 그림에서 두 점 G, G′은 각각 $\triangle ABC$, $\triangle GBC$의 무게중심이다. $\overline{GG'}=4$일 때, $\overline{AD}$의 길이를 구하시오.

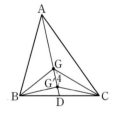

18 오른쪽 그림에서 점 G는 $\triangle ABC$의 무게중심이고, 점 E는 $\overline{GC}$의 중점이다. $\triangle ABC$의 넓이가 $24\,cm^2$일 때, $\triangle GDE$의 넓이를 구하시오.

19 오른쪽 그림과 같은 평행사변형 ABCD에서 $\overline{BC}$, $\overline{CD}$의 중점을 각각 E, F라 하자. $\overline{MN}=6$일 때, $\overline{EF}$의 길이를 구하시오.

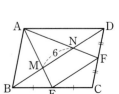

01 삼각형과 평행선

중요

1 오른쪽 그림과 같은
△ABC에서
$\overline{BC}$ // $\overline{DE}$, $\overline{DC}$ // $\overline{FE}$이고
$\overline{AF}$: $\overline{FD}$=2 : 1일 때,
$\overline{AF}$: $\overline{FD}$: $\overline{DB}$를 가장 간
단한 자연수의 비로 나타내시오.

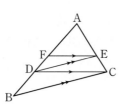

2 다음 그림과 같은 △ABC에서 ∠ABC=60°이고,
$\overline{AB}$=9, $\overline{BC}$=27이다. △ABD, △EDF, △GFH
가 모두 정삼각형이 되도록 점 D, E, F, G, H를 차
례로 잡았을 때, $\overline{GH}$의 길이를 구하시오.

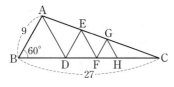

3 오른쪽 그림과 같은 △ABC
에서 $\overline{DE}$ // $\overline{BC}$, $\overline{EG}$ // $\overline{AB}$,
$\overline{DF}$ // $\overline{AC}$이고 $\overline{BC}$=5,
$\overline{AD}$: $\overline{BD}$=2 : 3일 때, $\overline{GF}$의
길이를 구하시오.

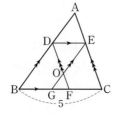

4 오른쪽 그림과 같은
△ABC에서
$\overline{AB}$ // $\overline{GF}$, $\overline{BC}$ // $\overline{DE}$,
$\overline{AC}$ // $\overline{DF}$이고
$\overline{AE}$: $\overline{EC}$=1 : 3일 때, $\overline{EG}$의 길이를 구하시오.

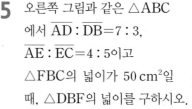

5 오른쪽 그림과 같은 △ABC
에서 $\overline{AD}$: $\overline{DB}$=7 : 3,
$\overline{AE}$: $\overline{EC}$=4 : 5이고
△FBC의 넓이가 50 cm²일
때, △DBF의 넓이를 구하시오.

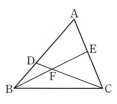

6 오른쪽 그림과 같이
∠A=90°인 직각삼각형
ABC에 평행사변형
PQRS가 내접하고, 점 M
은 $\overline{BC}$의 중점이다.
$\overline{PQ}$ // $\overline{AM}$, $\overline{PQ}$: $\overline{QR}$=3 : 2이고 $\overline{BC}$=18일 때, $\overline{PQ}$
의 길이를 구하시오.

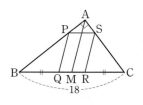

교과서 속 심화

7 오른쪽 그림과 같은
△ABC에서 $\overline{AD}$는 ∠A의
외각의 이등분선이고,
$\overline{AD}$ // $\overline{BE}$이다. $\overline{AB}$=4, $\overline{BC}$=5, $\overline{BD}$=10일 때,
$\overline{EC}$의 길이를 구하시오.

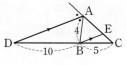

8 다음 그림에서 점 I는 △ABC의 내심이다. $\overline{AI}$의 연장선과 $\overline{BC}$의 교점을 D라 할 때, $\overline{AI}:\overline{ID}$를 가장 간단한 자연수의 비로 나타내시오.

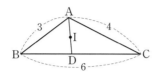

9 오른쪽 그림과 같은 △ABC에서 ∠A의 이등분선과 $\overline{BC}$의 교점을 D, 두 꼭짓점 C, B에서 $\overline{AD}$와 $\overline{AD}$의 연장선 위에 내린 수선의 발을 각각 E, F라 하자. $\overline{AB}:\overline{AC}=5:4$, $\overline{EF}=\dfrac{9}{5}$ cm일 때, $\overline{AD}$의 길이를 구하시오.

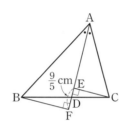

10 오른쪽 그림과 같은 △ABC에서 ∠BAD=∠ACB, ∠DAE=∠CAE이고 $\overline{AB}=6$, $\overline{BC}=9$일 때, $\overline{DE}$의 길이를 구하시오.

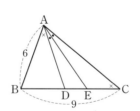

11 오른쪽 그림과 같이 ∠A=∠C=90°인 □ABCD에서 ∠ABD=∠CBD, $\overline{AF}\perp\overline{BC}$이고 $\overline{BF}=6$, $\overline{CF}=4$, $\overline{CD}=5$일 때, $\overline{AE}$의 길이를 구하시오.

12 오른쪽 그림과 같은 △ABC에서 ∠A의 외각의 이등분선이 $\overline{BC}$의 연장선과 만나는 점을 D, ∠A의 이등분선이 $\overline{BC}$와 만나는 점을 E, ∠B의 이등분선이 $\overline{AC}$와 만나는 점을 F라 하자. △ABD의 넓이가 13일 때, △ABF의 넓이를 구하시오.

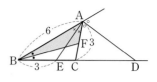

02 삼각형의 두 변의 중점을 연결한 선분의 성질

13 오른쪽 그림과 같이 $\overline{AD}\,//\,\overline{BC}$인 등변사다리꼴 ABCD에서 세 점 M, N, P는 각각 $\overline{AD}$, $\overline{BC}$, $\overline{AC}$의 중점이다. ∠BAC=78°, ∠ACD=40°일 때, ∠PMN의 크기는?

① 17°　　② 18°　　③ 19°
④ 20°　　⑤ 21°

교과서 속 심화

14 오른쪽 그림과 같은 △ABC에서 두 점 D, F는 $\overline{AB}$의 삼등분점이고, $\overline{DE}\,//\,\overline{FC}$, $\overline{FE}\,//\,\overline{AG}$이다. △ABC의 넓이가 24 cm²일 때, △AHC의 넓이는?

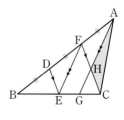

① 2 cm²　　② 3 cm²　　③ 4 cm²
④ 5 cm²　　⑤ 6 cm²

중요

15 오른쪽 그림과 같은 △ABC에서 두 점 D, F는 각각 $\overline{AB}$, $\overline{DC}$의 중점이고 $\overline{FE}=6$일 때, $\overline{AF}$의 길이는?

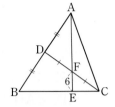

① 17   ② 18

③ 19   ④ 20

⑤ 21

16 오른쪽 그림과 같은 마름모 ABCD에서 네 변의 중점을 각각 E, F, G, H라 하자. $\overline{AC}=16$ cm, $\overline{BD}=12$ cm일 때, □EFGH의 넓이를 구하시오.

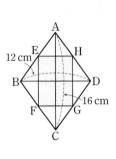

17 오른쪽 그림과 같이 △ABC의 각 변의 중점을 연결하여 △$A_1B_1C_1$을 만들고, △$A_1B_1C_1$의 각 변의 중점을 연결하여 △$A_2B_2C_2$를 만들고, △$A_2B_2C_2$의 각 변의 중점을 연결하여 △$A_3B_3C_3$을 만들었다. △ABC의 넓이가 256일 때, △$A_1B_1C_1$, △$A_2B_2C_2$, △$A_3B_3C_3$의 넓이의 합을 구하시오.

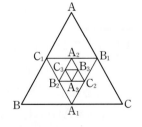

18 오른쪽 그림과 같이 평행사변형 ABCD의 네 변의 중점을 각각 E, F, G, H라 하자. □ABCD의 넓이가 20 cm²일 때, △APH의 넓이를 구하시오.

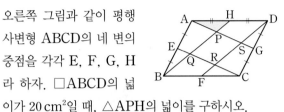

교과서 속 심화

19 오른쪽 그림과 같은 △ABC에서 세 점 D, F, H와 세 점 E, G, I는 각각 $\overline{AB}$, $\overline{AC}$의 사등분점이고, $\overline{DE}=2$이다. 이때 $\overline{RS}-\overline{PQ}$의 길이를 구하시오.

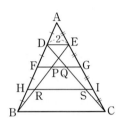

03 평행선과 선분의 길이의 비

20 오른쪽 그림에서 $l /\!/ m /\!/ n$일 때, x의 값은?

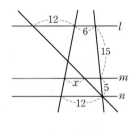

① 4   ② $\dfrac{9}{2}$

③ 5   ④ $\dfrac{11}{2}$

⑤ 6

21 오른쪽 그림에서 $k /\!/ l /\!/ m /\!/ n$이고 $\overline{BD}:\overline{DF}:\overline{FH}=2:3:2$일 때, $\overline{CD}+\overline{EF}$의 길이를 구하시오.

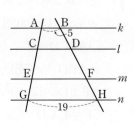

22 오른쪽 그림과 같은 사다리꼴 ABCD에서 $\overline{AD} /\!/ \overline{EF} /\!/ \overline{BC}$이고 두 점 P, Q는 각각 $\overline{EF}$와 $\overline{BD}$, $\overline{AC}$의 교점일 때, $\overline{PQ}$의 길이는?

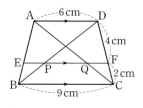

① $\dfrac{7}{2}$ cm ② 4 cm ③ $\dfrac{9}{2}$ cm

④ 5 cm ⑤ 6 cm

중요

23 오른쪽 그림과 같은 사다리꼴 ABCD에서 $\overline{AD} /\!/ \overline{PQ} /\!/ \overline{RS} /\!/ \overline{BC}$이고 $\overline{AP} : \overline{PR} : \overline{RB} = 1 : 3 : 2$일 때, $x+y$의 값을 구하시오.

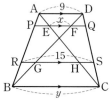

24 오른쪽 그림과 같은 사다리꼴 ABCD에서 $\overline{AD} /\!/ \overline{EF} /\!/ \overline{BC}$이고, $\overline{EP} : \overline{PF} = 2 : 1$이다. $\overline{AB} = 8$ cm, $\overline{AD} = 10$ cm, $\overline{BC} = 12$ cm일 때, $\overline{EB}$의 길이는?

① $\dfrac{5}{2}$ cm ② 3 cm ③ $\dfrac{7}{2}$ cm

④ 4 cm ⑤ $\dfrac{9}{2}$ cm

25 오른쪽 그림에서 $\overline{AB} /\!/ \overline{PQ} /\!/ \overline{CD}$이고 $\overline{AM} = \overline{MP}$, $\overline{BN} = \overline{NQ}$일 때, $\overline{MN} - \overline{PQ}$의 길이를 구하시오.

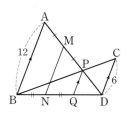

26 오른쪽 그림에서 $\overline{AB} /\!/ \overline{EF} /\!/ \overline{DC}$일 때, $\overline{EF}$의 길이를 구하시오.

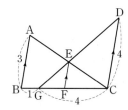

04 삼각형의 무게중심

27 오른쪽 그림에서 점 G는 △ABC의 무게중심이고 $\overline{AD} = 15$일 때, $\overline{HG}$의 길이를 구하시오.

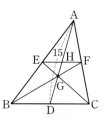

교과서 속 심화

28 오른쪽 그림과 같이 ∠BAC=90°인 직각삼각형 ABC에서 점 D는 $\overline{BC}$의 중점이고, 두 점 G, G′은 각각 △ABD, △ADC의 무게중심일 때, $\overline{GG'}$의 길이를 구하시오.

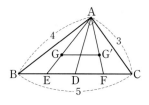

29 오른쪽 그림과 같이 $\overline{AD}/\!/\overline{BC}$ 인 사다리꼴 ABCD에서 두 점 M, N은 각각 $\overline{AB}$, $\overline{DC}$의 중점이고, 두 점 G, G'은 각각 △ABC와 △DBC의 무게중심이다. $\overline{GG'}=4$, $\overline{BC}=16$일 때, $\overline{MN}$의 길이를 구하시오.

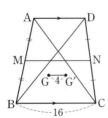

교과서 속 심화

32 오른쪽 그림과 같은 평행사변형 ABCD에서 두 점 M, N은 각각 $\overline{AD}$, $\overline{BC}$의 중점이다. $\overline{AC}$, $\overline{BD}$가 만나는 점을 O라 하고, $\overline{BM}$, $\overline{DN}$이 $\overline{AC}$와 만나는 점을 각각 P, Q라 하자. $\overline{AO}=21$, $\overline{DN}=36$, $\overline{BC}=40$일 때, △APM의 둘레의 길이는?

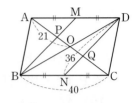

① 40　　② 42　　③ 44
④ 46　　⑤ 48

30 오른쪽 그림에서 점 G는 △ABC의 무게중심이고, $\overline{EF}/\!/\overline{BC}$이다. △GDF의 넓이가 $8\,cm^2$일 때, □EBDG의 넓이는?

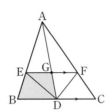

① $18\,cm^2$　　② $20\,cm^2$　　③ $22\,cm^2$
④ $24\,cm^2$　　⑤ $26\,cm^2$

33 오른쪽 그림과 같은 평행사변형 ABCD에서 $\overline{BC}$, $\overline{CD}$의 중점을 각각 M, N이라 하자. △CMN의 넓이가 $3\,cm^2$일 때, △APQ의 넓이는?

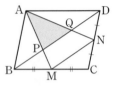

① $3\,cm^2$　　② $\dfrac{7}{2}\,cm^2$　　③ $4\,cm^2$
④ $\dfrac{9}{2}\,cm^2$　　⑤ $5\,cm^2$

31 오른쪽 그림에서 점 G는 △ABC의 무게중심이고, 자연수 a, b에 대하여
$$\triangle DGF + \triangle AGC = \frac{a}{b}\triangle ABC$$
가 성립한다고 한다. 이때 $b-a$의 값을 구하시오.
(단, a, b는 서로소이다.)

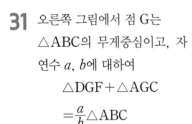
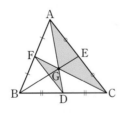

34 오른쪽 그림과 같은 평행사변형 ABCD에서 $\overline{AD}$, $\overline{AB}$의 중점을 각각 M, N이라 하자. □ABCD의 넓이가 48일 때, 색칠한 부분의 넓이의 합은?

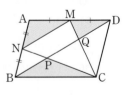

① 16　　② 18　　③ 20
④ 22　　⑤ 24

35 오른쪽 그림과 같이 양쪽 기둥 사이에 두 방향으로 직선 모양의 다리를 놓아 만든 조형물에서 2개의 다리가 부러졌다. 부러진 다리의 길이를 각각 x cm, y cm라 할 때, $x+y$의 값을 구하시오. (단, 같은 방향으로 놓인 다리의 간격은 일정하고, 모두 평행하다.)

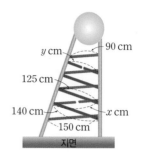

36 오른쪽 그림과 같이 한 모서리의 길이가 16 cm인 정사면체에서 $\overline{BE}=12$ cm가 되도록 하는 점 E를 $\overline{BC}$ 위에 잡았다. 점 E에서 시작하여 $\overline{AC}$ 위의 점 F와 $\overline{AD}$ 위의 점 G를 차례로 지나 점 B에 이르는 선의 길이가 최소가 되도록 할 때, $\overline{CF}$의 길이를 구하시오.

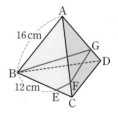

37 한 중선의 길이가 15 cm인 정삼각형 ABC를 다음 그림과 같이 직선 l 위에서 미끄러지지 않도록 1회전하여 점 A가 점 A_1의 위치로 오도록 이동시켰다. 점 G가 △ABC의 무게중심일 때, 점 G가 움직인 거리를 구하시오.

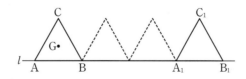

01 오른쪽 그림과 같은 △ABC에서 $\overline{AE}$는 ∠A의 이등분선이고, ∠ACE=∠AED이다. $\overline{AB}=10$, $\overline{BC}=12$, $\overline{CA}=14$일 때, $\overline{AD}:\overline{DB}$를 가장 간단한 자연수의 비로 나타내시오.

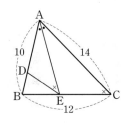

02 오른쪽 그림과 같이 ∠A=90°인 직각삼각형 ABC에서 $\overline{AB}$, $\overline{BC}$의 중점을 각각 M, N이라 하고, ∠A의 이등분선이 $\overline{BC}$와 만나는 점을 P라 하자. $\overline{AB}=12$, $\overline{AC}=6$일 때, □AMNP의 넓이를 구하시오.

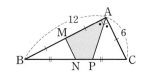

03 오른쪽 그림과 같이 △ABC에서 ∠A, ∠B의 내각의 이등분선이 $\overline{BC}$, $\overline{AC}$와 만나는 점을 각각 D, E라 하고, 꼭짓점 C에서 $\overline{AD}$, $\overline{BE}$에 내린 수선의 발을 각각 P, Q라 하자. 이때 $\overline{PQ}$의 길이를 구하시오.

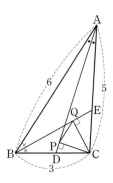

TOP
04 오른쪽 그림과 같이 △ABC의 꼭짓점 B에서 $\overline{AC}$에 내린 수선의 발을 H라 하자. ∠ACB=2∠BAC이고 $\overline{BC}=8\,\text{cm}$, $\overline{AC}=10\,\text{cm}$일 때, $\overline{HC}$의 길이를 구하시오.

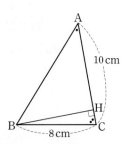

05 오른쪽 그림과 같은 평행사변형 ABCD에서 $\overline{AD}$, $\overline{DC}$의 중점을 각각 E, F라 하고, $\overline{AF}$가 $\overline{BD}$, $\overline{BE}$와 만나는 점을 각각 G, H라 하자. $\overline{AH}=2\,cm$일 때, $\overline{AF}$의 길이를 구하시오.

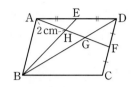

TOP
06 오른쪽 그림에서 점 G는 △ABC의 무게중심이고, 세 점 P, Q, R는 각각 △GBC, △GCA, △GAB의 무게중심이다. $\overline{AD}$와 $\overline{RQ}$의 교점을 E라 하고 $\overline{AD}=18$일 때, $\overline{AE}$의 길이를 구하시오.

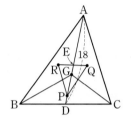

07 오른쪽 그림에서 점 G는 △ABC의 무게중심이고, $\overline{AB}\,/\!/\,\overline{FH}$, $\overline{DE}\,/\!/\,\overline{BC}$이다. △ABC의 넓이가 $36\,cm^2$일 때, △FGE의 넓이를 구하시오.

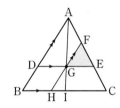

08 오른쪽 그림과 같은 평행사변형 ABCD에서 $\overline{AB}$, $\overline{BC}$, $\overline{CD}$의 중점을 각각 E, F, G라 하고, $\overline{BD}$가 $\overline{EF}$, $\overline{AG}$와 만나는 점을 각각 P, Q라 하자. □ABCD의 넓이가 $96\,cm^2$일 때, △PGQ의 넓이를 구하시오.

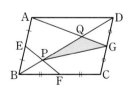

5 피타고라스 정리

● 정답과 해설 40쪽

01 피타고라스 정리

1 피타고라스 정리

직각삼각형에서 직각을 낀 두 변의 길이를 각각 a, b라 하고, 빗변의 길이를 c라 하면 $a^2+b^2=c^2$이 성립한다.

참고 변의 길이 a, b, c는 항상 양수이다.

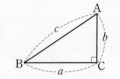

2 피타고라스 정리의 확인

유클리드의 방법	피타고라스의 방법
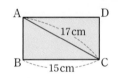	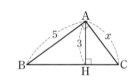
□ACDE=□AFKJ □BHIC=□JKGB ➡ □AFGB=□ACDE+□BHIC ➡ $c^2=b^2+a^2$	(①의 넓이)=(②의 넓이)+(③의 넓이) ➡ $c^2=a^2+b^2$ 참고 · △ABC≡△GAD≡△HGE≡△BHF · □CDEF, □AGHB는 정사각형이다.

■ 피타고라스 정리의 응용

직각삼각형 ABQ와 합동인 직각삼각형 3개로 이루어진 정사각형 ABCD에서

△ABQ≡△BCR
    ≡△CDS≡△DAP

이므로

$\overline{PQ}=\overline{QR}=\overline{RS}=\overline{SP}$

➡ □PQRS는 정사각형

대표 문제

1 오른쪽 그림과 같은 직사각형 ABCD에서 $\overline{AC}=17$ cm, $\overline{BC}=15$ cm일 때, □ABCD의 넓이를 구하시오.

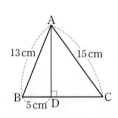

2 오른쪽 그림과 같은 △ABC에서 $\overline{AD}\perp\overline{BC}$이다. $\overline{AB}=13$ cm, $\overline{AC}=15$ cm, $\overline{BD}=5$ cm일 때, △ADC의 둘레의 길이를 구하시오.

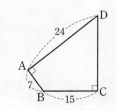

3 오른쪽 그림과 같은 □ABCD에서 ∠A=∠C=90°이고 $\overline{AB}=7$, $\overline{BC}=15$, $\overline{AD}=24$일 때, $\overline{CD}$의 길이를 구하시오.

4 오른쪽 그림과 같이 ∠A=90°인 직각삼각형 ABC에서 $\overline{AH}\perp\overline{BC}$이고 $\overline{AB}=5$, $\overline{AH}=3$일 때, x의 값을 구하시오.

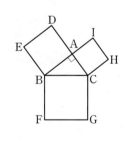

5 오른쪽 그림은 ∠A=90°인 직각삼각형 ABC의 세 변을 각각 한 변으로 하는 정사각형을 그린 것이다. □ADEB=256, □BFGC=400일 때, $\overline{AC}$의 길이를 구하시오.

6 오른쪽 그림과 같은 정사각형 ABCD에서 □EFGH=45이고 $\overline{AH}=\overline{BE}=\overline{CF}=\overline{DG}=3$일 때, □ABCD의 둘레의 길이를 구하시오.

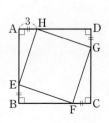

1 직각삼각형이 되기 위한 조건

세 변의 길이가 각각 a, b, c인 △ABC에서

$$a^2 + b^2 = c^2$$

이면 이 삼각형은 빗변의 길이가 c인 직각
삼각형이다.

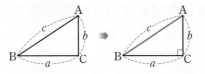

2 직각삼각형에서의 성질

∠A$=90°$인 직각삼각형 ABC에서 점 D, E가 각각 $\overline{AB}$,
$\overline{AC}$ 위에 있을 때

➡ $\overline{DE}^2 + \overline{BC}^2 = \overline{BE}^2 + \overline{CD}^2$

참고 $\overline{DE}^2 + \overline{BC}^2 = (\overline{AD}^2 + \overline{AE}^2) + (\overline{AB}^2 + \overline{AC}^2)$
$= (\overline{AE}^2 + \overline{AB}^2) + (\overline{AD}^2 + \overline{AC}^2) = \overline{BE}^2 + \overline{CD}^2$

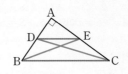

3 두 대각선이 직교하는 사각형에서의 성질

사각형 ABCD에서 두 대각선이 직교할 때

➡ $\overline{AB}^2 + \overline{CD}^2 = \overline{AD}^2 + \overline{BC}^2$

참고 $\overline{AB}^2 + \overline{CD}^2 = (\overline{AP}^2 + \overline{BP}^2) + (\overline{CP}^2 + \overline{DP}^2)$
$= (\overline{AP}^2 + \overline{DP}^2) + (\overline{BP}^2 + \overline{CP}^2) = \overline{AD}^2 + \overline{BC}^2$

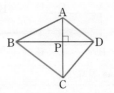

■ 삼각형의 변의 길이와 각의 크
기 사이의 관계

△ABC에서 $\overline{AB}=c$, $\overline{BC}=a$,
$\overline{CA}=b$이고, 가장 긴 변의 길이가
c일 때
(1) $c^2 < a^2 + b^2$이면 ∠C$<90°$
➡ △ABC는 예각삼각형
(2) $c^2 = a^2 + b^2$이면 ∠C$=90°$
➡ △ABC는 직각삼각형
(3) $c^2 > a^2 + b^2$이면 ∠C$>90°$
➡ △ABC는 둔각삼각형

■ 직사각형에서의 성질

직사각형 ABCD의 내부에 임의
의 한 점 P가 있을 때

➡ $\overline{AP}^2 + \overline{CP}^2 = \overline{BP}^2 + \overline{DP}^2$

대표 문제

7 세 변의 길이가 8 cm, 15 cm, 17 cm인 삼각형의 넓
이를 구하시오.

8 오른쪽 그림과 같은 △ABC
에서 $\overline{AB}=6$, $\overline{CA}=4$일 때,
∠A$<90°$이 되기 위한 자연
수 x의 값을 구하시오.

(단, $x>6$)

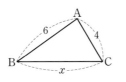

9 △ABC에서 세 내각 ∠A, ∠B, ∠C의 대변의 길이
를 각각 a, b, c라 할 때, 다음 중 옳지 <u>않은</u> 것은?

① $a^2 + b^2 = c^2$이면 ∠C$=90°$이다.
② $b^2 + c^2 > a^2$이면 ∠A$<90°$이다.
③ $a^2 + b^2 < c^2$이면 둔각삼각형이다.
④ $b^2 + c^2 = a^2$이면 직각삼각형이다.
⑤ $c^2 + a^2 > b^2$이면 예각삼각형이다.

10 오른쪽 그림과 같이
∠A$=90°$인 직각삼각형
ABC에서 두 점 D, E는
각각 $\overline{AB}$, $\overline{AC}$의 중점이고
$\overline{BC}=14$일 때, $\overline{BE}^2 + \overline{CD}^2$의 값을 구하시오.

11 오른쪽 그림과 같은 □ABCD
에서 두 대각선이 직교할 때, 그
교점을 O라 하자. $\overline{AO}=3$,
$\overline{BO}=2$, $\overline{BC}=8$일 때,
$\overline{AD}^2 + \overline{BC}^2$의 값을 구하시오.

12 오른쪽 그림과 같은 직사각형
ABCD의 내부의 한 점 P에
대하여 $\overline{CP}=8$, $\overline{DP}=9$일 때,
$\overline{AP}^2 - \overline{BP}^2$의 값을 구하시오.

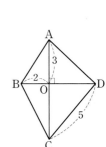

03 피타고라스 정리의 활용 (2)

1 직각삼각형에서의 세 반원 사이의 관계

$\angle A=90°$인 직각삼각형 ABC에서 세 변 AB, AC, BC를 각각 지름으로 하는 반원의 넓이를 차례로 S_1, S_2, S_3이라 할 때

➡ $S_3=S_1+S_2$

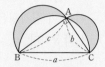

참고 $\overline{AB}=c$, $\overline{BC}=a$, $\overline{CA}=b$라 하면

$$S_1+S_2=\frac{1}{2}\times\pi\times\left(\frac{c}{2}\right)^2+\frac{1}{2}\times\pi\times\left(\frac{b}{2}\right)^2=\frac{c^2+b^2}{8}\pi,\ S_3=\frac{1}{2}\times\pi\times\left(\frac{a}{2}\right)^2=\frac{a^2}{8}\pi$$

피타고라스 정리에 의해 $c^2+b^2=a^2$이므로 $S_1+S_2=S_3$

2 입체도형에서의 최단 거리

입체도형의 겉면 위의 한 점에서 겉면을 따라 다시 그 점에 이르거나 다른 한 점에 이르는 최단 거리는 전개도에서 두 점을 잇는 선분의 길이와 같다.

각기둥	원기둥
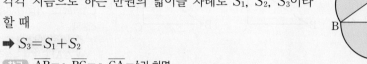	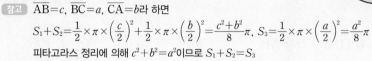
전개도에서 옆면 ➡ 직사각형	전개도에서 옆면 ➡ 직사각형

■ **히포크라테스의 원의 넓이**

직각삼각형 ABC의 세 변을 각각 지름으로 하는 반원을 그렸을 때

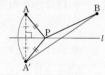

(색칠한 부분의 넓이)
=(지름이 $\overline{AB}$인 반원의 넓이)
　+(지름이 $\overline{AC}$인 반원의 넓이)
　+△ABC
　-(지름이 $\overline{BC}$인 반원의 넓이)
=△ABC=$\frac{1}{2}bc$

■ 점 P가 직선 l 위의 점일 때, 점 A와 직선 l에 대하여 대칭인 점을 A′이라 하면

$\overline{AP}+\overline{BP}=\overline{A'P}+\overline{BP}\geq\overline{A'B}$
➡ $\overline{AP}+\overline{BP}$의 길이가 최소일 때의 길이는 $\overline{A'B}$의 길이와 같다.

대표 문제

13 오른쪽 그림은 $\angle B=90°$인 직각삼각형 ABC의 세 변을 각각 지름으로 하는 반원을 그린 것이다. $\overline{AB}=12\,cm$이고 $\overline{AC}$를 지름으로 하는 반원의 넓이가 $50\pi\,cm^2$일 때, $\overline{BC}$의 길이를 구하시오.

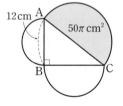

15 오른쪽 그림과 같이 직육면체의 꼭짓점 B에서 출발하여 겉면을 따라 $\overline{CG}$, $\overline{DH}$를 지나 꼭짓점 E에 이르는 최단 거리를 구하시오.

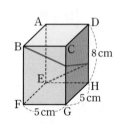

14 오른쪽 그림은 $\angle A=90°$인 직각삼각형 ABC의 세 변을 각각 지름으로 하는 반원을 그린 것이다. $\overline{AB}=9\,cm$이고 색칠한 부분의 넓이가 $54\,cm^2$일 때, $\overline{BC}$의 길이를 구하시오.

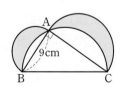

16 오른쪽 그림과 같이 밑면의 반지름의 길이가 $12\,cm$인 원기둥이 있다. 밑면의 둘레 위의 한 점 A에서 출발하여 옆면을 따라 한 바퀴 돌아 점 B에 이르는 최단 거리가 $26\pi\,cm$일 때, 이 원기둥의 높이를 구하시오.

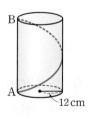

01 피타고라스 정리

1 오른쪽 그림과 같이
∠C＝90°인 직각삼각형
ABC에서 점 M은 $\overline{AB}$의
중점이고 $\overline{AC}$＝9 cm,
$\overline{BC}$＝12 cm일 때, $\overline{CM}$의 길이를 구하시오.

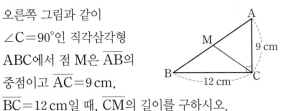

2 오른쪽 그림과 같이
∠B＝90°인 직각삼각형
ABC에서 ∠A의 이등
분선이 $\overline{BC}$와 만나는 점
을 D라 하자. $\overline{AB}$＝5 cm, $\overline{AC}$＝13 cm일 때,
△ADC의 넓이를 구하시오.

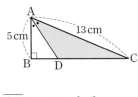

3 오른쪽 그림에서
$\overline{AB}$＝$\overline{BC}$＝$\overline{CD}$
　＝$\overline{DE}$＝$\overline{EF}$＝3 cm
일 때, △AEF의 넓이를
구하시오.

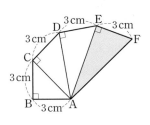

4 오른쪽 그림과 같이 한 변의
길이가 8인 정사각형
ABCD가 있다. $\overline{CD}$ 위의 점
P에 대하여 $\overline{AP}$의 연장선과
$\overline{BC}$의 연장선이 만나는 점을
Q라 하자. $\overline{AP}$＝10일 때, △PCQ의 둘레의 길이를 구
하시오.

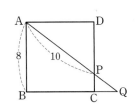

5 오른쪽 그림과 같이
∠A＝90°이고 $\overline{AB}$＝6,
$\overline{AC}$＝8인 직각삼각형
ABC에서 점 M은 $\overline{BC}$
의 중점이다. $\overline{AH}$⊥$\overline{BC}$, $\overline{HI}$⊥$\overline{AM}$일 때, $\overline{HI}$의 길이
를 구하시오.

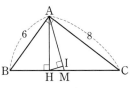

6 오른쪽 그림과 같이
∠A＝∠B＝90°인 사다리꼴
ABCD에서 $\overline{AD}$＝7 cm,
$\overline{BC}$＝16 cm, $\overline{CD}$＝15 cm일
때, $\overline{AC}$의 길이를 구하시오.

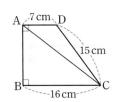

7 오른쪽 그림과 같이
$\overline{AB}$＝4 cm, $\overline{AD}$＝6 cm인
직사각형 ABCD에서
$\overline{BC}$의 중점을 M, 점 D에
서 $\overline{AM}$에 내린 수선의 발
을 H라 할 때, □DHMC의 둘레의 길이를 구하시오.

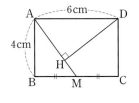

교과서 속 심화

8 오른쪽 그림과 같이 지름의 길
이가 20 cm인 반원 O에 내접
하는 정사각형 ABCD의 넓이
를 구하시오.

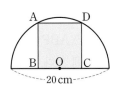

9 오른쪽 그림과 같은 직사각형 ABCD에서 점 A에서 대각선 $\overline{BD}$에 내린 수선의 발을 E, 점 E에서 $\overline{AD}$에 내린 수선의 발을 F라 하자. $\overline{AB}=6\,cm$, $\overline{AD}=8\,cm$일 때, $\overline{EF}$의 길이를 구하시오.

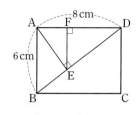

10 오른쪽 그림과 같이 반지름의 길이가 15인 구 O에 높이가 24인 원뿔이 내접하고 있다. 이때 이 원뿔의 부피는?

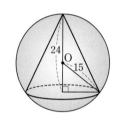

① 648π ② 720π

③ 864π ④ 1152π

⑤ 1800π

11 오른쪽 그림은 $\angle A=90°$인 직각삼각형 ABC에서 $\overline{BC}$를 한 변으로 하는 정사각형 BDEC를 그린 것이다. $\overline{AB}=15\,cm$, $\overline{AC}=8\,cm$일 때, 색칠한 부분의 넓이를 구하시오.

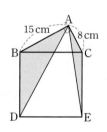

교과서 속 심화

12 오른쪽 그림과 같이 $\angle B=\angle C=90°$인 사다리꼴 ABCD에서 $\overline{BC}$ 위의 점 P에 대하여 $\triangle ABP\equiv\triangle PCD$이고, 세 점 B, P, C는 한 직선 위에 있다. $\overline{AB}=4\,cm$이고 $\triangle APD$의 넓이가 $10\,cm^2$일 때, $\square ABCD$의 넓이를 구하시오.

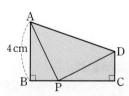

13 오른쪽 그림과 같이 $\overline{BC}=15$, $\overline{CD}=12$인 직사각형 ABCD를 꼭짓점 B가 $\overline{AD}$ 위의 점 E에 오도록 접었다. 이때 $\triangle CDE$에 내접하는 원 O의 반지름의 길이를 구하시오.

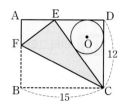

14 오른쪽 그림에서 4개의 직각삼각형은 모두 합동이고 $\overline{AB}=5$, $\overline{AE}=4$일 때, $\square EFGH$의 넓이는?

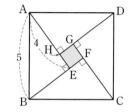

① 1   ② 2

③ 3   ④ 4

⑤ 5

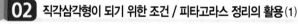

02 직각삼각형이 되기 위한 조건 / 피타고라스 정리의 활용 (1)

중요

15 $\angle C=90°$인 직각삼각형 ABC와 $\overline{BC}$ 위의 점 D에 대하여 각 변의 길이가 오른쪽 그림과 같을 때, 다음 보기 중 옳은 것을 모두 고른 것은?

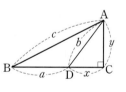

┤ 보기 ├

ㄱ. $x^2+y^2=b^2$ ㄴ. $a^2>b^2+c^2$

ㄷ. $c^2<a^2+x^2+y^2$ ㄹ. $a^2+c^2>x^2+y^2$

① ㄱ, ㄴ   ② ㄱ, ㄹ   ③ ㄴ, ㄷ

④ ㄱ, ㄴ, ㄹ   ⑤ ㄴ, ㄷ, ㄹ

16 길이가 다음과 같은 5개의 선분 중에서 3개를 골라 만들 수 있는 예각삼각형의 개수를 a개, 둔각삼각형의 개수를 b개라 할 때, $b-a$의 값은?

$$4, \quad 6, \quad 8, \quad 9, \quad 11$$

① 3   ② 4   ③ 5
④ 6   ⑤ 7

17 오른쪽 그림과 같이 $\angle A=90^\circ$인 직각삼각형 ABC에서 $\overline{AD}:\overline{AB}=1:3$, $\overline{AE}:\overline{AC}=1:3$이고 $\overline{BE}^2+\overline{CD}^2=90$일 때, $\overline{BC}$의 길이를 구하시오.

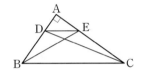

18 오른쪽 그림과 같이 △ABC의 두 변 BC, CA의 중점을 각각 D, E라 할 때, 두 선분 AD와 BE가 서로 수직으로 만난다. $\overline{AC}=12$, $\overline{BC}=16$일 때, $\overline{AB}^2$의 값을 구하시오.

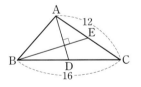

19 오른쪽 그림과 같이 직사각형 ABCD의 꼭짓점 A에서 대각선 BD에 내린 수선의 발을 E라 하자. $\overline{AB}=15$, $\overline{BC}=20$일 때, $\overline{CE}^2$의 값을 구하시오.

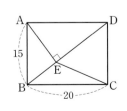

20 오른쪽 그림은 $\angle A=90^\circ$이고 $\overline{BC}=12$ cm인 직각삼각형 ABC에서 $\overline{BC}$를 지름으로 하는 반원과 $\overline{AB}$, $\overline{AC}$를 각각 지름으로 하는 원을 그린 것이다. 이때 색칠한 부분의 넓이를 구하시오.

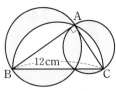

교과서 속 심화

21 오른쪽 그림과 같이 원에 내접하는 직사각형 ABCD의 네 변을 지름으로 하는 네 반원을 그렸다. $\overline{AB}=15$ cm, $\overline{AD}=6$ cm일 때, 색칠한 부분의 넓이를 구하시오.

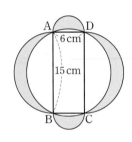

중요

22 오른쪽 그림과 같이 밑면의 반지름의 길이가 6 cm, 높이가 10π cm인 원기둥이 있다. 밑면의 둘레 위의 한 점 A에서 출발하여 옆면을 따라 두 바퀴 돌아 점 B에 이르는 최단 거리를 구하시오.

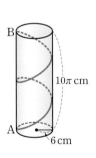

23 오른쪽 그림과 같이 좌표평면 위의 두 점 A$(-4, 3)$, B$(2, 5)$와 x축 위를 움직이는 점 P에 대하여 $\overline{AP}+\overline{BP}$의 최소 길이를 구하시오.

24 오른쪽 그림은 한 변의 길이가 $10\,cm$인 정사각형 모양의 색종이를 $\overline{EF}$, $\overline{FG}$, $\overline{GH}$, $\overline{HE}$를 접는 선으로 하여 겹치지 않게 접은 것이다. $\overline{AE}=\overline{BF}=\overline{CG}=\overline{DH}$이고 □PQRS의 넓이가 $16\,cm^2$일 때, □EFGH의 넓이를 구하시오.

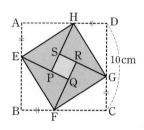

25 오른쪽 그림과 같이 채송화와 들국화가 심어진 꽃밭은 모두 정사각형 모양이고, 연못은 모두 직각삼각형 모양인 정원이 있다. 이 정원의 연못 중에서 연못 ABC의 C 지점과 $\overline{AB}$의 중점 D를 연결하는 직선 모양의 다리를 만들려고 한다. 채송화가 심어진 꽃밭의 넓이의 합이 $324\,m^2$일 때, 만들려고 하는 다리의 길이를 구하시오.

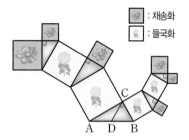

: 채송화
: 들국화

26 오른쪽 그림은 직각삼각형, 예각삼각형, 둔각삼각형의 세 변을 각각 지름으로 하는 반원을 그린 것이다. 다음 보기의 설명 중 옳은 것을 모두 고르시오.

[직각삼각형]   [예각삼각형]   [둔각삼각형]

┤ 보기 ├

ㄱ. 예각삼각형의 경우 가장 큰 반원의 넓이는 나머지 두 반원의 넓이의 합보다 작다.

ㄴ. 직각삼각형의 경우 가장 큰 반원의 넓이는 나머지 두 반원의 넓이의 합과 같다.

ㄷ. 둔각삼각형의 경우 가장 큰 반원의 넓이는 나머지 두 반원의 넓이의 합보다 크다.

ㄹ. 삼각형의 종류에 관계없이 가장 큰 반원의 넓이는 나머지 두 반원의 넓이의 합보다 크거나 같다.

TOP

01 오른쪽 그림과 같이 ∠B=90°이고 $\overline{AB}$=6 cm, $\overline{BC}$=8 cm인 직각삼각형 ABC의 내부에 반지름의 길이가 같은 6개의 원이 $\overline{AC}$에 접하면서 동시에 서로 외접하고 있다. 이때 이 원의 반지름의 길이를 구하시오. (단, 양 끝의 두 원은 각각 $\overline{AB}$, $\overline{BC}$에 접한다.)

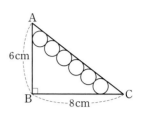

02 오른쪽 그림은 ∠A=90°이고 $\overline{AB}$=8, $\overline{AC}$=5인 직각삼각형 ABC의 세 변을 각각 한 변으로 하는 정사각형을 그린 것이다. 이때 육각형 DEFGHI의 넓이를 구하시오.

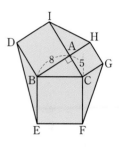

03 오른쪽 그림은 한 변의 길이가 18 cm인 정사각형 ABCD를 꼭짓점 B가 $\overline{AD}$ 위의 점 P에 오도록 접은 것이다. $\overline{AE}:\overline{AP}$=4:3일 때, $\overline{QR}$의 길이를 구하시오.

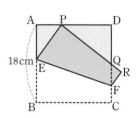

04 오른쪽 그림과 같이 두 목장 A, B와 두 매장 C, D가 직사각형 모양의 도로로 연결되어 있다. 두 목장 A, B에서 생산된 우유는 각각 12 km, 16 km 떨어져 있는 저장소 P에 모인 후에 다시 $\overline{BC}$와 평행한 도로를 따라 살균 공장 Q로 운송된 다음, 두 매장 C, D로 이동되어 판매된다. 살균 공장 Q에서 D 매장까지의 거리는 4 km이고 살균 공장 Q와 두 매장 C, D를 각각 연결하는 두 직선 도로는 서로 수직일 때, 두 매장 C, D 사이의 거리를 구하시오.

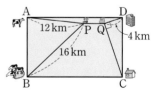

3~5 서술형 완성하기

모든 문제는 풀이 과정을 자세히 서술한 후 답을 쓰세요.

1 어느 피자 가게에서 지름의 길이가 35 cm, 40 cm인 원 모양의 피자 1개를 각각 16000원, 20000원에 판매하고 있다. 작은 피자 5개를 사는 것과 큰 피자 4개를 사는 것 중 어느 것이 경제적으로 더 유리한지 말하시오. (단, 두 피자의 재료는 같고, 피자의 두께는 생각하지 않는다.)

풀이 과정

답

2 오른쪽 그림과 같이 한 변의 길이가 3인 정삼각형 ABC에서 ∠EDC=60°이고 $\overline{BD}$=2일 때, $\overline{BE}$의 길이를 구하시오.

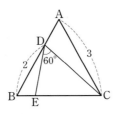

풀이 과정

답

3 오른쪽 그림과 같은 △ABC에서 $\overline{AD}$는 ∠A의 이등분선이고 $\overline{AE}$는 ∠A의 외각의 이등분선일 때, 다음을 구하시오.

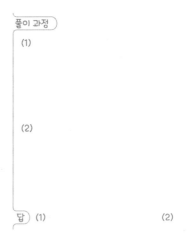

(1) $\overline{BC}$의 길이
(2) $\overline{BD}$의 길이

풀이 과정

(1)

(2)

답 (1)   (2)

4 오른쪽 그림과 같이 직사각형 ABCD의 $\overline{AD}$, $\overline{BC}$ 위에 각각 두 점 P, Q를 잡아 □AQCP가 마름모가 되도록 할 때, 다음 물음에 답하시오.

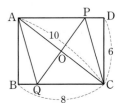

(1) $\overline{CO}$의 길이를 구하시오.
(2) $\overline{OQ}$의 길이를 구하시오.
(3) $\overline{AC} : \overline{PQ}$를 가장 간단한 자연수의 비로 나타내시오.

풀이 과정

(1)

(2)

(3)

답 (1)   (2)   (3)

5 오른쪽 그림과 같은 △ABC
에서 두 점 D, G는 각각
$\overline{BC}$, $\overline{AD}$의 중점이고,
$\overline{EC} /\!/ \overline{FD}$이다. $\overline{EC}=4\,cm$일
때, $\overline{GC}$의 길이를 구하시오.

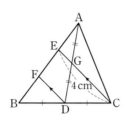

풀이 과정

답

6 오른쪽 그림과 같이 가로,
세로의 길이가 각각
$20\,cm$, $12\,cm$인 직사각
형 ABCD를 꼭짓점 A가
$\overline{BC}$ 위의 점 Q에 오도록 접었을 때, △PQD의 넓이를
구하시오.

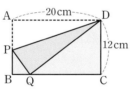

풀이 과정

답

7 오른쪽 그림에서 점 G는
△ABC의 무게중심이고,
$\overline{BE}=\overline{GE}$, $\overline{CF}=\overline{GF}$이다.
△AEF의 넓이가 15일 때,
△ABC의 넓이를 구하시오.

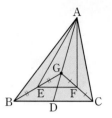

풀이 과정

답

8 오른쪽 그림과 같이 두 밑
면인 원의 반지름의 길이가
각각 $5\,cm$, $10\,cm$이고, 모
선의 길이가 $20\,cm$인 원뿔
대가 있다. 모선 AB의 중
점을 M이라 할 때, 점 A에서 출발하여 옆면을 따라
한 바퀴 돌아 점 M에 이르는 최단 거리를 구하시오.
(단, 원뿔대의 옆면의 전개도를 그리고, 그 위에 최단
거리를 표시하시오.)

풀이 과정

답

6 경우의 수

● 정답과 해설 47쪽

01 사건과 경우의 수

1 사건과 경우의 수

(1) 사건: 같은 조건 아래에서 여러 번 반복할 수 있는 실험이나 관찰에 의하여 나타나는 결과

(2) 경우의 수: 어떤 사건이 일어나는 가짓수

참고 경우의 수를 구할 때에는 모든 경우를 <u>빠짐없이</u>, <u>중복되지 않게</u> 구해야 한다.

2 두 사건이 일어나는 경우의 수

(1) 두 사건 A와 B가 동시에 일어나지 않을 때, 사건 A가 일어나는 경우의 수를 a, 사건 B가 일어나는 경우의 수를 b라 하면

'또는', '~이거나'와 같은 표현이 있는 경우

➡ (사건 A 또는 사건 B가 일어나는 경우의 수)$=a+b$

(2) 사건 A가 일어나는 경우의 수를 a, 그 각각에 대하여 사건 B가 일어나는 경우의 수를 b라 하면

➡ (사건 A와 사건 B가 동시에 일어나는 경우의 수)$=a \times b$

'동시에', '그리고'와 같은 표현이 있는 경우

■ 최단 거리로 가는 경우의 수

A 지점에서 출발하여 P 지점을 거쳐 B 지점까지 최단 거리로 가는 경우의 수는

(A → P인 경우의 수) ×(P → B인 경우의 수)

예 A 지점에서 출발하여 P 지점을 거쳐 B 지점까지 최단 거리로 가는 경우의 수는

$2 \times 3 = 6$

대표 문제

1 서로 다른 두 개의 주사위를 동시에 던질 때, 나오는 두 눈의 수의 곱이 6인 경우의 수는?

① 2   ② 4   ③ 6

④ 8   ⑤ 10

2 호영이가 가격이 400원인 사탕을 1개 사려고 한다. 10원짜리 동전 5개, 50원짜리 동전 8개, 100원짜리 동전 4개를 가지고 있을 때, 지불하는 경우의 수를 구하시오.

3 1부터 20까지의 자연수가 각각 적힌 20장의 카드 중에서 한 장을 뽑을 때, 그 카드에 적힌 수가 3의 배수 또는 7의 배수인 경우의 수는?

① 4   ② 6   ③ 8

④ 10   ⑤ 12

4 서로 다른 동전 3개와 주사위 2개를 동시에 던질 때, 일어나는 모든 경우의 수를 구하시오.

5 오른쪽 그림과 같이 인천과 도쿄를 잇는 비행기 항로는 2개, 도쿄와 로스앤젤레스를 잇는 비행기 항로는 3개, 인천과 로스앤젤레스를 잇는 비행기 항로는 3개가 있을 때, 인천에서 로스앤젤레스로 가는 경우의 수를 구하시오.

(단, 한 번 지나간 곳은 다시 지나가지 않는다.)

6 오른쪽 그림과 같은 모양의 도로가 있다. A 지점에서 출발하여 P 지점을 거쳐 B 지점까지 최단 거리로 가는 경우의 수는?

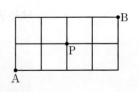

① 4   ② 6   ③ 9

④ 12   ⑤ 15

1 한 줄로 세우는 경우의 수

(1) n명을 한 줄로 세우는 경우의 수 ➡ $n \times (n-1) \times (n-2) \times \cdots \times 2 \times 1$

(2) n명 중에서 r명을 뽑아 한 줄로 세우는 경우의 수

➡ $\underbrace{n \times (n-1) \times (n-2) \times \cdots \times (n-r+1)}_{r개}$

2 이웃하여 한 줄로 세우는 경우의 수

(이웃하는 것을 하나로 묶어서 한 줄로 세우는 경우의 수) × (묶음 안에서 자리를 바꾸는 경우의 수)
└→ 묶음 안에서 한 줄로 세우는 경우의 수와 같다.

3 자연수 만들기

서로 다른 한 자리의 숫자가 각각 적힌 n장의 카드 중에서

(1) 0을 포함하지 않는 경우 → n개 중에서 일부를 뽑아 한 줄로 세우는 경우의 수와 같다.

3장을 뽑아 만들 수 있는 세 자리의 자연수의 개수 ➡ $n \times (n-1) \times (n-2)$(개)

(2) 0을 포함하는 경우

┌ n개 중에서 0을 제외 ┌ 맨 앞자리에서 사용한 수를 제외하고 0을 포함

3장을 뽑아 만들 수 있는 세 자리의 자연수의 개수 ➡ $\boxed{(n-1)} \times \boxed{(n-1) \times (n-2)}$(개)

대표 문제

7 다음 중에서 서진, 상욱, 고은, 상효 4명을 한 줄로 세우는 경우의 수와 같은 것은?

① 한 개의 주사위를 두 번 던질 때, 나오는 두 눈의 수의 합이 4인 경우의 수

② A, B, C 세 사람이 가위바위보를 한 번 할 때, 일어나는 모든 경우의 수

③ 서로 다른 빵 4개와 음료수 4개 중에서 각각 한 개씩 사는 경우의 수

④ 서로 다른 양초 4개에 불을 붙이는 순서를 정하는 경우의 수

⑤ 서로 다른 인형 5개 중에서 4개를 뽑아 한 줄로 세우는 경우의 수

8 M, A, T, R, I, X 6개의 문자를 일렬로 배열할 때, 모음이 이웃하는 경우의 수는?

① 120 ② 180 ③ 240
④ 360 ⑤ 720

9 교내 체육대회에서 1000 m 이어달리기를 하는데 2학년 6반에서 여학생은 희원, 지나, 서우 3명과 남학생은 수찬, 병욱이 2명이 출전하기로 하였다. 5명이 달리는 순서를 정할 때, 처음과 마지막 주자는 남학생인 경우의 수를 구하시오.

10 1, 2, 3, 4, 5의 숫자가 각각 적힌 5개의 구슬이 들어 있는 주머니에서 구슬 3개를 뽑아 세 자리의 자연수를 만들 때, 235보다 작은 수의 개수를 구하시오.

11 0, 1, 2, 3, 5의 숫자가 각각 적힌 5장의 카드 중에서 3장을 뽑아 세 자리의 자연수를 만들 때, 홀수의 개수는?

① 24개 ② 27개 ③ 30개
④ 35개 ⑤ 40개

03 대표 뽑기 / 선분 또는 삼각형의 개수

1 대표 뽑기

(1) 뽑는 순서와 관계가 있는 경우 → n개 중에서 일부를 뽑아 한 줄로 세우는 경우의 수와 같다.

n명 중에서 자격이 다른 3명을 뽑는 경우의 수

➡ $n\times(n-1)\times(n-2)$

(2) 뽑는 순서와 관계가 없는 경우

n명 중에서 자격이 같은 3명을 뽑는 경우의 수

➡ $\dfrac{n\times(n-1)\times(n-2)}{3\times2\times1}$ ← 뽑는 순서와 관계가 있는 경우의 수 (분모: 중복되는 경우는 제외)

2 선분 또는 삼각형의 개수

어느 세 점도 한 직선 위에 있지 않은 n개의 점에서 → 뽑는 순서와 관계가 없는 경우의 대표 뽑기와 같다.

(1) 두 점을 이어 만들 수 있는 선분의 개수 ➡ $\dfrac{n\times(n-1)}{2\times1}$(개)

(2) 세 점을 이어 만들 수 있는 삼각형의 개수 ➡ $\dfrac{n\times(n-1)\times(n-2)}{3\times2\times1}$(개)

개념 더하기

■ **대표 뽑기의 응용**

서로 다른 n개에서 순서에 관계 없이 r개를 뽑는 경우의 수 (단, $0<r\le n$)

$\dfrac{n\times(n-1)\times(n-2)\times\cdots\times(n-r+1)}{r\times(r-1)\times(r-2)\times\cdots\times1}$

대표 문제

12 6개 국가의 대표가 모여서 회의를 하려고 한다. 이때 6명의 대표 중 의장과 부의장을 한 명씩 뽑는 경우의 수는?

① 15 ② 20 ③ 24
④ 30 ⑤ 36

13 세라, 은이, 효정, 영주 4명이 노인 복지관에 봉사활동을 하러 갔다. 이때 화장실을 청소할 사람 2명을 뽑는 경우의 수를 구하시오.

14 월드컵 본선 경기에서는 먼저 32개 국가의 축구 대표팀을 4팀씩 8개 조로 나누어 각 조에 속한 팀끼리 경기를 하여 조별로 순위를 정한다. 이때 각 조의 조별 순위는 한 조에 속한 4팀이 서로 한 번씩 모두 경기를 하여 정한다고 할 때, 조별 순위를 정하기 위해 8개 조에서 치르는 모든 경기 수를 구하시오.

15 오른쪽 그림과 같이 한 원 위에 6개의 점이 있을 때, 두 점을 이어 만들 수 있는 선분의 개수를 구하시오.

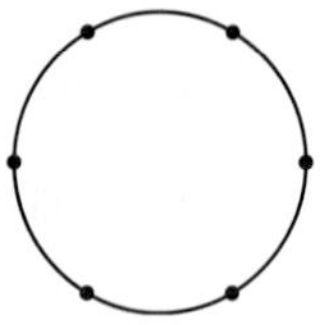

16 오른쪽 그림과 같이 직사각형 위에 8개의 점이 있을 때, 세 점을 이어 만들 수 있는 삼각형의 개수는?

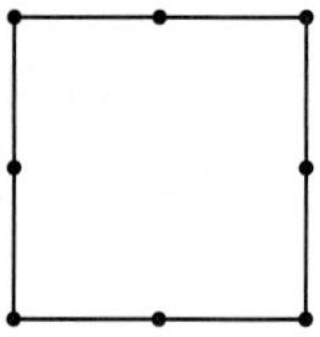

① 50개 ② 52개
③ 54개 ④ 56개
⑤ 58개

개념 더하기

17 서로 다른 맛의 아이스크림 8개 중에서 5개를 고르는 경우의 수는?

① 28 ② 40 ③ 56
④ 60 ⑤ 72

01 사건과 경우의 수

1 다음 그림과 같이 서로 다른 세 개의 주머니에 1, 2, 3 의 숫자가 각각 적혀 있는 3개의 공이 들어 있다. 각각의 주머니에서 1개의 공을 꺼낼 때, 꺼낸 3개의 공에 적혀 있는 숫자의 합이 5가 되는 경우의 수를 구하시오.

2 A, B 두 개의 주사위를 동시에 던져서 나오는 눈의 수를 각각 a, b라 할 때, 두 직선 $y=ax+1$과 $y=(2b-1)x+a$가 서로 평행한 경우의 수는?

① 2 ② 3 ③ 4
④ 5 ⑤ 6

3 50원짜리 동전 4개, 100원짜리 동전 3개를 각각 1개 이상씩 사용하여 지불할 수 있는 모든 금액의 경우의 수를 구하시오.

4 길이가 3 cm, 5 cm, 6 cm, 7 cm, 9 cm인 선분 5개가 있다. 이 중에서 3개를 선택하여 만들 수 있는 삼각형의 개수는?

① 7개 ② 8개 ③ 9개
④ 10개 ⑤ 11개

5 경주, 서희, 정민, 근석 4명의 학생이 각자 자신의 우산을 한 개씩 꽂아 둔 우산 통에서 무심코 우산을 한 개씩 집어 들었을 때, 4명 모두 다른 사람의 우산을 집어 드는 경우의 수는?

(단, 4개의 우산은 모두 모양과 크기가 같다.)

① 4 ② 6 ③ 9
④ 16 ⑤ 24

6 주사위 한 개를 같은 눈이 세 번 나올 때까지 계속 던져서 그때까지 나오는 모든 눈의 수의 합을 점수로 얻는 게임이 있다. 예를 들어 주사위를 던져서 나오는 눈의 수가 1, 3, 4, 1, 1이면, 즉 1의 눈이 세 번 나오면 게임이 끝나고 이 경우에 얻는 점수는 10점이다. 이 게임에서 얻을 수 있는 최소 점수와 최대 점수의 합을 구하시오.

7 A, B, C 세 사람이 가위바위보를 할 때, A가 이기는 경우의 수는?

① 3 ② 6 ③ 9
④ 12 ⑤ 21

8 ^{중요}
1부터 45까지의 자연수가 각각 적힌 45개의 공이 들어 있는 주머니에서 1개의 공을 꺼낼 때, 그 공에 적힌 수가 3의 배수 또는 5의 배수인 경우의 수를 구하시오.

교과서 속 심화

9 다음 그림과 같이 각각 8등분, 16등분된 두 원판 A, B를 돌려 멈춘 후 바늘이 가리키는 면에 적힌 수를 읽는다. 원판 A에서 바늘이 가리키는 수는 6의 약수이고, 원판 B에서 가리키는 수는 4의 배수인 경우의 수를 구하시오. (단, 바늘이 경계를 가리키는 경우는 생각하지 않는다.)

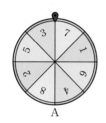

10 다음 표를 이용하여 급식 식단을 짜려고 하는데 식단에는 밥, 국, 반찬①, 반찬②가 하나씩 포함되고, 후식은 반찬①이 제육볶음일 때만 추가된다고 한다. 이때 짤 수 있는 식단의 종류는 몇 가지인가?

밥	국	반찬①	반찬②	후식
현미밥 잡곡밥	된장국 미역국 콩나물국	제육볶음 닭찜 고등어구이	두부 계란말이 시금치나물	아이스티 요구르트

① 13가지　　② 36가지　　③ 72가지

④ 108가지　　⑤ 144가지

중요
11 오른쪽 그림과 같은 경로를 따라 A 지점에서 D 지점까지 가는 경우의 수를 구하시오. (단, 같은 지점은 두 번 이상 지나지 않는다.)

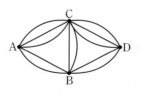

12 오른쪽 그림과 같은 모양의 도로가 있다. A 지점에서 출발하여 P 지점을 거쳐 B 지점까지 최단 거리로 가는 경우의 수는?

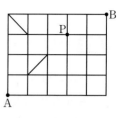

① 6　　　　② 12　　　　③ 24

④ 30　　　　⑤ 60

13 오른쪽 그림과 같은 정십이면체의 꼭짓점 A에서 출발하여 모서리를 따라 꼭짓점 B까지 최단 거리로 가는 경우의 수는?

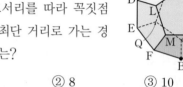

① 6　　　　② 8　　　　③ 10

④ 12　　　　⑤ 14

02 한 줄로 세우는 경우의 수 / 자연수 만들기

중요
14 오른쪽 그림과 같은 지도에서 A, B, C, D 네 부분을 빨강, 주황, 노랑, 파랑의 4가지 색으로 칠하려고 한다. 같은 색을 여러 번 사용해도 되지만 이웃한 부분은 다른 색으로 칠하려고 할 때, 색을 칠하는 경우의 수를 구하시오.

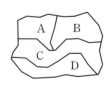

15 오른쪽 그림과 같이 4가지 색깔과 4가지 모양으로 만든 스티커 16개가 있다. 이 중에서 색깔과 모양이 모두 다른 4개를 고르는 경우의 수를 구하시오.

16 A, E, K, O, R 5개의 문자를 사전식으로 나열하면 AEKOR, AEKRO, AEOKR, …, ROKEA와 같다. 이때 KOREA는 몇 번째로 나타나는지 구하시오.

17 서로 다른 종류의 허브 화분 3개와 선인장 화분 3개를 일렬로 놓을 때, 허브 화분과 선인장 화분을 교대로 놓는 경우의 수는?

① 36   ② 60   ③ 72

④ 120   ⑤ 144

중요

18 유정, 주리, 정민, 은영, 현미 5명을 한 줄로 세울 때, 정민이는 은영이보다 앞에 서고 현미는 은영이보다 뒤에 서는 경우의 수를 구하시오.

19 오른쪽 그림과 같이 소연, 지은, 창미, 이레, 정민, 보람 6명이 놀이 기구를 타기 위해 줄을 서려고 한다. 2명씩 짝을 이루어 3줄로 줄을 설 때, 소연이와 정민이가 짝이 되는 경우의 수는? (단, 왼쪽에 줄을 서는 경우와 오른쪽에 줄을 서는 경우는 다른 경우로 생각한다.)

① 24   ② 72   ③ 144

④ 360   ⑤ 720

20 부모님과 자녀로 이루어진 어떤 가족이 한 줄로 나란히 서서 사진을 찍으려고 한다. 부모님이 이웃하여 사진을 찍는 경우의 수가 240일 때, 자녀는 모두 몇 명인가?

① 1명   ② 2명   ③ 3명

④ 4명   ⑤ 5명

21 각 자리의 숫자가 0이 아닌 서로 다른 숫자로 이루어진 세 자리의 자연수 중에서 320 초과 640 미만인 수의 개수를 구하시오.

22 0, 1, 3, 4, 5의 숫자가 각각 적힌 5장의 카드가 있다. 이 중에서 4장의 카드를 뽑아 네 자리의 자연수를 만들 때, 십의 자리의 숫자가 3이 아닌 수의 개수를 구하시오.

23 0, 2, 3, 5, 6, 8의 숫자가 각각 적힌 6개의 구슬 중에서 4개의 구슬을 사용하여 구슬에 적힌 수로 네 자리의 자연수를 만들려고 한다. 만들 수 있는 수를 작은 수부터 차례로 나열할 때, 178번째로 나타나는 수를 구하시오.

27 A, B, C 세 도시에는 각각 네 곳, 다섯 곳, 여섯 곳의 유적지가 있다. 이 중에서 세 곳을 선택하여 답사하려고 할 때, 선택한 세 곳이 모두 같은 도시에 있는 경우의 수를 구하시오.

03 대표 뽑기 / 선분 또는 삼각형의 개수

24 키가 서로 다른 7명의 학생 중에서 4명의 학생을 뽑아서 한 줄로 세울 때, 키가 작은 학생부터 순서대로 세우는 경우의 수를 구하시오.

28 어느 부부 동반 모임에 4쌍의 부부가 참석하였다. 아내들은 자신의 남편을 제외한 사람들과 한 사람도 빠짐없이 서로 한 번씩 악수를 하였고, 남편들은 자신의 아내를 제외한 여자들과만 한 사람도 빠짐없이 서로 한 번씩 악수를 하였을 때, 악수는 모두 몇 번 한 것인지 구하시오.

교과서 속 심화

25 1번부터 4번까지의 번호가 각각 적힌 모자를 쓴 4명의 학생이 1번부터 4번까지 번호가 적힌 의자 4개에 각각 앉으려고 한다. 이때 2명만 자기가 쓴 모자에 적힌 번호와 같은 번호가 적힌 의자에 앉고, 나머지 2명은 다른 번호가 적힌 의자에 앉게 되는 경우의 수를 구하시오.

29 오른쪽 그림과 같이 한 원 위에 6개의 점 A, B, C, D, E, F가 있다. 이 중에서 두 점을 이어 만들 수 있는 직선의 개수를 a개, 반직선의 개수를 b개라 할 때, $a+b$의 값을 구하시오.

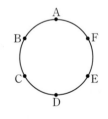

중요

26 경희가 활동하는 댄스 동아리의 회원은 경희를 포함한 여자 5명과 남자 4명이고, 이 댄스 동아리에서 댄스 경연대회에 출전할 5명의 대표를 선발하려고 한다. 이때 여자 3명, 남자 2명을 선발하는 경우의 수는 a, 경희를 포함하여 남녀 구분 없이 5명을 선발하는 경우의 수는 b일 때, $a+b$의 값은?

① 120   ② 130   ③ 142
④ 186   ⑤ 252

30 오른쪽 그림과 같이 가로 방향으로 평행한 직선 5개와 세로 방향으로 평행한 직선 5개가 같은 간격으로 그어져 있다. 모든 직선들이 각각 수직으로 만날 때, 이 직선으로 만들 수 있는 직사각형의 개수는?

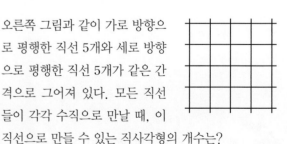

① 80개   ② 100개   ③ 200개
④ 320개   ⑤ 400개

31 다음 그림과 같이 자음과 모음을 나타내는 자석이 각각 5개, 3개가 있다. 자음과 모음을 조합하여 글자를 만들려고 하는데, 글자 1개를 만드는 방법은 자음과 모음을 하나씩 조합하는 방법과 자음과 모음을 하나씩 조합한 후 자음 하나를 받침으로 더하는 방법의 두 가지가 있다. 주어진 방법으로 자석 8개를 조합하여 글자 2개로 이루어진 단어를 만들려고 할 때, 만들 수 있는 단어의 개수를 구하시오. (단, 단어의 의미는 생각하지 않는다.)

32 오른쪽 그림과 같은 미로에서 출발 지점에서 도착 지점까지 가는 경우의 수를 구하시오.

(단, 한 번 지나간 곳은 다시 지나가지 않는다.)

33 지우와 예나는 흰 말 8개와 검은 말 8개를 이용하여 다음과 같은 규칙에 따라 놀이를 하려고 한다.

⑺ 자신의 말을 어떤 색으로 할 것인지 정한 다음, 흰 말 8개와 검은 말 8개를 [그림 1]과 같이 놓은 상태에서 시작한다.

⑻ 번갈아 가며 자신의 말을 가로나 세로 방향으로 줄을 따라 이동한다. 이때 다른 말로 막혀 있지 않으면 몇 칸이든 이동할 수 있다.

(단, 한 번에 한 방향으로만 이동할 수 있다.)

⑼ 가로나 세로 방향으로 양쪽에서 자기 말 2개로 상대방의 말 1개를 포위하게 되면 상대방의 말을 잡을 수 있다. 즉, 흰 말을 이동해서 [그림 2]와 같이 되면 흰 말로 검은 말을 잡을 수 있다.

⑽ 상대방의 말 7개를 먼저 잡는 사람이 이긴다.

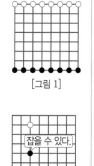

지우는 흰 말을, 예나는 검은 말을 선택하여 게임을 하던 중 오른쪽 그림과 같은 상황이 되었다. 이 상황에서 지우가 ①번 말을 이동해서 검은 말을 잡을 수 있는 경우의 수를 a_1, ②번 말을 이동해서 검은 말을 잡을 수 있는 경우의 수를 a_2, $\cdots$, ⑤번 말을 이동해서 검은 말을 잡을 수 있는 경우의 수를 a_5라 할 때, $a_1+a_2+a_3+a_4+a_5$의 값을 구하시오.

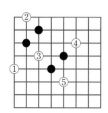

01 18을 서로 다른 세 자연수의 곱으로 나타내는 방법은 $1 \times 2 \times 9$, $1 \times 3 \times 6$의 2가지가 있다. 이와 같은 방법으로 96을 서로 다른 세 자연수의 곱으로 나타내는 방법의 수를 구하시오.

(단, $1 \times 2 \times 9$, $2 \times 1 \times 9$와 같이 곱하는 순서만 다른 것은 같은 것으로 생각한다.)

TOP
02 오른쪽 그림과 같이 7개의 방이 있고, 이웃한 방끼리는 통로로 연결되어 있다. 한 번 들어갔던 방에는 다시 들어가지 않는다고 할 때, 입구에서 출구까지 가는 경우의 수를 구하시오.

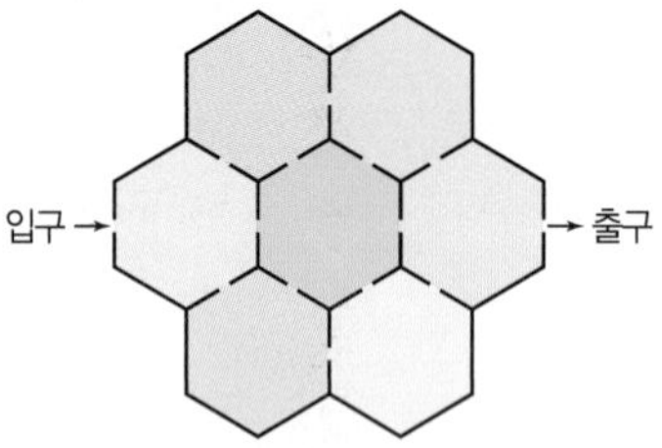

03 어느 동물병원에서 오른쪽 그림과 같이 1, 2, 3, 4, 5, 6, 7의 번호가 각각 적혀 있는 7칸의 우리에 강아지 1마리와 고양이 1마리를 포함한 서로 다른 종류의 동물 7마리를 넣으려고 한다. 강아지와 고양이를 이웃하지 않게 넣으려고 할 때, 7마리의 동물을 서로 다른 우리에 넣는 경우의 수를 구하시오.

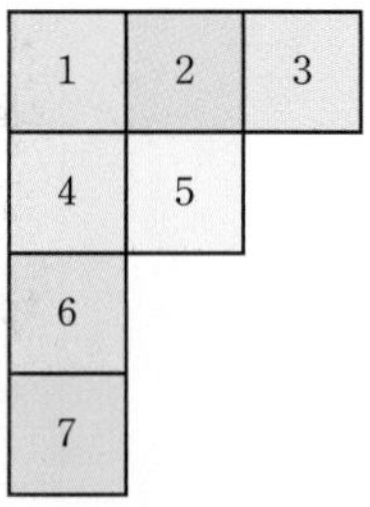

04 오른쪽 그림과 같이 좌표평면 위의 원점 O(0, 0)에 점 P가 있다. 한 개의 주사위를 던져서 나오는 눈의 수 n이 홀수일 때는 점 P를 x축의 양의 방향으로 n만큼 이동하고, 짝수일 때는 점 P를 y축의 양의 방향으로 n만큼 이동한다. 이때 점 P가 원점에서 출발하여 점 (2, 4)에 도착하는 경우의 수를 구하시오.

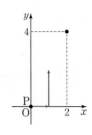

05 경진이가 참가한 어느 시험에서는 음이 아닌 한 자리의 숫자 a, b, c, d, e에 대하여 $\boxed{a}\,\boxed{b}-\boxed{c}\,\boxed{d}\,\boxed{e}$와 같은 형태의 5자리의 수험 번호를 발급한다. 그런데 $\boxed{a}\,\boxed{b}$가 $\boxed{c}\,\boxed{d}$ 또는 $\boxed{d}\,\boxed{e}$와 같은 수일 때, 이 수를 행운의 수라 한다. 예를 들어, $\boxed{0}\,\boxed{1}-\boxed{0}\,\boxed{1}\,\boxed{2}$, $\boxed{1}\,\boxed{2}-\boxed{4}\,\boxed{1}\,\boxed{2}$는 행운의 수이다. 수험 번호를 $\boxed{0}\,\boxed{0}-\boxed{0}\,\boxed{0}\,\boxed{1}$부터 $\boxed{9}\,\boxed{9}-\boxed{9}\,\boxed{9}\,\boxed{9}$까지 발급할 때, 이 중 행운의 수의 개수를 구하시오.

TOP
06 오른쪽 그림과 같이 거리가 $2\,\mathrm{cm}$인 평행선이 있는데 각 평행선에는 간격이 $1\,\mathrm{cm}$로 일정한 6개의 점이 있다. 이 중 네 개의 점을 연결하여 사각형을 만들려고 할 때, 넓이가 $6\,\mathrm{cm}^2$가 되는 경우의 수를 구하시오.

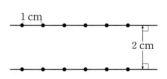

7 확률

● 정답과 해설 54쪽

01 확률의 뜻과 성질

1 확률의 뜻

동일한 조건 아래에서 실험이나 관찰을 여러 번 반복할 때, 어떤 사건 A가 일어나는 상대도수가 일정한 값에 가까워지면 이 일정한 값을 사건 A가 일어날 확률이라 한다.

일반적으로 사건 A가 일어날 확률을 p라 하면 ➡ $p = \dfrac{(사건\ A가\ 일어나는\ 경우의\ 수)}{(모든\ 경우의\ 수)}$

2 확률의 성질

(1) 어떤 사건 A가 일어날 확률을 p라 하면 $0 \leq p \leq 1$이다.
(2) 반드시 일어나는 사건의 확률은 1이다.
(3) 절대로 일어나지 않는 사건의 확률은 0이다.

3 어떤 사건이 일어나지 않을 확률

사건 A가 일어날 확률을 p라 하면 ➡ (사건 A가 일어나지 않을 확률)$=1-p$

참고 '적어도 하나는 ~일 확률', '~가 아닐 확률', '~을 못할 확률' 등의 표현이 있는 경우에 어떤 사건이 일어나지 않을 확률을 이용한다.

대표 문제

1 서로 다른 100원짜리 동전 2개와 500원짜리 동전 1개를 동시에 던질 때, 앞면이 2개 나올 확률을 구하시오.

2 종원, 상원, 선우, 호진, 동보 5명의 학생 중에서 동아리 대표 2명을 뽑을 때, 종원이가 대표로 뽑힐 확률은?

① $\dfrac{1}{5}$　　② $\dfrac{1}{4}$　　③ $\dfrac{2}{5}$

④ $\dfrac{1}{2}$　　⑤ $\dfrac{3}{5}$

3 예나와 병훈이는 1부터 5까지의 자연수가 각각 적힌 5장의 카드 중에서 각자 한 장씩 뽑아 뽑힌 2장의 카드에 적힌 수의 합이 6 이상이면 예나가 이기고, 6 미만이면 병훈이가 이기는 놀이를 하였다. 이 놀이에서 예나가 이길 확률을 구하시오.

4 한 개의 주사위를 2번 던질 때, 나온 눈의 수에 대한 다음 설명 중 옳지 <u>않은</u> 것은?

① 두 눈의 수가 같을 확률은 $\dfrac{1}{6}$이다.

② 두 눈의 수의 합이 1일 확률은 $\dfrac{1}{36}$이다.

③ 두 눈의 수의 차가 3일 확률은 $\dfrac{1}{6}$이다.

④ 두 눈의 수의 곱이 1 이상일 확률은 1이다.

⑤ 두 눈의 수의 합이 10 이상일 확률은 $\dfrac{1}{6}$이다.

5 A, B, C, D, E 5명을 한 줄로 세울 때, A와 B가 서로 이웃하여 서지 않을 확률을 구하시오.

6 진호는 서로 다른 새 건전지 3개와 사용한 건전지 2개를 실수로 섞어 버렸다. 이 중에서 임의로 2개의 건전지를 택할 때, 사용한 건전지가 적어도 한 개 나올 확률을 구하시오.

1 사건 A 또는 사건 B가 일어날 확률 – 확률의 덧셈

두 사건 A, B가 동시에 일어나지 않을 때,

사건 A가 일어날 확률을 p, 사건 B가 일어날 확률을 q라 하면

➡ (사건 A 또는 사건 B가 일어날 확률)$=p+q$ ← '또는', '~이거나'와 같은 표현이 있는 경우

2 사건 A와 사건 B가 동시에 일어날 확률 – 확률의 곱셈

두 사건 A, B가 서로 영향을 끼치지 않을 때,

사건 A가 일어날 확률을 p, 사건 B가 일어날 확률을 q라 하면

➡ (사건 A와 사건 B가 동시에 일어날 확률)$=p \times q$ ← '동시에', '~와', '그리고', '~하고 나서'
와 같은 표현이 있는 경우

■ 두 사건 A, B 중 적어도 하나가 일어날 확률

두 사건 A, B가 서로 영향을 끼치지 않을 때, 사건 A가 일어날 확률을 p, 사건 B가 일어날 확률을 q라 하면

두 사건 A, B 중 적어도 하나가 일어날 확률은

➡ $1-(1-p) \times (1-q)$

대표 문제

7 윷놀이에서 4개의 윷가락을 동시에 던질 때, 도 또는 걸이 나올 확률은?

(단, 윷가락의 등과 배가 나올 확률은 같다.)

① $\dfrac{1}{8}$ ② $\dfrac{1}{4}$ ③ $\dfrac{3}{8}$

④ $\dfrac{1}{2}$ ⑤ $\dfrac{5}{8}$

8 혈액형이 A형인 사람은 O형, A형인 사람에게 수혈을 받을 수 있다. 오른쪽 그림은 헌혈 지원자를 대상으로 혈액형을 조사하여 나타낸 것이다. 헌혈 지원자 중 한 명을 임의로 선택할 때, 이 지원자가 A형인 사람에게 수혈을 해 줄 수 있을 확률을 구하시오.

AB형 21명
O형 59명
B형 43명
A형 77명

9 A, B 두 개의 주사위를 동시에 던져 나오는 눈의 수를 각각 a, b라 할 때, x에 대한 방정식 $ax+b=0$의 해가 -3 또는 -2가 될 확률을 구하시오.

10 성규의 필통에는 연필 2자루와 볼펜 3자루가 들어 있고, 진영이의 필통에는 연필 1자루와 볼펜 4자루가 들어 있다. 두 필통 중 하나를 선택하여 한 자루의 필기구를 꺼낼 때, 연필을 꺼낼 확률은?

(단, 두 필통 중 하나를 선택할 확률은 같다.)

① $\dfrac{1}{10}$ ② $\dfrac{1}{4}$ ③ $\dfrac{3}{10}$

④ $\dfrac{2}{5}$ ⑤ $\dfrac{1}{2}$

11 오른쪽 그림과 같이 운동화, 문화상품권, 게임기가 숨겨져 있는 미로가 있다. 각 갈림길에서 하나의 길을 선택할 확률은 같다고 할 때, 미로의 입구에서 출발하여 문화상품권이 있는 곳에 도착할 확률을 구하시오.

(단, 한 번 지나간 길은 다시 지나지 않는다.)

입구
운동화 문화상품권 게임기

12 명중률이 각각 $\dfrac{1}{4}$, $\dfrac{2}{3}$인 두 사람이 한 마리의 꿩을 동시에 총으로 쏠 때, 꿩이 총에 맞을 확률을 구하시오.

03 여러 가지 확률

1 연속하여 뽑는 경우의 확률

(1) **뽑은 것을 다시 넣고 뽑는 경우의 확률**: 처음과 나중의 조건이 같다.

즉, 처음에 일어난 사건이 나중에 일어난 사건에 영향을 주지 않는다.

(2) **뽑은 것을 다시 넣지 않고 뽑는 경우의 확률**: 처음과 나중의 조건이 다르다.

즉, 처음에 뽑은 것을 다시 뽑을 수 없으므로 처음에 일어난 사건이 나중에 일어난 사건에 영향을 준다.

참고 연속하여 뽑는 경우의 확률은 두 사건이 동시에 일어나므로 확률의 곱셈을 이용한다.

2 도형에서의 확률

$$(도형에서의 확률)=\frac{(사건에 해당하는 부분의 넓이)}{(도형 전체의 넓이)}$$

참고 도형에서의 확률은 해당하는 부분의 넓이가 도형 전체의 넓이에서 차지하는 비율이다.

대표 문제

13 흰 공 2개와 검은 공 3개가 들어 있는 주머니에서 1개의 공을 꺼내 색깔을 확인하고 넣은 후 1개의 공을 다시 꺼낼 때, 두 공의 색깔이 서로 다를 확률을 구하시오.

14 어떤 상자에 초콜릿 10개가 들어 있는데, 이 중 3개에는 아몬드가 들어 있다. 이 상자에서 수경이가 먼저 초콜릿 1개를 꺼낸 후 미연이가 1개를 꺼낼 때, 미연이가 아몬드가 들어 있는 초콜릿을 꺼낼 확률을 구하시오. (단, 꺼낸 초콜릿은 다시 넣지 않는다.)

15 어떤 주머니 안에 10개의 구슬이 들어 있는데 그중 4개는 금이 간 구슬이다. 이 주머니에서 차례로 3개의 구슬을 꺼낼 때, 적어도 한 개는 금이 간 구슬을 꺼낼 확률은? (단, 꺼낸 구슬은 다시 넣지 않는다.)

① $\frac{1}{6}$　　② $\frac{9}{28}$　　③ $\frac{5}{8}$

④ $\frac{3}{4}$　　⑤ $\frac{5}{6}$

16 다음 그림과 같이 1, 2, 3, 4가 각각 적힌 4등분된 원판과 1, 2, 3, 4, 5, 6이 각각 적힌 6등분된 원판이 있다. 두 개의 원판에 차례로 화살을 쏘았을 때, 두 원판 모두 소수가 적힌 부분을 맞힐 확률을 구하시오. (단, 화살이 과녁을 벗어나거나 경계선을 맞히는 경우는 생각하지 않는다.)

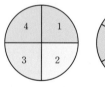

17 오른쪽 그림과 같이 반지름의 길이의 비가 1 : 2 : 3인 원 모양의 과녁에 화살을 쏘아서 맞힌 부분에 적힌 수를 점수로 받는다고 할 때, 화살을 2번 쏘아 4점을 받을 확률은? (단, 화살이 과녁을 벗어나거나 경계선을 맞히는 경우는 생각하지 않는다.)

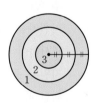

① $\frac{1}{9}$　　② $\frac{10}{81}$　　③ $\frac{14}{81}$

④ $\frac{19}{81}$　　⑤ $\frac{28}{81}$

01 확률과 뜻과 성질

중요

1 0, 1, 2, 3, 4의 숫자가 각각 적힌 5장의 카드 중에서 3장을 뽑아 세 자리의 자연수를 만들 때, 300보다 큰 수일 확률은?

① $\dfrac{1}{4}$　　② $\dfrac{1}{3}$　　③ $\dfrac{1}{2}$

④ $\dfrac{2}{3}$　　⑤ $\dfrac{3}{4}$

2 A, B 두 개의 주사위를 동시에 던져 나오는 눈의 수를 각각 a, b라 할 때, 부등식 $3a-2b>7$을 만족시킬 확률을 구하시오.

3 오른쪽 그림과 같이 합동인 정사각형 5개로 이루어진 평면도형에 합동인 정사각형 1개를 변끼리 꼭 맞게 붙이려고 한다. 이때 만들어지는 평면도형이 정육면체의 전개도가 될 확률을 구하시오.

(단, 주어진 전개도를 뒤집거나 회전하지 않는다.)

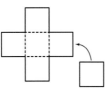

4 키가 서로 다른 4명의 학생이 나란히 한 줄로 설 때, 가장 왼쪽에서 3번째의 학생이 자신과 이웃한 두 학생보다 키가 작을 확률을 구하시오.

교과서 속 심화

5 길이가 1 cm인 10개의 철사를 1개 또는 2개 이상 이어 붙여 선분을 만들려고 한다. 10개의 철사를 모두 사용하여 3개의 선분을 만들 때, 이 3개의 선분을 세 변으로 하는 삼각형이 만들어질 확률은? (단, 철사를 이어 붙인 부분의 길이는 생각하지 않는다.)

① $\dfrac{1}{7}$　　② $\dfrac{1}{6}$　　③ $\dfrac{1}{4}$

④ $\dfrac{1}{2}$　　⑤ $\dfrac{3}{4}$

6 다음 글은 어느 날 서진이가 쓴 일기의 한 부분이다. 글을 읽고 물음에 답하시오.

우리 학교 수학 선생님께서 게임을 하여 나에게 선물을 주기로 하셨다.

"서진아. 여기 세 개의 주머니가 있지? 이 중 한 개의 주머니에는 디지털카메라가 들어 있고, 나머지 두 개의 주머니에는 야구공이 들어 있어. 네가 주머니 한 개를 고르면 그 안에 들어 있는 것을 선물로 줄게."

나는 디지털카메라를 갖고 싶었다. 그래서 주머니 한 개를 고르려고 하는데 선생님께서 새로운 제안을 하셨다.

"서진아. 그냥 하면 재미가 없으니까 주머니를 고르는 방법을 바꿔 보자. 네가 하나의 주머니를 고르면, 내가 남은 두 개의 주머니 중에서 야구공이 들어 있는 주머니를 열어서 보여 줄게. 그 후에 네가 고른 주머니를 바꿀지 안 바꿀지 다시 결정하렴."

나는 주머니 한 개를 골랐다. 그러자 선생님께서 남은 두 개의 주머니 중 야구공이 들어 있는 주머니를 열어서 보여 주시고 말씀하셨다.

"원하면 선택을 바꾸어도 돼."

나는 주머니를 바꿀지 안 바꿀지 잠시 고민했다가 선생님께 말씀드렸다. … (후략)

위의 게임에서 서진이가 처음에 고른 주머니를 바꾸어 다른 주머니를 골랐을 때, 디지털카메라를 받게 될 확률을 구하시오.

교과서 속 심화

7 다음 그림과 같이 수직선 위의 원점에 점 P가 있다. 동전 한 개를 던져 앞면이 나오면 점 P를 오른쪽으로 2만큼, 뒷면이 나오면 점 P를 왼쪽으로 1만큼 움직이기로 할 때, 동전을 4번 던진 후 움직인 점 P에 대응하는 수가 2일 확률을 구하시오.

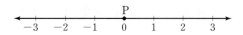

8 오른쪽 그림과 같이 6개의 점이 이웃하는 점 사이의 간격이 모두 같도록 놓여 있다. 이 중에서 3개의 점을 연결하여 삼각형을 만들 때, 이등변삼각형이 될 확률을 구하시오.

9 나연, 진희, 수헌, 정민은 각자 1개의 선물을 준비한 후 이 선물들을 임의로 1개씩 나누어 갖기로 하였다. 이때 적어도 한 명은 자신이 준비한 선물을 가질 확률을 구하시오.

10 오른쪽 그림은 한 모서리의 길이가 1인 작은 정육면체 125개를 쌓아서 한 모서리의 길이가 5인 큰 정육면체를 만든 후, 겉면에 색을 칠한 것이다. 이 큰 정육면체를 다시 작은 정육면체 125개로 분리한 후에 1개를 선택하였을 때, 적어도 두 면에 색이 칠해진 정육면체를 선택할 확률을 구하시오.

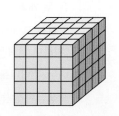

중요
11 1부터 5까지의 자연수가 각각 적힌 5장의 카드 중에서 연속하여 2장의 카드를 뽑을 때, 첫 번째 뽑은 카드에 적힌 수를 x, 두 번째 뽑은 카드에 적힌 수를 y라 하자. 이때 $\dfrac{y}{x}$가 순환소수이거나 4의 약수가 될 확률은? (단, 뽑은 카드는 다시 넣지 않는다.)

① $\dfrac{1}{5}$ ② $\dfrac{1}{4}$ ③ $\dfrac{7}{20}$

④ $\dfrac{1}{2}$ ⑤ $\dfrac{13}{20}$

12 A 상자에는 흰 바둑돌 4개, 검은 바둑돌 2개가 들어 있고, B 상자에는 흰 바둑돌 2개, 검은 바둑돌 3개가 들어 있다. A, B 두 상자에서 각각 1개의 바둑돌을 꺼낼 때, 두 바둑돌의 색깔이 다를 확률을 구하시오.

교과서 속 심화

13 자연수가 각각 하나씩 적힌 카드가 들어 있는 두 상자 A, B에서 임의로 한 장씩 뽑은 카드에 적힌 수를 a, b라 하자. a가 홀수일 확률은 $\dfrac{2}{3}$, b가 짝수일 확률은 $\dfrac{3}{4}$일 때, $a+b$가 짝수일 확률을 구하시오.

중요
14 자유투를 10번 던지면 평균 6번을 성공시키는 농구 선수가 있다. 이 선수가 경기 중 총 3번의 자유투를 던졌을 때, 적어도 한 번은 성공시킬 확률을 구하시오.

15 성수가 A, B 두 문제를 푸는데 A 문제를 맞힐 확률은 $\frac{3}{5}$, 두 문제를 모두 틀릴 확률은 $\frac{3}{25}$이다. 이때 성수가 A 문제는 틀리고 B 문제는 맞힐 확률은?

① $\frac{1}{5}$　　② $\frac{7}{25}$　　③ $\frac{2}{5}$

④ $\frac{3}{5}$　　⑤ $\frac{18}{25}$

중요
16 A, B, C 세 사람이 가위바위보를 할 때, 승패가 결정될 확률은?

① $\frac{1}{4}$　　② $\frac{1}{3}$　　③ $\frac{2}{5}$

④ $\frac{2}{3}$　　⑤ $\frac{4}{5}$

17 A, B, C 세 팀이 농구 경기를 하는 데 오른쪽 대진표와 같이 세 팀 중 한 팀은 부전승으로 결승전에 진출한다고 한다. A팀이 B팀을 이길 확률은 $\frac{1}{2}$, B팀이 C팀을 이길 확률은 $\frac{3}{4}$, C팀이 A팀을 이길 확률은 $\frac{1}{4}$이라 할 때, A팀이 우승할 확률은?

(단, 비기는 경우는 없다.)

① $\frac{3}{16}$　　② $\frac{1}{4}$　　③ $\frac{5}{16}$

④ $\frac{3}{8}$　　⑤ $\frac{7}{16}$

18 어느 지역에서 눈이 온 다음 날에 눈이 올 확률은 $\frac{1}{2}$이고, 눈이 오지 않은 다음 날에 눈이 올 확률은 $\frac{1}{4}$이라 한다. 1월 5일에 눈이 왔을 때, 같은 달 8일에 눈이 오지 않을 확률을 구하시오.

19 좌표평면 위의 점 P가 원점 O에서 출발하여 다음 규칙에 따라 움직인다고 한다.

> (가) 주사위를 한 번 던져 1 또는 2의 눈이 나오면 오른쪽으로 한 칸 이동한다.
> (나) 주사위를 한 번 던져 3의 눈이 나오면 위쪽으로 한 칸 이동한다.
> (다) 주사위를 한 번 던져 4 또는 5 또는 6의 눈이 나오면 움직이지 않는다.

한 개의 주사위를 3번 던졌을 때, 점 P가 직선 $y=x+1$ 위에 있을 확률을 구하시오.

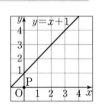

교과서 속 심화
20 오른쪽 그림과 같이 한 변의 길이가 1인 정사각형 ABCD가 있다. 한 개의 주사위와 한 개의 동전을 동시에 한 번 던져 점 P가 꼭짓점 A에서 출발하여 다음 규칙에 따라 움직일 때, 점 P가 꼭짓점 C에 있을 확률을 구하시오.

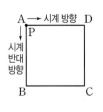

> (가) 동전의 앞면이 나오면 시계 방향으로 주사위에서 나온 눈의 수의 2배만큼 이동한다.
> (나) 동전의 뒷면이 나오면 시계 반대 방향으로 주사위에서 나온 눈의 수만큼 이동한다.

03 여러 가지 확률

중요
21 A 주머니에는 빨간 공 4개, 검은 공 6개가 들어 있고, B 주머니에는 빨간 공 5개, 검은 공 3개가 들어 있다. A 주머니에서 공 1개를 꺼내어 B 주머니에 넣은 후 B 주머니에서 공 1개를 꺼낼 때, 검은 공이 나올 확률을 구하시오.

중요
22 3개의 당첨 제비를 포함한 10개의 제비가 들어 있는 상자에서 민우, 경민, 주헌 세 학생이 차례로 1개씩 제비를 뽑을 때, 세 사람 중 2명이 당첨 제비를 뽑을 확률은? (단, 뽑은 제비는 다시 넣지 않는다.)

① $\frac{1}{10}$ ② $\frac{7}{40}$ ③ $\frac{1}{4}$

④ $\frac{3}{8}$ ⑤ $\frac{1}{2}$

23 빨간 구슬과 노란 구슬을 합하여 10개가 들어 있는 주머니에서 1개의 공을 꺼내어 색깔을 확인하고 넣은 후 1개의 공을 다시 꺼낼 때, 적어도 한 번은 빨간 구슬이 나올 확률은 $\frac{9}{25}$이다. 이때 주머니에 들어 있는 노란 구슬의 개수는?

① 1개   ② 3개   ③ 5개
④ 6개   ⑤ 8개

24 A, B 두 사람이 1부터 10까지의 자연수가 각각 적힌 10장의 카드로 게임을 하려고 한다. 게임의 규칙은 1회에는 A, 2회에는 B, 3회에는 A, 4회에는 B, …의 순서로 번갈아 가며 카드를 1장씩 뽑아 9 이상의 수가 적힌 카드를 먼저 뽑는 사람이 이기는 것이다. 이때 5회 이내에 A가 이길 확률을 구하시오. (단, 뽑은 카드는 다시 넣지 않고 승부가 나면 게임은 끝난다.)

25 오른쪽 그림과 같이 반지름의 길이가 4인 원 O가 있다. 이 원의 내부에 임의의 한 점 P를 잡을 때, $1 \leq \overline{OP} \leq 3$일 확률을 구하시오.

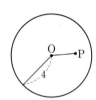

26 오른쪽 그림과 같이 합동인 9개의 정사각형으로 이루어진 표적에 화살을 쏘아 맞혔을 때, 빨간색은 4점, 초록색은 3점, 파란색은 2점을 얻는다고 한다. 화살을 2번 쏘아 얻은 점수의 합이 6점일 확률을 구하시오. (단, 화살이 표적을 벗어나거나 경계선을 맞히는 경우는 생각하지 않는다.)

27 오른쪽 그림과 같이 8등분한 원판에 화살을 차례로 2발 쏠 때, 맞힌 부분에 적힌 수의 합이 3이 될 확률을 구하시오. (단, 화살이 원판을 벗어나거나 경계선을 맞히는 경우는 생각하지 않는다.)

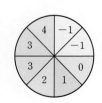

28 오른쪽 그림과 같이 상자 안에 1, 2, 3, 4, 5, 6의 자연수가 각각 적힌 빨강, 노랑, 파랑 세 가지 색의 공이 들어 있다. 수민, 성빈, 민혁 세 학생이 차례로 공을 1개씩 세 번 꺼낼 때, 다음과 같이 주어진 미션을 완수할 확률이 가장 큰 학생은 누구인지 말하시오.

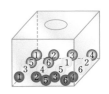

(단, 꺼낸 공은 다시 넣는다.)

|수민이의 미션| 첫 번째에는 노란 공, 두 번째에는 2의 배수가 적힌 공, 세 번째에는 파란 공을 뽑아라!

|성빈이의 미션| 첫 번째에는 3의 배수가 적힌 공, 두 번째에는 빨간 공, 세 번째에는 4의 배수가 적힌 공을 뽑아라!

|민혁이의 미션| 첫 번째에는 2의 배수가 적힌 공, 두 번째에도 2의 배수가 적힌 공, 세 번째에는 노란 공을 뽑아라!

29 민욱이와 운서는 오른쪽 그림과 같은 말판을 이용하여 게임을 하기로 하였다. 동전을 서로 번갈아 가며 던져서 민욱이는 동전의 앞면이 나오면 말을 아래쪽으로 한 칸 이동하고, 동전의 뒷면이 나오면 말을 왼쪽으로 한 칸 이동한다. 운서는 동전의 앞면이 나오면 말을 위쪽으로 한 칸 이동하고, 동전의 뒷면이 나오면 말을 오른쪽으로 한 칸 이동한다. 두 사람이 동전을 각각 4번씩 던질 때, 두 사람의 말이 만날 확률을 구하시오.

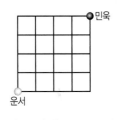

30 철수와 영희는 다음 그림과 같은 게임판을 이용하여 게임을 하기로 하였다. 게임판의 규칙에 따라 두 사람이 번갈아 가며 주사위를 던지는데 철수와 영희가 차례로 한 번씩 주사위를 던지는 것을 1회라 할 때, 2회 시행 후 철수의 말은 마닐라에, 영희의 말은 뉴델리에 있을 확률을 구하시오. (단, $6^8 = 1679616$)

베를린	마드리드	모스크바	프라하	로마	워싱턴
런던					파나마
파리					산티아고
뉴델리					카이로
싱가포르	마닐라	홍콩	베이징	도쿄	출발 서울

[규칙] • 말은 서울에서 출발하여 시계 방향으로 이동한다.
• 서로 다른 주사위 2개를 동시에 던져서 나온 두 눈의 수의 합만큼 이동한다.

01

지원이네 학교 컴퓨터실에 4대의 모니터가 있는데 모든 모니터에는 스위치가 달려 있어서 스위치를 누르면 모니터가 켜지고 다시 누르면 모니터가 꺼진다. 모니터가 모두 꺼져 있는 상태에서 지원이가 임의로 모니터 2대의 스위치를 누르고 간 후, 정규도 임의로 모니터 2대의 스위치를 누르고 갔을 때, 다음 보기 중 옳은 것을 모두 고르시오.

┤ 보기 ├

ㄱ. 켜져 있는 모니터의 수는 0대, 2대, 4대가 될 수 있다.

ㄴ. 모니터가 모두 꺼져 있을 확률은 모니터가 모두 켜져 있을 확률보다 크다.

ㄷ. 2대의 모니터가 켜져 있을 확률이 4대의 모니터가 켜져 있을 확률보다 크다.

02

흰 바둑돌과 검은 바둑돌이 들어 있는 주머니가 있다. 다음 조건을 모두 만족시킬 때, 주머니 속에 들어 있는 흰 바둑돌과 검은 바둑돌의 개수를 차례로 구하시오.

(가) 흰 바둑돌만 4개를 꺼내면 남은 바둑돌 중에서 흰 바둑돌을 꺼낼 확률은 $\dfrac{3}{7}$이다.

(나) 검은 바둑돌만 2개를 꺼내면 남은 바둑돌 중에서 검은 바둑돌을 꺼낼 확률은 $\dfrac{3}{8}$이다.

03

오른쪽 그림과 같이 한 원 위에 같은 간격으로 12개의 점을 찍고, 그 점을 연결하여 원에 내접하는 정십이각형을 그렸다. 12개의 점 중에서 3개의 점을 선택하여 삼각형을 만들 때, 처음 정십이각형과 공유하는 변이 하나도 없는 삼각형이 만들어질 확률을 구하시오.

04 일규와 승훈이가 가위바위보를 한 번 하여 이긴 사람은 계단을 두 칸씩 올라가고, 진 사람은 계단을 한 칸씩 내려가는 게임을 하려고 한다. 처음에 두 사람이 같은 계단에서 시작했을 때, 가위바위보를 4번 한 후에도 두 사람이 같은 계단에 있을 확률을 구하시오.

(단, 비기는 경우에는 움직이지 않는다.)

05 오른쪽 그림과 같이 모든 모서리의 길이가 1인 정오각뿔 A-BCDEF가 있다. 점 P가 이 정오각뿔의 한 꼭짓점 A에서 출발하여 1초마다 이웃한 꼭짓점으로 이동한다고 할 때, 점 P가 3초 후에 꼭짓점 B에 있을 확률을 구하시오. (단, 점 P가 어느 점에 있어도 그 점에서 이웃한 다른 꼭짓점으로 이동할 확률은 서로 같다.)

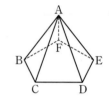

06 진우가 오른쪽 그림과 같은 과녁에 화살을 쏠 때, 화살을 B, C 부분에 맞힐 확률은 각각 $\frac{1}{3}$, $\frac{1}{2}$이다. A, B, C 부분의 점수가 각각 7점, 5점, 4점일 때, 진우가 5발의 화살을 쏘아 얻은 점수의 합이 24점일 확률을 구하시오.

(단, 화살이 과녁을 벗어나거나 경계선을 맞히는 경우는 생각하지 않는다.)

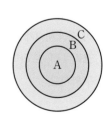

6~7 서술형 완성하기

모든 문제는 풀이 과정을 자세히 서술한 후 답을 쓰세요.

1 어느 해 동계올림픽의 경기 종목 중 쇼트트랙 경기에 총 7개 국가가 참가하였다. 이 중 4개 국가는 유럽 지역의 국가이고, 3개 국가는 아시아 지역의 국가이다. 참가국의 쇼트트랙 감독들이 한 줄로 서서 사진을 찍을 때, 다음 조건을 모두 만족시키도록 세우는 경우의 수를 구하시오.

> (가) 유럽 지역의 쇼트트랙 감독들을 양 끝에 세운다.
> (나) 유럽 지역의 쇼트트랙 감독들은 서로 이웃하지 않도록 세운다.

풀이 과정

답

2 지우네 동네의 어떤 영화관에서 3개월간 상영할 예정인 영화는 코믹 8편, 드라마 4편, 공포 6편이다. 지우가 이 중에서 3개월간 관람할 영화 5편을 고르려고 할 때, 코믹 1편, 드라마 2편, 공포 2편을 고르는 경우의 수를 구하시오.

풀이 과정

답

3 오른쪽 그림과 같이 한 원 위에 5개의 점이 있다. 이 중 두 점을 이어 만들 수 있는 직선의 개수를 x개, 세 점을 이어 만들 수 있는 삼각형의 개수를 y개라 할 때, $x+y$의 값을 구하시오.

풀이 과정

답

4 1부터 5까지의 수험 번호를 각각 발급받은 5명의 수험생이 1부터 5까지의 숫자가 각각 적힌 5개의 자리에 임의로 앉았다. 이때 2명만 자신의 수험 번호와 같은 숫자가 적힌 자리에 앉고 나머지 3명은 자신의 수험 번호와 다른 숫자가 적힌 자리에 앉을 확률을 구하시오.

풀이 과정

답

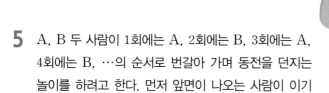

5 A, B 두 사람이 1회에는 A, 2회에는 B, 3회에는 A, 4회에는 B, …의 순서로 번갈아 가며 동전을 던지는 놀이를 하려고 한다. 먼저 앞면이 나오는 사람이 이기는 것으로 할 때, 다음을 구하시오.

(단, 승부가 나면 놀이는 끝난다.)

(1) 2회에 B가 이길 확률
(2) 4회에 B가 이길 확률
(3) 6회 이내에 B가 이길 확률

풀이 과정

(1)

(2)

(3)

답) (1)   (2)   (3)

6 A 주머니에는 흰 공 4개, 검은 공 2개, 노란 공 3개가 들어 있고, B 주머니에는 흰 공 1개, 검은 공 2개, 노란 공 5개가 들어 있다. 두 주머니에서 각각 1개의 공을 꺼낼 때, 두 공의 색깔이 서로 다를 확률을 구하시오.

풀이 과정

답)

7 오른쪽 그림과 같이 정사각형 모양의 각 구획을 둘러싸고 있는 도로가 있다. 진숙이는 A 지점에서 B 지점까지, 진영이는 B 지점에서 A 지점까지 각각 최단 거리로 이동할 때, 진숙이와 진영이가 서로 만나지 않고 각각 B 지점, A 지점에 도착하는 경우의 수를 구하시오. (단, 진숙이와 진영이가 움직이는 속력은 같다.)

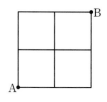

풀이 과정

답)

8 오른쪽 그림과 같이 가로, 세로의 길이가 각각 5, 8인 직사각형 ABCD의 내부에 한 점 P를 임의로 잡을 때, △PBC의 넓이가 10보다 작을 확률을 구하시오.

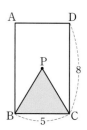

풀이 과정

답)

15개정 교육과정

개념과 유형이 하나로.

개념+유형

정답과 해설

최고수준 **TOP**

| 중등 **수학** |

2·2

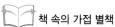 **책 속의 가접 별책** (특허 제 0557442호)

'정답과 해설'은 본책에서 쉽게 분리할 수 있도록 제작되었으므로
유통 과정에서 분리될 수 있으나 파본이 아닌 정상제품입니다.

ABOVE IMAGINATION

우리는 남다른 상상과 혁신으로
교육 문화의 새로운 전형을 만들어
모든 이의 행복한 경험과 성장에 기여한다

1. 삼각형의 성질

개념+ ^{대표}문제 확인하기

1 $110°$	**2** $\angle BDC=72°$, $\overline{AD}=8\,cm$		**3** $23°$		
4 ④	**5** ③	**6** $\dfrac{25}{2}\,cm^2$	**7** $40°$	**8** $12\,cm$	
9 ④	**10** ③	**11** ③	**12** $16\pi\,cm$		
13 $10\,cm$	**14** $75°$	**15** $180°$	**16** ④, ⑤	**17** $31°$	
18 $56\,cm^2$	**19** 8	**20** $26\,cm$			

1 △ABC에서 $\overline{AB}=\overline{BC}$이므로 $\angle ACB=\angle A=35°$

∴ $\angle CBD=35°+35°=70°$

△CBD에서 $\overline{BC}=\overline{CD}$이므로 $\angle CDB=\angle CBD=70°$

∴ $\angle x=180°-\angle CDB=180°-70°=110°$

2 △ABC에서 $\overline{AB}=\overline{AC}$이므로

$\angle ABC=\angle C=\dfrac{1}{2}\times(180°-36°)=72°$

∴ $\angle DBC=\angle DBA=\dfrac{1}{2}\angle ABC=\dfrac{1}{2}\times72°=36°$

△BCD에서

$\angle BDC=180°-(\angle DBC+\angle C)$

$=180°-(36°+72°)=72°$

이때 $\angle BDC=\angle C=72°$이므로 $\overline{BD}=\overline{BC}$

또 △ABD에서 $\angle A=\angle DBA=36°$이므로 $\overline{AD}=\overline{BD}$

∴ $\overline{AD}=\overline{BD}=\overline{BC}=8\,cm$

3 △ABC에서 $\overline{AB}=\overline{AC}$이므로

$\angle ABC=\angle ACB=\dfrac{1}{2}\times(180°-46°)=67°$

∴ $\angle DBC=\dfrac{1}{2}\angle ABC=\dfrac{1}{2}\times67°=33.5°$

$\angle ACE=180°-\angle ACB=180°-67°=113°$이므로

$\angle DCE=\dfrac{1}{2}\angle ACE=\dfrac{1}{2}\times113°=56.5°$

△DBC에서 $\angle DCE=\angle DBC+\angle x$이므로

$56.5°=33.5°+\angle x$ ∴ $\angle x=23°$

4 ① 이등변삼각형의 꼭지각의 이등분선은 밑변을 수직이등
분하므로 $\overline{BD}=\overline{CD}$

②, ③ △ABP와 △ACP에서

$\overline{AB}=\overline{AC}$, $\angle BAP=\angle CAP$, $\overline{AP}$는 공통이므로

△ABP≡△ACP(SAS 합동)

∴ $\angle ABP=\angle ACP$, $\overline{BP}=\overline{CP}$

④ $\angle ABP=\angle DBP$인지는 알 수 없다.

⑤ △PBD와 △PCD에서

$\overline{BD}=\overline{CD}$, $\angle PDB=\angle PDC=90°$, $\overline{PD}$는 공통이므로

△PBD≡△PCD(SAS 합동)

따라서 옳지 않은 것은 ④이다.

5 오른쪽 그림과 같이 점 D를
잡으면 $\overline{AC}\,/\!/\,\overline{BD}$이므로

$\angle ACB=\angle CBD$(엇각),

$\angle ABC=\angle CBD$(접은 각)

∴ $\angle ABC=\angle ACB$

즉, △ABC는 이등변삼각형이므로 $\overline{AC}=\overline{AB}=8\,cm$

∴ △ABC$=\dfrac{1}{2}\times8\times6=24\,(cm^2)$

6 △ADB와 △BEC에서

$\angle D=\angle E=90°$, $\overline{AB}=\overline{BC}$,

$\angle BAD=90°-\angle ABD=\angle CBE$이므로

△ADB≡△BEC(RHA 합동)

따라서 $\overline{BD}=\overline{CE}=2\,cm$, $\overline{BE}=\overline{AD}=3\,cm$이므로

(사각형 ADEC의 넓이)$=\dfrac{1}{2}\times(2+3)\times(3+2)$

$=\dfrac{25}{2}\,(cm^2)$

7 △MBD와 △MCE에서

$\angle MDB=\angle MEC=90°$,

$\overline{BM}=\overline{CM}$, $\overline{MD}=\overline{ME}$이므로

△MBD≡△MCE(RHS 합동)

∴ $\angle DBM=\angle ECM$

즉, △ABC는 이등변삼각형이므로

$\angle DBM=\dfrac{1}{2}\times(180°-80°)=50°$

△DBM에서

$\angle BMD=180°-(\angle MDB+\angle DBM)$

$=180°-(90°+50°)=40°$

8 △ADE와 △ACE에서

$\angle ADE=\angle C=90°$, $\overline{AE}$는 공통, $\overline{AD}=\overline{AC}$이므로

△ADE≡△ACE(RHS 합동)

∴ $\overline{DE}=\overline{CE}$

또 $\overline{AD}=\overline{AC}=6\,cm$이므로 $\overline{BD}=10-6=4\,(cm)$

∴ (△BED의 둘레의 길이)$=\overline{BE}+\overline{DE}+\overline{BD}$

$=\overline{BE}+\overline{CE}+\overline{BD}$

$=\overline{BC}+\overline{BD}$

$=8+4=12\,(cm)$

9 ① 주어진 조건에서 $\angle AOP=\angle BOP$

②, ③, ⑤ △AOP와 △BOP에서

$\angle OAP=\angle OBP=90°$, $\overline{OP}$는 공통,

$\angle AOP=\angle BOP$이므로

△AOP≡△BOP(RHA 합동)

∴ $\overline{PA}=\overline{PB}$, $\angle APO=\angle BPO$

④ $\overline{OA}\neq\overline{OP}$

따라서 옳지 않은 것은 ⑤이다.

10 오른쪽 그림과 같이 점 D에서 $\overline{\text{AC}}$에 내린 수선의 발을 E라 하면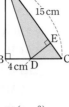
$\triangle$ABD와 $\triangle$AED에서
$\angle$ABD$=\angle$AED$=90°$, $\overline{\text{AD}}$는 공통,
$\angle$BAD$=\angle$EAD이므로
$\triangle$ABD$\equiv\triangle$AED(RHA 합동)
$\therefore \overline{\text{DE}}=\overline{\text{DB}}=4$ cm
$\therefore \triangle$ADC$=\dfrac{1}{2}\times\overline{\text{AC}}\times\overline{\text{DE}}=\dfrac{1}{2}\times15\times4=30(\text{cm}^2)$

11 ① 점 O가 $\triangle$ABC의 외심이므로 $\overline{\text{OA}}=\overline{\text{OB}}=\overline{\text{OC}}$
② $\triangle$OBC에서 $\overline{\text{OB}}=\overline{\text{OC}}$이므로 $\angle$OBE$=\angle$OCE
③ $\overline{\text{AD}}\neq\overline{\text{AF}}$
④ $\triangle$AFO와 $\triangle$CFO에서
　$\angle$AFO$=\angle$CFO$=90°$, $\overline{\text{OF}}$는 공통, $\overline{\text{OA}}=\overline{\text{OC}}$이므로
　$\triangle$AFO$\equiv\triangle$CFO(RHS 합동)
⑤ $\triangle$OBE$\equiv\triangle$OCE(RHS 합동)이므로
　$\triangle$OBE$=\triangle$OCE
따라서 옳지 않은 것은 ③이다.

12 점 O가 $\triangle$ABC의 외심이므로 $\overline{\text{OA}}=\overline{\text{OC}}$
$\triangle$AOC의 둘레의 길이가 25 cm이므로
$\overline{\text{OA}}=\overline{\text{OC}}=\dfrac{1}{2}\times(25-9)=8(\text{cm})$
$\therefore$ ($\triangle$ABC의 외접원의 둘레의 길이)$=2\pi\times8=16\pi(\text{cm})$

13 오른쪽 그림과 같이 $\overline{\text{AB}}$의 중점을 M이라 하면 점 M은 직각삼각형 ABC의 외심이므로 $\overline{\text{AM}}=\overline{\text{BM}}$
이때 $\triangle$ABC의 외접원의 반지름이 $\overline{\text{AM}}$이므로
$10\pi=2\times\pi\times\overline{\text{AM}}$　$\therefore \overline{\text{AM}}=5(\text{cm})$
$\therefore \overline{\text{AB}}=2\overline{\text{AM}}=2\times5=10(\text{cm})$

14 오른쪽 그림과 같이 $\overline{\text{OB}}$, $\overline{\text{OC}}$를 긋고 $\angle$OBC$=\angle x$, $\angle$OCA$=\angle y$라 하면 점 O가 $\triangle$ABC의 외심이므로
$\angle x+\angle y+15°=90°$
$\therefore \angle x+\angle y=75°$
이때 $\angle$OCB$=\angle$OBC$=\angle x$이므로
$\angle$C$=\angle x+\angle y=75°$

다른 풀이
오른쪽 그림과 같이 $\overline{\text{OB}}$, $\overline{\text{OC}}$를 그으면 점 O가 $\triangle$ABC의 외심이므로
$\overline{\text{OA}}=\overline{\text{OB}}$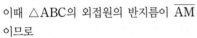
$\therefore \angle$OBA$=\angle$OAB$=15°$
$\therefore \angle$AOB$=180°-2\angle$OAB
　　　　$=180°-2\times15°=150°$
$\therefore \angle$C$=\dfrac{1}{2}\angle$AOB$=\dfrac{1}{2}\times150°=75°$

15 오른쪽 그림과 같이 $\overline{\text{OA}}$를 그으면 점 O가 $\triangle$ABC의 외심이므로
$\overline{\text{OA}}=\overline{\text{OB}}=\overline{\text{OC}}$
즉, $\angle$OAB$=\angle$OBA$=36°$,
$\angle$OAC$=\angle$OCA$=24°$이므로
$\angle x=\angle$OAB$+\angle$OAC$=36°+24°=60°$
이때 $\angle y=2\angle x$이므로 $\angle y=2\times60°=120°$
$\therefore \angle x+\angle y=60°+120°=180°$

16 ① $\angle$IAB$=\angle$IAC, $\angle$IBA$=\angle$IBC
② $\angle$BIE$=\angle$BID, $\angle$CIE$=\angle$CIF
③ 점 I가 외심일 때 $\overline{\text{IA}}=\overline{\text{IB}}=\overline{\text{IC}}$
④ 점 I가 내심이므로 $\overline{\text{ID}}=\overline{\text{IE}}=\overline{\text{IF}}$
⑤ $\triangle$IEC와 $\triangle$IFC에서
　$\angle$IEC$=\angle$IFC$=90°$, $\overline{\text{IC}}$는 공통, $\angle$ICE$=\angle$ICF
　이므로 $\triangle$IEC$\equiv\triangle$IFC(RHA 합동)
따라서 옳은 것은 ④, ⑤이다.

17 오른쪽 그림과 같이 $\overline{\text{AI}}$를 그으면 점 I가 $\triangle$ABC의 내심이므로
$\angle$IAC$=\angle$IAB$=\dfrac{1}{2}\times68°=34°$
이때 $\angle$IBA$+\angle$ICB$+\angle$IAC$=90°$
이므로 $25°+\angle x+34°=90°$
$\therefore \angle x=31°$

18 $\triangle$ABC의 내접원의 반지름의 길이를 r cm라 하면
$\triangle$ABC$=\dfrac{1}{2}\times r\times(20+16+12)=24r$
이때 $\triangle$ABC$=\dfrac{1}{2}\times16\times12=96(\text{cm}^2)$이므로
$24r=96$　$\therefore r=4$
$\therefore$ (색칠한 부분의 넓이)$=\triangle$AIC$+\triangle$IBC
　　　　　　　　$=\dfrac{1}{2}\times12\times4+\dfrac{1}{2}\times16\times4$
　　　　　　　　$=24+32=56(\text{cm}^2)$

19 $\overline{\text{BD}}=\overline{\text{BE}}=x$라 하면
$\overline{\text{AF}}=\overline{\text{AD}}=10-x$,
$\overline{\text{CF}}=\overline{\text{CE}}=14-x$
$\overline{\text{AC}}=\overline{\text{AF}}+\overline{\text{CF}}$이므로
$8=(10-x)+(14-x)$
$2x=16$에서 $x=8$
$\therefore \overline{\text{BD}}=8$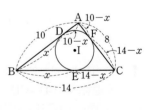

20 오른쪽 그림에서 점 I가 $\triangle$ABC의 내심이므로 $\angle$DBI$=\angle$IBC
$\overline{\text{DE}}/\!/\overline{\text{BC}}$이므로 $\angle$DIB$=\angle$IBC (엇각)
즉, $\angle$DBI$=\angle$DIB이므로 $\overline{\text{DB}}=\overline{\text{DI}}$
같은 방법으로 하면
$\overline{\text{EC}}=\overline{\text{IE}}$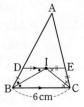

$\therefore$ ($\triangle$ABC의 둘레의 길이)
$=\overline{AB}+\overline{BC}+\overline{CA}$
$=\overline{AD}+\overline{DB}+\overline{BC}+\overline{AE}+\overline{EC}$
$=\overline{AD}+\overline{DI}+\overline{BC}+\overline{AE}+\overline{IE}$
$=(\overline{AD}+\overline{DI}+\overline{IE}+\overline{AE})+\overline{BC}$
$=20+6=26\,(cm)$

P. 12~17 내신 **5%** 따라잡기

1 ④	**2** 16°	**3** ④	**4** ③	**5** 30 cm
6 4 cm	**7** 36°	**8** 24 cm²	**9** 57°	**10** 5 cm
11 $\frac{25}{2}$ cm²		**12** 40 cm²	**13** 15°	**14** ④
15 13 cm	**16** ④	**17** ④	**18** ③	**19** 104°
20 ④	**21** ②	**22** ④	**23** 5	**24** 186°
25 ②	**26** $\frac{5}{3}$ cm	**27** 3	**28** $(4-\pi)$ cm²	
29 ③	**30** 129°	**31** ③	**32** 64°	**33** 96
34 54 cm²	**35** 85°	**36** $\frac{5}{3}$ m		

1 $\triangle$ADC에서 $\angle$CAD$=180°-(90°+52°)=38°$
$\triangle$AEF에서 $\overline{AE}=\overline{AF}$이므로
$\angle$AFE$=\frac{1}{2}\times(180°-38°)=71°$
따라서 $\triangle$ABF에서 $\angle x=180°-(90°+71°)=19°$

2 $\angle$BAD$=\angle x$라 하면 $\angle$BAC$=4\angle$BAD$=4\angle x$이므로
$\angle$DAC$=\angle$BAC$-\angle$BAD$=3\angle x$
$\triangle$CED에서 $\angle$EDC$=180°-(90°+16°)=74°$
$\triangle$ABC에서 $\overline{AB}=\overline{AC}$이므로
$\angle$B$=\frac{1}{2}\times(180°-4\angle x)=90°-2\angle x$
$\triangle$ABD에서 $\angle$ADC$=\angle$BAD$+\angle$B이므로
$74°=\angle x+(90°-2\angle x)$, $74°=90°-\angle x$
$\therefore \angle x=90°-74°=16°$
$\therefore \angle$BAD$=16°$

3 오른쪽 그림과 같이
$\angle$AOB$=\angle x$라 하면
$\triangle$AOB에서
$\angle$ABO$=\angle$AOB$=\angle x$이므로
$\angle$CAB$=2\angle x$
$\triangle$ABC에서 $\angle$ACB$=\angle$CAB$=2\angle x$
$\triangle$COB에서 $\angle$CBD$=\angle x+2\angle x=3\angle x$
$\triangle$CBD에서 $\angle$CDB$=\angle$CBD$=3\angle x$
$\triangle$COD에서 $\angle$ECD$=\angle$COD$+\angle$CDO이므로
$100°=\angle x+3\angle x$, $4\angle x=100°$ $\therefore \angle x=25°$
$\therefore \angle$CAB$=2\angle x=2\times25°=50°$

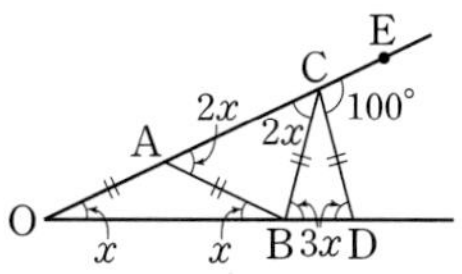

4 오른쪽 그림과 같이 $\angle$A$=\angle x$라 하면
$\angle$DBE$=\angle$A$=\angle x$(접은 각)이므로
$\angle$ABC$=\angle x+18°$
$\overline{AB}=\overline{AC}$이므로
$\angle$C$=\angle$ABC$=\angle x+18°$
$\triangle$ABC에서
$\angle x+(\angle x+18°)+(\angle x+18°)=180°$
$3\angle x=144°$ $\therefore \angle x=48°$
이때 $\angle$BDE$=\angle$ADE$=90°$(접은 각)이므로
$\triangle$BED에서 $\angle$BED$=180°-(90°+48°)=42°$

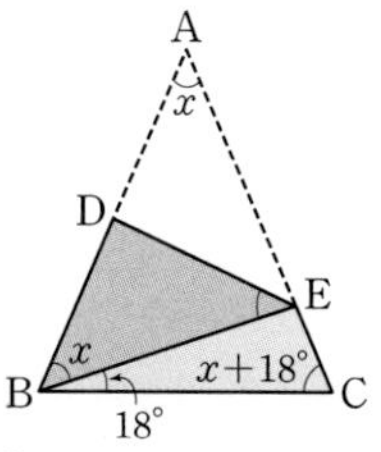

5 $\triangle$ABC가 이등변삼각형이므로 $\overline{AP}\perp\overline{BC}$, $\overline{BP}=\overline{CP}$
$\triangle$ABP$=\frac{1}{2}\times\overline{AB}\times\overline{DP}=\frac{1}{2}\times\overline{BP}\times\overline{AP}$이므로
$\frac{1}{2}\times25\times12=\frac{1}{2}\times\overline{BP}\times20$, $10\overline{BP}=150$
$\therefore \overline{BP}=15\,(cm)$
$\therefore \overline{BC}=2\overline{BP}=2\times15=30\,(cm)$

6 $\triangle$ABC에서 $\overline{AB}=\overline{AC}$이므로
$\angle$B$=\angle$C$=\frac{1}{2}\times(180°-90°)=45°$
$\triangle$FBE에서 $\angle$BFE$=180°-(90°+45°)=45°$
$\angle$DFA$=\angle$BFE$=45°$(맞꼭지각)이므로
$\triangle$DFA에서 $\angle$ADF$=180°-(90°+45°)=45°$
즉, $\triangle$DFA는 이등변삼각형이므로 $\overline{AD}=\overline{AF}$
이때 $\overline{AB}=\overline{AC}$이므로
$\overline{AF}+9=13$ $\therefore \overline{AF}=4\,(cm)$
$\therefore \overline{AD}=\overline{AF}=4$ cm

7 $\triangle$ABC에서 $\overline{AB}=\overline{AC}$이므로 $\angle$B$=\angle$C
$\triangle$BAE와 $\triangle$CAD에서
$\overline{BA}=\overline{CA}$, $\angle$ABE$=\angle$ACD, $\overline{BE}=\overline{CD}$이므로
$\triangle$BAE$\equiv\triangle$CAD(SAS 합동)
즉, $\angle$BAE$=\angle$CAD이므로 $\angle$BAD$=\angle$CAE
이때 $\angle$BAD$=\angle$CAE$=\angle x$라 하면
$\overline{BA}=\overline{BE}$에서 $\angle$AEB$=\angle$BAE$=\angle x+36°$
$\overline{CA}=\overline{CD}$에서 $\angle$ADC$=\angle$CAD$=\angle x+36°$
따라서 $\triangle$ADE에서
$36°+(\angle x+36°)+(\angle x+36°)=180°$
$2\angle x=72°$ $\therefore \angle x=36°$

다른 풀이
$\triangle$ABC에서 $\overline{AB}=\overline{AC}$이므로 $\angle$B$=\angle$C $\cdots$ ㉠
$\triangle$ABE에서 $\overline{BA}=\overline{BE}$이므로 $\angle$BAE$=\angle$BEA
$\therefore \angle$B$+2\angle$BEA$=180°$ $\cdots$ ㉡
$\triangle$ACD에서 $\overline{CA}=\overline{CD}$이므로 $\angle$CAD$=\angle$CDA
$\therefore \angle$C$+2\angle$CDA$=180°$ $\cdots$ ㉢
㉠, ㉡, ㉢에 의해 $\angle$BEA$=\angle$CDA
따라서 $\triangle$ADE는 $\angle$AED$=\angle$ADE인 이등변삼각형이므로
$\angle$AED$=\angle$ADE$=\frac{1}{2}\times(180°-36°)=72°$

$$\therefore \angle BAD = \angle BAE - \angle DAE$$
$$= \angle AED - \angle DAE$$
$$= 72° - 36° = 36°$$

8 오른쪽 그림에서 직사각형 ABCD
의 가로와 세로의 길이의 비가 $3:1$
이므로
$\overline{BC}=3\overline{AB}=3\overline{CG}=3\times6=18(cm)$
$\overline{AD}\,//\,\overline{BC}$이므로
$\angle AFE=\angle FEC$ (엇각), $\angle AFE=\angle EFC$ (접은 각)
$\therefore \angle FEC=\angle EFC$
즉, $\triangle CFE$는 $\overline{CF}=\overline{CE}$인 이등변삼각형이므로
$\overline{EC}=\overline{CF}=10\,cm$
$\therefore \overline{EG}=\overline{BE}=\overline{BC}-\overline{EC}=18-10=8(cm)$
이때 $\angle CGE=\angle ABE=90°$이므로
$\triangle EGC=\dfrac{1}{2}\times\overline{EG}\times\overline{CG}=\dfrac{1}{2}\times8\times6=24(cm^2)$

9 $\triangle ABC$에서 $\overline{AB}=\overline{AC}$이므로
$\angle B=\angle C=\dfrac{1}{2}\times(180°-48°)=66°$
$\triangle BDF$와 $\triangle CED$에서
$\overline{BD}=\overline{CE}$, $\angle DBF=\angle ECD$, $\overline{BF}=\overline{CD}$이므로
$\triangle BDF\equiv\triangle CED$ (SAS 합동)
$\therefore \angle BDF=\angle CED$, $\angle BFD=\angle CDE$, $\overline{DF}=\overline{ED}$
$\therefore \angle FDE=180°-(\angle BDF+\angle CDE)$
$=180°-(\angle BDF+\angle BFD)=\angle B=66°$
이때 $\triangle DEF$는 $\overline{DF}=\overline{DE}$인 이등변삼각형이므로
$\angle DEF=\angle DFE=\dfrac{1}{2}\times(180°-66°)=57°$

10 $\triangle ABD$와 $\triangle BCE$에서
$\angle ADB=\angle BEC=90°$, $\overline{AB}=\overline{BC}$,
$\angle ABD=90°-\angle DBC=\angle BCE$이므로
$\triangle ABD\equiv\triangle BCE$ (RHA 합동)
$\therefore \overline{BD}=\overline{CE}=8\,cm$, $\overline{BE}=\overline{AD}=3\,cm$
$\therefore \overline{DE}=\overline{BD}-\overline{BE}=8-3=5(cm)$

11 $\triangle ADB$와 $\triangle BEC$에서
$\angle ADB=\angle BEC=90°$, $\overline{AB}=\overline{BC}$,
$\angle BAD=90°-\angle ABD=\angle CBE$이므로
$\triangle ADB\equiv\triangle BEC$ (RHA 합동) $\quad\therefore \overline{BE}=\overline{AD}=4\,cm$
또 $\triangle BEC=\dfrac{1}{2}\times\overline{BE}\times\overline{CE}=\dfrac{1}{2}\times4\times\overline{CE}=6$에서
$2\overline{CE}=6$ $\quad\therefore \overline{CE}=3(cm)$
이때 $\overline{BD}=\overline{CE}=3\,cm$이고,
사각형 ADEC의 넓이는 세 삼각형 ADB, ABC, CBE의
넓이의 합과 같으므로
$\dfrac{1}{2}\times(3+4)\times(4+3)=6+\triangle ABC+6$
$\dfrac{49}{2}=12+\triangle ABC$ $\quad\therefore \triangle ABC=\dfrac{25}{2}(cm^2)$

12 $\triangle BDM$과 $\triangle CEM$에서
$\angle BDM=\angle CEM=90°$, $\overline{BM}=\overline{CM}$, $\overline{DM}=\overline{EM}$이므로
$\triangle BDM\equiv\triangle CEM$ (RHS 합동)
따라서 $\angle B=\angle C$이므로 $\overline{AC}=\overline{AB}=10\,cm$
오른쪽 그림과 같이 $\overline{AM}$을 그으면
$\triangle ABC=\triangle ABM+\triangle ACM$
$=\dfrac{1}{2}\times10\times4+\dfrac{1}{2}\times10\times4$
$=40(cm^2)$

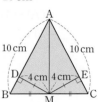

13 $\triangle AED$와 $\triangle CFD$에서
$\angle DAE=\angle DCF=90°$, $\overline{DE}=\overline{DF}$, $\overline{AD}=\overline{CD}$이므로
$\triangle AED\equiv\triangle CFD$ (RHS 합동)
$\therefore \angle CDF=\angle ADE=30°$
즉, $\angle EDF=\angle ADC=90°$이므로 $\triangle DEF$는 $\overline{DE}=\overline{DF}$인
직각이등변삼각형이다.
$\therefore \angle DFE=\angle DEF=\dfrac{1}{2}\times(180°-90°)=45°$
이때 $\triangle DCF$에서
$\angle DFC=180°-(90°+30°)=60°$이므로
$\angle BFE=\angle DFC-\angle DFE=60°-45°=15°$

14 $\triangle ACD$와 $\triangle AED$에서
$\angle ACD=\angle AED=90°$, $\overline{AD}$는 공통, $\overline{CD}=\overline{ED}$이므로
$\triangle ACD\equiv\triangle AED$ (RHS 합동)
$\therefore \overline{AE}=\overline{AC}=12\,cm$
$\therefore \overline{BE}=\overline{AB}-\overline{AE}=15-12=3(cm)$
$\overline{CD}=\overline{DE}=x\,cm$라 하면
$\triangle ABC=\triangle ABD+\triangle ADC$에서
$\dfrac{1}{2}\times9\times12=\dfrac{1}{2}\times15\times x+\dfrac{1}{2}\times x\times12$
$54=\dfrac{27}{2}x$ $\quad\therefore x=4$
즉, $\overline{DE}=\overline{CD}=4\,cm$이므로
$\triangle BDE=\dfrac{1}{2}\times\overline{BE}\times\overline{DE}=\dfrac{1}{2}\times3\times4=6(cm^2)$

15 오른쪽 그림과 같이 점 D에서 $\overline{AC}$에
내린 수선의 발을 E라 하면
$\triangle ABD$와 $\triangle AED$에서
$\angle ABD=\angle AED=90°$,
$\overline{AD}$는 공통,
$\angle BAD=\angle EAD$이므로
$\triangle ABD\equiv\triangle AED$ (RHA 합동)
$\therefore \overline{AB}=\overline{AE}$, $\overline{BD}=\overline{ED}$
한편, $\triangle ABC$가 직각이등변삼각형이므로
$\angle ACB=\dfrac{1}{2}\times(180°-90°)=45°$
이때 $\triangle EDC$에서 $\angle DEC=90°$, $\angle ECD=45°$이므로
$\angle EDC=180°-(90°+45°)=45°$

즉, $\triangle EDC$는 $\overline{ED}=\overline{EC}$인 직각이등변삼각형이므로
$\overline{BD}=\overline{ED}=\overline{EC}$
$\therefore \overline{AB}+\overline{BD}=\overline{AE}+\overline{EC}=\overline{AC}=13\,(\text{cm})$

16 점 O가 $\triangle ABC$의 외심이므로
$\triangle OAD \equiv \triangle OBD\,(\text{RHS 합동})$
$\triangle OBE \equiv \triangle OCE\,(\text{RHS 합동})$
$\triangle OCF \equiv \triangle OAF\,(\text{RHS 합동})$
$\therefore \triangle ABC = \triangle OAB + \triangle OCA + \triangle OBC$
$\qquad = 2\{(\triangle OAD + \triangle OAF) + \triangle OCE\}$
$\qquad = 2\left(10 + \dfrac{1}{2} \times 4 \times 3\right) = 32\,(\text{cm}^2)$

17 점 O가 $\triangle ABC$의 외심이므로
$\overline{OA}=\overline{OB}=\overline{OC}$
$\triangle OBC$에서 $\overline{OB}=\overline{OC}$이므로
$\angle OCB = \dfrac{1}{2} \times (180° - 34°) = 73°$
또 $\triangle OCA$에서 $\overline{OC}=\overline{OA}$이므로
$\angle OCA = \dfrac{1}{2} \times (180° - 76°) = 52°$
$\therefore \angle BCA = \angle OCB + \angle OCA = 73° + 52° = 125°$

18 오른쪽 그림과 같이 직각삼각형
ABC의 빗변 BC의 중점을 M이
라 하면 점 M은 $\triangle ABC$의 외심
이므로
$\overline{AM}=\overline{BM}=\overline{CM}=4\,\text{cm}$
$\therefore (\text{색칠한 부채꼴의 넓이}) = \pi \times 4^2 \times \dfrac{90}{360} = 4\pi\,(\text{cm}^2)$

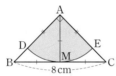

19 $\angle OAB = \angle OAC = \angle x$라 하면 $\angle A = 2\angle x$
점 O가 $\triangle ABC$의 외심이므로 $\angle BOC = 2\angle A = 4\angle x$
$\triangle OBC$에서 $\overline{OB}=\overline{OC}$이고, $\angle OBC = \angle OAB + 12°$이므로
$\angle OBC = \angle OCB = \angle x + 12°$
이때 $\triangle OBC$에서 $(\angle x + 12°) + 4\angle x + (\angle x + 12°) = 180°$
$6\angle x = 156°$ $\therefore \angle x = 26°$
$\therefore \angle BOC = 4\angle x = 4 \times 26° = 104°$

20 오른쪽 그림에서 점 O가
$\triangle ABC$의 외심이므로
$\overline{OA}=\overline{OB}=\overline{OC}$
또 점 O′이 $\triangle AOC$의 외심
이므로 $\overline{O'O}=\overline{O'C}$에서
$\angle COO' = \angle OCO' = 26°$
$\therefore \angle OO'C = 180° - (26° + 26°) = 128°$
$\qquad \angle OAC = \dfrac{1}{2}\angle OO'C = \dfrac{1}{2} \times 128° = 64°$
이때 $\overline{OA}=\overline{OC}$이므로 $\angle OCA = \angle OAC = 64°$
따라서 $\triangle AOC$에서
$\angle AOB = \angle OAC + \angle OCA = 64° + 64° = 128°$

21 오른쪽 그림과 같이 $\overline{OA}$, $\overline{OC}$를
그으면
점 O가 $\triangle ABC$의 외심이므로
$\overline{OA}=\overline{OB}=\overline{OC}$
이때 $\angle OAB = \angle OBA = 15° + 25° = 40°$이므로
$\angle BOA = 180° - (40° + 40°) = 100°$
또 $\angle OCB = \angle OBC = 15°$이므로
$\angle BOC = 180° - (15° + 15°) = 150°$
따라서
$\angle AOC = \angle BOC - \angle BOA = 150° - 100° = 50°$이므로
$\angle OAC = \angle OCA = \dfrac{1}{2} \times (180° - 50°) = 65°$
$\therefore \angle A = \angle BAO + \angle OAC$
$\qquad = 40° + 65° = 105°$

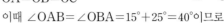

22 점 O가 $\triangle ABC$의 외심이므로
$\angle AOC = 2\angle B$
$\qquad = 2 \times 56° = 112°$
오른쪽 그림과 같이 $\overline{OA}$, $\overline{OC}$,
$\overline{OD}$를 그으면 점 O가 $\triangle ACD$의
외심이므로
$\overline{OA}=\overline{OD}=\overline{OC}$
$\angle OAD = \angle ODA = \angle x$, $\angle ODC = \angle OCD = \angle y$라 하면
사각형 AOCD에서
$\angle x + 112° + \angle y + (\angle x + \angle y) = 360°$
$2(\angle x + \angle y) = 248°$
$\therefore \angle x + \angle y = 124°$
$\therefore \angle D = \angle x + \angle y = 124°$

다른 풀이
점 O가 $\triangle ABC$의 외심이므로
$\angle AOC = 2\angle B = 2 \times 56° = 112°$
또 점 O가 $\triangle ACD$의 외심이므로
$\angle D = \dfrac{1}{2} \times (360° - 112°) = 124°$

23 오른쪽 그림과 같이 $\overline{HN}$을 그
으면 직각삼각형 BCH의 빗변
BC의 중점 N은 $\triangle BCH$의 외
심이므로
$\overline{BN}=\overline{CN}=\overline{HN}$
$\angle C = \angle a$라 하면
$\triangle CNH$에서 $\overline{CN}=\overline{HN}$이므로
$\angle CHN = \angle C = \angle a$
$\overline{AB}/\!/\overline{MN}$이고 $\angle A = 2\angle C$이므로
$\angle NMC = \angle A = 2\angle a\,(\text{동위각})$
$\triangle MHN$에서 $\angle NMC = \angle MHN + \angle MNH$이므로
$2\angle a = \angle a + \angle MNH$
$\therefore \angle MNH = \angle a$
따라서 $\triangle MHN$은 $\overline{HM}=\overline{MN}$인 이등변삼각형이므로
$\overline{HM}=\overline{MN}=5$

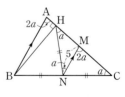

24 오른쪽 그림에서 점 I가 △ABC의
내심이므로

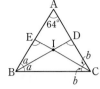

∠ABI=∠IBC=∠a,
∠ACI=∠ICB=∠b라 하면
△ABC에서
$64°+2∠a+2∠b=180°$
$2(∠a+∠b)=116°$　　∴ ∠a+∠b=58°
△ABD에서 ∠BDC=$64°$+∠a
△ACE에서 ∠BEC=$64°$+∠b
∴ ∠BDC+∠BEC=($64°$+∠a)+($64°$+∠b)
　　　　　　　　=$128°$+(∠a+∠b)
　　　　　　　　=$128°+58°=186°$

25 △ABC는 정삼각형이므로
∠A=∠B=∠C

오른쪽 그림과 같이 $\overline{IB}$, $\overline{IC}$를 그으면
점 I가 △ABC의 내심이므로
∠ABI=∠IBD
$\overline{AB}$∥$\overline{ID}$이므로 ∠BID=∠ABI (엇각)
즉, ∠IBD=∠BID이므로 $\overline{BD}=\overline{ID}$
같은 방법으로 하면 ∠ICE=∠CIE이므로 $\overline{IE}=\overline{EC}$
∴ (△IDE의 둘레의 길이)=$\overline{ID}+\overline{DE}+\overline{IE}$
　　　　　　　　　　　=$\overline{BD}+\overline{DE}+\overline{EC}$
　　　　　　　　　　　=$\overline{BC}=12$(cm)

26 오른쪽 그림과 같이 $\overline{IB}$, $\overline{IC}$를 그으
면 점 I가 △ABC의 내심이므로

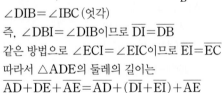

∠DBI=∠IBC
$\overline{DE}$∥$\overline{BC}$이므로
∠DIB=∠IBC (엇각)
즉, ∠DBI=∠DIB이므로 $\overline{DI}=\overline{DB}$
같은 방법으로 ∠ECI=∠EIC이므로 $\overline{EI}=\overline{EC}$
따라서 △ADE의 둘레의 길이는
$\overline{AD}+\overline{DE}+\overline{AE}=\overline{AD}+(\overline{DI}+\overline{EI})+\overline{AE}$
　　　　　　　　　　=$(\overline{AD}+\overline{DB})+(\overline{EC}+\overline{AE})$
　　　　　　　　　　=$\overline{AB}+\overline{AC}$
　　　　　　　　　　=$10+8=18$(cm)
이때 △ADE의 내접원의 반지름의 길이를 r cm라 하면
$15=\frac{1}{2}×r×18$　　∴ $r=\frac{5}{3}$

따라서 구하는 반지름의 길이는 $\frac{5}{3}$ cm이다.

27 오른쪽 그림과 같이 $\overline{IA}$, $\overline{IB}$, $\overline{IE}$를 그
으면 $\overline{IA}=\overline{IB}=\overline{IE}$

△ABI에서 $\overline{IA}=\overline{IB}$이므로
∠IAB=∠IBA
이때 점 I가 △ABC의 내심이므로
∠IAB=∠IAC, ∠IBA=∠IBC
즉, △ABC에서 ∠A=∠B이므로 $\overline{AC}=\overline{BC}=10$

한편, △AIE에서 $\overline{IA}=\overline{IE}$이므로 ∠IAE=∠IEA
∴ ∠AIB=∠AIE
따라서 △AIB≡△AIE (SAS 합동)이므로 $\overline{AE}=\overline{AB}=7$
∴ $\overline{EC}=\overline{AC}-\overline{AE}=10-7=3$

28 오른쪽 그림과 같이 점 I에서 $\overline{BC}$,
$\overline{CA}$, $\overline{AB}$에 내린 수선의 발을 각각 D,
E, F라 하고 내접원 I의 반지름의 길
이를 r cm라 하면

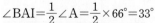

$△ABC=\frac{1}{2}×r×(\overline{AB}+\overline{BC}+\overline{CA})$
$\frac{1}{2}×5×12=\frac{1}{2}×r×(13+5+12)$
$30=15r$　　∴ $r=2$
∴ (색칠한 부분의 넓이)
　=(사각형 IDCE의 넓이)-(부채꼴 IDE의 넓이)
　=$2×2-\frac{1}{4}×π×2^2=4-π$(cm^2)

29 △ABC에서 $\overline{AB}=\overline{AC}$이므로
∠ACB=∠ABC=$70°$
∴ ∠A=$180°-(70°+70°)=40°$
점 O가 △ABC의 외심이므로
∠BOC=$2∠A=2×40°=80°$
△OBC에서 $\overline{OB}=\overline{OC}$이므로
∠OBC=∠OCB=$\frac{1}{2}×(180°-80°)=50°$
점 I가 △ABC의 내심이므로
∠IBC=$\frac{1}{2}∠ABC=\frac{1}{2}×70°=35°$
∴ ∠OBI=∠OBC-∠IBC=$50°-35°=15°$

30 오른쪽 그림의 △ABC에서

∠ACB=$180°-(56°+90°)=34°$
△OBC에서 $\overline{OB}=\overline{OC}$이므로
∠OBC=∠OCB=$34°$
점 I가 △ABC의 내심이므로
∠ICB=$\frac{1}{2}∠ACB=\frac{1}{2}×34°=17°$
따라서 △PBC에서 ∠BPC=$180°-(34°+17°)=129°$

31 오른쪽 그림의 △ABC에서
∠A=$180°-(50°+64°)=66°$
점 I가 △ABC의 내심이므로
∠BAI=$\frac{1}{2}∠A=\frac{1}{2}×66°=33°$
점 O가 △ABC의 외심이므로
∠AOB=$2∠C=2×64°=128°$
△OAB에서 $\overline{OA}=\overline{OB}$이므로
∠OAB=∠OBA=$\frac{1}{2}×(180°-128°)=26°$
∴ ∠OAI=∠BAI-∠OAB=$33°-26°=7°$

32 점 I가 △ABC의 내심이므로

$$\angle BAI = \angle CAI = \frac{1}{2}\angle BAC = \frac{1}{2} \times 76° = 38°$$

점 O가 △ABC의 외심이므로 $\angle OFB = 90°$

△ABF에서 $\angle ABF = 180° - (90° + 38°) = 52°$

점 I가 △ABC의 내심이므로

$$\angle ABI = \angle IBF = \frac{1}{2}\angle ABF = \frac{1}{2} \times 52° = 26°$$

따라서 △BED에서 $\angle BED = 180° - (90° + 26°) = 64°$

33 오른쪽 그림과 같이 점 O′에서 $\overline{AB}$, $\overline{BC}$, $\overline{CA}$에 내린 수선의 발을 각각 D, E, F라 하자.

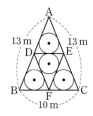

원 O′의 반지름의 길이가 4이므로

$$\overline{O'E} = \overline{O'F} = \overline{EC} = \overline{CF} = 4$$

△ABC는 직각삼각형이고 외심 O는 $\overline{AB}$의 중점이므로

$$\overline{AB} = 2 \times 10 = 20$$

$\overline{AD} = a$라 하면 $\overline{AF} = \overline{AD} = a$, $\overline{BE} = \overline{BD} = 20 - a$

$$\therefore \triangle ABC = \frac{1}{2} \times 4 \times (\overline{AB} + \overline{BC} + \overline{CA})$$
$$= \frac{1}{2} \times 4 \times \{20 + (20 - a + 4) + (a + 4)\} = 96$$

34 길잡이 폭이 일정한 종이를 접을 때, 접은 각의 크기와 엇각의 크기는 각각 같음을 이용하여 이등변삼각형을 찾아본다.

오른쪽 그림과 같이 $\overline{FG}$의 연장선 위에 두 점 I, J를 잡으면

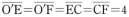

$\overline{EH} \parallel \overline{FG}$이므로

$\angle BEF = \angle EFI$ (엇각),

$\angle EFB = \angle EFI$ (접은 각)

즉, $\angle BEF = \angle EFB$이므로

△BEF는 $\overline{BE} = \overline{BF}$인 이등변삼각형이다.

같은 방법으로 하면 $\angle BHG = \angle HGB$이므로 △BGH는 $\overline{BG} = \overline{BH}$인 이등변삼각형이다.

이때 $\overline{EH} + \overline{FG} = 15 \text{ cm}$이므로 [그림 1]의 직사각형 ABCD의 가로의 길이는

$$\overline{BF} + \overline{FG} + \overline{GB} + \overline{BA} = \overline{EB} + \overline{FG} + \overline{BH} + \overline{BA}$$
$$= (\overline{EB} + \overline{BH}) + \overline{FG} + \overline{BA}$$
$$= (\overline{EH} + \overline{FG}) + \overline{BA}$$
$$= 15 + 3 = 18 \text{ (cm)}$$

따라서 구하는 넓이는 $18 \times 3 = 54 \text{ (cm}^2)$

35 길잡이 삼각형의 외심에서 세 꼭짓점에 이르는 거리는 서로 같음을 이용한다.

오른쪽 그림과 같이 A, B, C, D 공장을 각각 점 A, B, C, D, 본사를 점 O라 하고, $\overline{AC}$, $\overline{BD}$를 긋고 $\overline{AC}$와 $\overline{BD}$의 교점을 E라 하자.

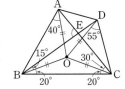

이때 각 공장은 본사와 같은 거리에 있으므로 점 O는 △ABC, △DBC의 외심이다.

△ABC에서 $\angle OAB = 40°$, $\angle OBC = \angle OCB = 20°$이므로

$$\angle OCA = 90° - (40° + 20°) = 30°$$

같은 방법으로 하면

△DBC에서 $\angle OBD = 90° - (55° + 20°) = 15°$

즉, $\angle ACB = \angle OCA + \angle OCB = 30° + 20° = 50°$,

$\angle DBC = \angle OBD + \angle OBC = 15° + 20° = 35°$이므로

△BCE에서 $\angle BEA = 50° + 35° = 85°$

따라서 구하는 각의 크기는 85°이다.

36 길잡이 각 분수 꼭지의 위치는 각 삼각형의 내심임을 이용한다.

주어진 조건을 오른쪽 그림과 같이 나타내면 각 분수 꼭지에서 나오는 물줄기는 그 분수대를 벗어나거나 다른 색의 물이 나오는 공간에는 떨어지지 않고 최대한 멀리 퍼져야 하므로 분수 꼭지는 합동인 4개의 삼각형의 내심에 각각 설치해야 한다.

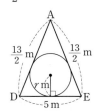

분수대의 전체 넓이가 60 m²이므로 합동인 4개의 삼각형의 각각의 넓이는 $60 \times \frac{1}{4} = 15 \text{ (m}^2)$

4개의 삼각형은 합동이므로 $\overline{AD} = \overline{DB} = \frac{13}{2} \text{ (m)}$,

$\overline{AE} = \overline{EC} = \frac{13}{2} \text{ (m)}$, $\overline{DE} = \overline{BF} = \overline{FC} = \frac{10}{2} = 5 \text{ (m)}$

이때 합동인 4개의 삼각형의 내접원의 반지름의 길이를 r m라 하면

$$\frac{1}{2} \times r \times \left(\frac{13}{2} + 5 + \frac{13}{2}\right) = 15$$

$$9r = 15 \qquad \therefore r = \frac{5}{3}$$

따라서 각 물줄기는 분수 꼭지에서 최대 $\frac{5}{3}$ m까지 퍼질 수 있다.

P. 18~19 **내신 1% 뛰어넘기**

01 3 cm **02** 10° **03** ③ **04** 75° **05** $\frac{10}{9}$

06 8

---

01 길잡이 △ABC≡△ADE이고 $\overline{BA} \parallel \overline{DE}$임을 이용하여 크기가 같은 각을 찾아본다.

$\angle ABC = \angle ADE$, $\angle BAD = \angle ADE$ (엇각)에서

$\angle ABG = \angle BAG$이므로

△ABG는 $\overline{AG} = \overline{BG}$인 이등변삼각형이다.

또 $\angle ABC = \angle ADE$, $\angle ABF = \angle DFB$ (엇각)에서

$\angle GDF = \angle GFD$이므로 △GDF는 $\overline{GD} = \overline{GF}$인 이등변삼각형이다.

$\therefore \overline{BF} = \overline{BG} + \overline{GF} = \overline{AG} + \overline{GD} = \overline{AD} = \overline{AB} = 6 \text{ (cm)}$

$\therefore \overline{CF} = \overline{BC} - \overline{BF} = 9 - 6 = 3 \text{ (cm)}$

02 길잡이 $\overline{AC}$를 한 변으로 하는 정삼각형을 그려서 합동인 두 삼각형을 찾아본다.

△ABC에서 $\overline{AB}=\overline{AC}$이므로

$\angle ACB=\angle B=80°$

$\therefore \angle BAC=180°-(80°+80°)$
$=20°$

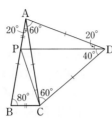

오른쪽 그림과 같이 $\overline{AC}$를 한 변으로 하는 정삼각형 ACD를 그리면

△ABC와 △DAP에서

$\overline{AB}=\overline{DA}$, $\angle DAP=\angle ABC=80°$, $\overline{BC}=\overline{AP}$이므로

△ABC≡△DAP(SAS 합동)

$\therefore \angle ADP=\angle BAC=20°$, $\overline{DP}=\overline{AC}$

이때 $\overline{DC}=\overline{AC}=\overline{DP}$이므로 △DPC는 이등변삼각형이다.

$\angle PDC=60°-20°=40°$이므로

$\angle DCP=\dfrac{1}{2}\times(180°-40°)=70°$

$\therefore \angle ACP=\angle DCP-\angle DCA=70°-60°=10°$

03 길잡이 △ABE와 합동이 되는 삼각형을 그린 후 각의 크기를 비교해 본다.

오른쪽 그림과 같이 $\overline{CD}$의 연장선 위에 $\overline{BE}=\overline{DE'}$이 되도록 점 E'을 잡으면

△ABE와 △ADE'에서

$\overline{AB}=\overline{AD}$,

$\angle ABE=\angle ADE'=90°$,

$\overline{BE}=\overline{DE'}$이므로

△ABE≡△ADE'(SAS 합동)

$\therefore \overline{AE}=\overline{AE'}$

$\angle BAE=\angle DAE'=\angle a$, $\angle DAF=\angle EAF=\angle b$라 하면

$\angle BAF=\angle a+\angle b=\angle FAE'$

또 $\overline{AB}/\!/\overline{DC}$이므로

$\angle AFD=\angle BAF=\angle a+\angle b$ (엇각)

즉, $\angle E'AF=\angle E'FA$이므로 $\overline{AE'}=\overline{E'F}$

$\therefore \overline{AE}=\overline{AE'}=\overline{E'F}=\overline{DE'}+\overline{DF}=\overline{BE}+\overline{DF}$

04 길잡이 △ABC가 직각삼각형이고, 직각삼각형의 빗변의 중점은 직각삼각형의 외심임을 이용하여 각의 크기를 구해 본다.

오른쪽 그림과 같이 $\overline{BC}$의 중점을 M이라 하면 점 M은 △ABC의 외심이므로

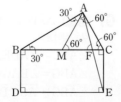

$\overline{MA}=\overline{MB}=\overline{MC}$

△ABM에서

$\angle MAB=\angle MBA=30°$이므로

$\angle AMC=30°+30°=60°$

이때 $\overline{MA}=\overline{MC}$이므로

$\angle ACM=\angle CAM$
$=\dfrac{1}{2}\times(180°-60°)=60°$

즉, △AMC는 정삼각형이므로 $\overline{MA}=\overline{MC}=\overline{AC}$

또 $\overline{BC}=2\overline{CE}$이고, $\overline{BC}=2\overline{MC}=2\overline{AC}$이므로

$\overline{AC}=\overline{CE}$

즉, △AEC는 이등변삼각형이고,

$\angle ACE=60°+90°=150°$이므로

$\angle CAE=\dfrac{1}{2}\times(180°-150°)=15°$

따라서 △AFC에서

$\angle AFB=\angle CAF+\angle ACF=15°+60°=75°$

05 길잡이 △ABC를 삼각형과 사각형으로 나눈 다음 각 도형의 넓이를 원의 반지름의 길이를 이용하여 나타내어 본다.

오른쪽 그림과 같이 세 원 중 두 원의 중심을 O, O'이라 하고 반지름의 길이를 r라 하면

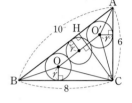

$\triangle OBC=\dfrac{1}{2}\times8\times r=4r$ … ㉠

$\triangle O'CA=\dfrac{1}{2}\times6\times r=3r$ … ㉡

(사각형 O'ABO의 넓이)$=\dfrac{1}{2}\times(4r+10)\times r$
$=2r^2+5r$ … ㉢

이때 꼭짓점 C에서 $\overline{AB}$에 내린 수선의 발을 H라 하면

$\triangle ABC=\dfrac{1}{2}\times\overline{BC}\times\overline{AC}=\dfrac{1}{2}\times\overline{AB}\times\overline{CH}$이므로

$\dfrac{1}{2}\times8\times6=\dfrac{1}{2}\times10\times\overline{CH}$, $24=5\overline{CH}$ $\therefore \overline{CH}=\dfrac{24}{5}$

$\triangle CO'O=\dfrac{1}{2}\times4r\times\left(\dfrac{24}{5}-r\right)=\dfrac{48}{5}r-2r^2$ … ㉣

㉠, ㉡, ㉢, ㉣에 의해 △ABC의 넓이는

$4r+3r+(2r^2+5r)+\left(\dfrac{48}{5}r-2r^2\right)=\dfrac{108}{5}r$

이때 △ABC의 넓이는 24이므로

$\dfrac{108}{5}r=24$ $\therefore r=\dfrac{10}{9}$

따라서 구하는 반지름의 길이는 $\dfrac{10}{9}$이다.

06 길잡이 삼각형의 내심의 성질을 이용하여 크기가 같은 각을 찾아본다.

외접원 O의 둘레의 길이가 22π이므로

$2\pi\times\overline{OD}=22\pi$ $\therefore \overline{OD}=11$

오른쪽 그림에서 점 I는 △ABC의 내심이므로

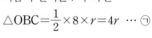
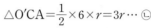

$\angle BAI=\angle CAI=\angle CBD$,

$\angle ABI=\angle IBC$

△ABI에서

$\angle BID=\angle BAI+\angle ABI$

$\therefore \angle IBD=\angle IBC+\angle CBD$
$=\angle ABI+\angle BAI$
$=\angle BID$

따라서 △BDI는 $\overline{DB}=\overline{DI}$인 이등변삼각형이므로

$\overline{BD}=\overline{DI}=\overline{OD}-\overline{OI}=11-3=8$

2. 사각형의 성질

P. 22~25 개념+ ^{대표} 문제 확인하기

1 ④	2 3cm	3 32°	4 ③	5 ⑤
6 ②, ④	7 ④	8 28 cm²	9 8 cm²	10 23 cm²
11 38°	12 ⑤	13 ③	14 20 cm	15 18 cm²
16 ⑤	17 16 cm²	18 ①	19 ④	

1 $\overline{AD} /\!/ \overline{BC}$이므로 ∠ADB=∠DBC=35° (엇각)
$\overline{AB} /\!/ \overline{DC}$이므로 ∠BAC=∠ACD=∠$y$ (엇각)
따라서 △ABD에서
∠x+(∠y+40°)+35°=180°
∴ ∠x+∠y=105°

2 $\overline{AD} /\!/ \overline{BC}$이므로 ∠BEA=∠DAE (엇각)
△BEA에서 ∠BEA=∠BAE이므로
$\overline{BE}=\overline{BA}$=5 cm
이때 $\overline{BC}=\overline{AD}$=7 cm이므로
$\overline{CE}=\overline{BC}-\overline{BE}$=7-5=2(cm)
또 $\overline{AD} /\!/ \overline{BC}$이므로 ∠CFD=∠ADF (엇각)
△CFD에서 ∠CFD=∠CDF이므로
$\overline{CF}=\overline{CD}$=5 cm
∴ $\overline{EF}=\overline{CF}-\overline{CE}$=5-2=3(cm)

3 ∠D=∠B=64°이므로
△ACD에서 2∠DAE+52°+64°=180°
2∠DAE=64° ∴ ∠DAE=32°
따라서 $\overline{AD} /\!/ \overline{BE}$이므로
∠AEC=∠DAE=32° (엇각)

4 ∠DAB+∠ABP=180°이고,
∠DAB : ∠ABP=5 : 4이므로
∠ABP=180°×$\frac{4}{9}$=80°
△BPA는 $\overline{AB}=\overline{BP}$인 이등변삼각형이므로
∠x=$\frac{1}{2}$×(180°-80°)=50°

5 △AOE와 △COF에서
∠EAO=∠FCO (엇각), $\overline{OA}=\overline{OC}$,
∠AOE=∠COF (맞꼭지각)이므로
△AOE≡△COF (ASA 합동)
∴ $\overline{AE}=\overline{CF}$(①), $\overline{OE}=\overline{OF}$(③), ∠AEO=∠CFO
△BOE와 △DOF에서
∠EBO=∠FDO (엇각), $\overline{OB}=\overline{OD}$,
∠BOE=∠DOF (맞꼭지각)이므로
△BOE≡△DOF (ASA 합동) (④)
∴ $\overline{BE}=\overline{DF}$(②), ∠OEB=∠OFD
따라서 옳지 않은 것은 ⑤이다.

6 ① 오른쪽 그림의 사각형은 주어진
조건을 만족시키지만 □ABCD
는 평행사변형이 아니다.
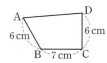

② ∠C=360°-(110°+70°+70°)=110°이므로
∠A=∠C, ∠B=∠D
따라서 두 쌍의 대각의 크기가 각각 같으므로 □ABCD
는 평행사변형이다.

③ $\overline{OA}\neq\overline{OC}$, $\overline{OB}\neq\overline{OD}$이므로 □ABCD는 평행사변형이
아니다.

④ ∠A+∠B=80°+100°=180°에서 $\overline{AD} /\!/ \overline{BC}$이고,
$\overline{AD}=\overline{BC}$=5 cm
따라서 한 쌍의 대변이 평행하고 그 길이가 같으므로
□ABCD는 평행사변형이다.

⑤ 오른쪽 그림의 사각형은 주어진 조건을
만족시키지만 □ABCD는 평행사변형
이 아니다.

따라서 □ABCD가 평행사변형인 것은 ②, ④이다.

7 △ABE와 △CDF에서
$\overline{AB}=\overline{CD}$, ∠ABE=∠CDF (엇각)(①), $\overline{BE}=\overline{DF}$이므로
△ABE≡△CDF (SAS 합동)(②)
∴ $\overline{AE}=\overline{CF}$(③)
오른쪽 그림과 같이 $\overline{AC}$를 그어 $\overline{BD}$
와 만나는 점을 O라 하면 □ABCD
는 평행사변형이므로
$\overline{OA}=\overline{OC}$, $\overline{OB}=\overline{OD}$
즉, □AECF에서
$\overline{OA}=\overline{OC}$, $\overline{OE}=\overline{OB}-\overline{BE}=\overline{OD}-\overline{DF}=\overline{OF}$
이므로 □AECF는 평행사변형이다. (⑤)
따라서 옳지 않은 것은 ④이다.

8 △AOF와 △COE에서
∠FAO=∠ECO (엇각), $\overline{AO}=\overline{CO}$,
∠AOF=∠COE (맞꼭지각)이므로
△AOF≡△COE (ASA 합동)
∴ △AOF+△BEO=△COE+△BEO
=△OBC=7(cm²)
이때 □ABCD는 평행사변형이므로
□ABCD=4△OBC=4×7=28(cm²)

9 $\overline{AD}=\overline{BC}$이므로
$\overline{AM}=\overline{MD}=\overline{BN}=\overline{NC}$
오른쪽 그림과 같이 $\overline{MN}$을 그으면
□ABNM, □MNCD가 평행사변형
이므로
△MPN=$\frac{1}{4}$□ABNM=$\frac{1}{4}$×$\frac{1}{2}$□ABCD
=$\frac{1}{8}$□ABCD

$$\triangle MQN = \frac{1}{4}\square MNCD = \frac{1}{4} \times \frac{1}{2}\square ABCD$$
$$= \frac{1}{8}\square ABCD$$
$$\therefore \square PNQM = \triangle MPN + \triangle MQN$$
$$= \frac{1}{8}\square ABCD + \frac{1}{8}\square ABCD$$
$$= \frac{1}{4}\square ABCD = \frac{1}{4} \times 32 = 8(\text{cm}^2)$$

10 $\triangle PAD + \triangle PBC = \frac{1}{2}\square ABCD$이므로

$18 + \triangle PBC = \frac{1}{2} \times 82$

$\therefore \triangle PBC = 41 - 18 = 23(\text{cm}^2)$

11 $\overline{AD} /\!/ \overline{BC}$이므로 $\angle ACB = \angle DAC = 52°$(엇각)
$\triangle OBC$에서 $\angle BOC = 180° - (38° + 52°) = 90°$
즉, 평행사변형 ABCD가 $\overline{AC} \perp \overline{BD}$이므로 마름모이다.
따라서 $\triangle BCD$에서 $\overline{BC} = \overline{CD}$이므로
$\angle BDC = \angle DBC = 38°$

12 $\square ABCD$가 등변사다리꼴이므로
$\angle B = \angle C$, $\overline{AB} = \overline{DC}$, $\overline{AC} = \overline{BD}$ (①)
$\overline{AD} /\!/ \overline{BC}$이고, $\angle ABC = \angle DCB$이므로
$\angle BAD = 180° - \angle ABC = 180° - \angle DCB = \angle ADC$ (③)
$\triangle ABC$와 $\triangle DCB$에서
$\overline{AB} = \overline{DC}$, $\angle ABC = \angle DCB$, $\overline{BC}$는 공통이므로
$\triangle ABC \equiv \triangle DCB$ (SAS 합동) (④)
즉, $\angle OBC = \angle OCB$이므로 $\overline{OB} = \overline{OC}$ (②)
따라서 옳지 않은 것은 ⑤이다.

13 $\angle A + \angle D = 180°$이므로 $\angle FAD + \angle FDA = 90°$
$\triangle AFD$에서 $\angle AFD = 180° - 90° = 90°$
같은 방법으로 하면 $\angle HEF = \angle FGH = \angle EHG = 90°$
따라서 $\square EFGH$는 직사각형이다.

14 사각형의 각 변의 중점을 연결하여 만든 사각형은 평행사변형이므로 $\square EFGH$는 평행사변형이다.
따라서 $\overline{HG} = \overline{EF} = 4\,\text{cm}$, $\overline{FG} = \overline{EH} = 6\,\text{cm}$이므로
$(\square EFGH$의 둘레의 길이$) = \overline{EF} + \overline{FG} + \overline{GH} + \overline{HE}$
$= 4 + 6 + 4 + 6 = 20(\text{cm})$

15 $\overline{AB} /\!/ \overline{DC}$이므로 $\triangle ACD = \triangle BCD$이고
$\triangle BCD = \triangle DBE - \triangle DCE = 24 - 6 = 18(\text{cm}^2)$
$\therefore \triangle ACD = \triangle BCD = 18(\text{cm}^2)$

16 $\overline{AB} /\!/ \overline{DC}$이므로 $\triangle BCQ = \triangle ACQ$
$\overline{AC} /\!/ \overline{PQ}$이므로 $\triangle ACQ = \triangle ACP$
$\overline{AD} /\!/ \overline{BC}$이므로 $\triangle ACP = \triangle ABP$
$\therefore \triangle BCQ = \triangle ACQ = \triangle ACP = \triangle ABP$
따라서 넓이가 나머지 넷과 다른 삼각형은 ⑤이다.

17 $\overline{AC} /\!/ \overline{DE}$이므로 $\triangle ACD = \triangle ACE$
$\square ABCD = \triangle ABC + \triangle ACD$
$= \triangle ABC + \triangle ACE$
$= \triangle ABE = 40(\text{cm}^2)$
이때 $\overline{BC} : \overline{CE} = 3 : 2$이므로
$\triangle ACD = \triangle ACE = \frac{2}{5}\triangle ABE = \frac{2}{5} \times 40 = 16(\text{cm}^2)$

18 $\overline{BM} = \overline{CM}$이므로 $\triangle ABM = \triangle ACM$
$\therefore \triangle ABM = \frac{1}{2}\triangle ABC = \frac{1}{2} \times 36 = 18(\text{cm}^2)$
$\overline{AP} : \overline{PM} = 1 : 2$이므로 $\triangle ABP : \triangle PBM = 1 : 2$
$\therefore \triangle PBM = \frac{2}{3}\triangle ABM = \frac{2}{3} \times 18 = 12(\text{cm}^2)$

19 $\overline{AD} /\!/ \overline{BC}$이므로 $\triangle ABD = \triangle ACD = 30\,\text{cm}^2$
$\triangle ABO : \triangle AOD = \overline{OB} : \overline{OD} = 3 : 2$이므로
$\triangle AOD = \frac{2}{5}\triangle ABD = \frac{2}{5} \times 30 = 12(\text{cm}^2)$
이때 $\triangle OCD = \triangle ACD - \triangle AOD = 30 - 12 = 18(\text{cm}^2)$이고,
$\triangle OBC : \triangle OCD = \overline{OB} : \overline{OD} = 3 : 2$이므로
$\triangle OBC : 18 = 3 : 2$, $2\triangle OBC = 54$
$\therefore \triangle OBC = 27(\text{cm}^2)$
$\therefore \square ABCD = \triangle ABD + \triangle OBC + \triangle OCD$
$= 30 + 27 + 18 = 75(\text{cm}^2)$

P. 26~31 **내신 5% 따라잡기**

1 ④	**2** 3 cm	**3** ③	**4** 132°	**5** 20
6 7	**7** 4 cm	**8** ③	**9** 평행사변형	
10 ②	**11** 5	**12** 6초 후	**13** ④	**14** 16 cm²
15 14 cm²	**16** 135°	**17** 8	**18** 50°	
19 $\frac{144}{5}$ cm		**20** 80°	**21** ③	**22** 50°
23 71°	**24** ③	**25** 3	**26** ⑤	**27** 24
28 ⑤	**29** $\frac{3}{2}\pi$ cm²		**30** 10 cm²	
31 ④	**32** 120 cm²		**33** 15	**34** ③
35 5	**36** ㄱ, ㄴ, ㄹ		**37** 4 cm²	
38 풀이 참조				

1 오른쪽 그림에서 점 M은 $\overline{AD}$의 중점이고 $\overline{BC} = 2\overline{AB}$이므로 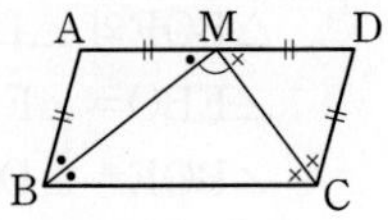
$\overline{AB} = \overline{AM} = \overline{DM} = \overline{DC}$
즉, $\triangle ABM$과 $\triangle CDM$은 모두 이등변삼각형이므로
$\angle ABM = \angle AMB$, $\angle DCM = \angle DMC$ ...... ㉠

또 $\overline{AD} /\!/ \overline{BC}$이므로

$\angle AMB = \angle MBC$ (엇각), $\angle DMC = \angle MCB$ (엇각) $\cdots$ ㉡

㉠, ㉡에 의해

$\angle ABM = \angle MBC$, $\angle DCM = \angle MCB$이고,

$\angle B + \angle C = 180°$이므로

$2\angle MBC + 2\angle MCB = 180°$ $\quad \therefore \angle MBC + \angle MCB = 90°$

따라서 △MBC에서

$\angle BMC = 180° - (\angle MBC + \angle MCB) = 180° - 90° = 90°$

2 오른쪽 그림과 같이 $\overline{BA}$의 연장선 과 $\overline{CE}$의 연장선의 교점을 F라 하 면 △BCF는 꼭지각의 이등분선 이 밑변과 수직이므로 이등변삼각 형이다.

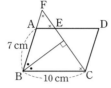

즉, $\overline{BF} = \overline{BC} = 10 \text{ cm}$이고

$\angle BFC = \angle BCF$ $\cdots$ ㉠

또 $\overline{AD} /\!/ \overline{BC}$이므로 $\angle BCE = \angle AEF$ (동위각) $\cdots$ ㉡

㉠, ㉡에 의해 $\angle AFE = \angle AEF$이므로 $\overline{AE} = \overline{AF}$

$\therefore \overline{AE} = \overline{AF} = \overline{BF} - \overline{AB} = 10 - 7 = 3 \text{(cm)}$

3 $\overline{AD} /\!/ \overline{BC}$이므로 $\angle BEA = \angle DAE$ (엇각)

즉, △BEA에서 $\angle BAE = \angle BEA$이므로

$\overline{BE} = \overline{BA} = 15 \text{ cm}$

이때 $\overline{BE} : \overline{EC} = 3 : 2$이므로 $15 : \overline{EC} = 3 : 2$

$3\overline{EC} = 30$ $\quad \therefore \overline{EC} = 10 \text{(cm)}$

또 $\overline{AB} /\!/ \overline{DF}$이므로

$\angle AFD = \angle FAB$ (엇각), $\angle CEF = \angle BEA$ (맞꼭지각)

따라서 △CEF에서 $\angle CEF = \angle CFE$이므로

$\overline{CF} = \overline{EC} = 10 \text{ cm}$

4 $\angle AFB = 180° - 138° = 42°$

$\overline{AD} /\!/ \overline{BC}$이므로 $\angle FBE = \angle AFB = 42°$ (엇각)

$\therefore \angle ABE = 2\angle FBE = 2 \times 42° = 84°$

이때 $\angle BAD + \angle ABE = 180°$이므로

$\angle BAD = 180° - 84° = 96°$

$\therefore \angle BAE = \dfrac{1}{2} \times 96° = 48°$

따라서 △ABE에서

$\angle x = \angle ABE + \angle BAE = 84° + 48° = 132°$

5 오른쪽 그림과 같이 $\overline{DE}$와 $\overline{BC}$가 만 나는 점을 F라 하면

$\overline{AE} /\!/ \overline{DC}$이므로

$\angle BEF = \angle FDC$ (엇각)

△BED에서

$\angle BED = \angle BDE$이므로

$\overline{BD} = \overline{BE}$

이때 □ABCD는 평행사변형이므로

$\overline{BE} = \overline{BD} = 2\overline{OD} = 2 \times 10 = 20$

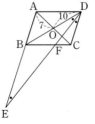

6 △AED에서 $\overline{AD} = \overline{AE}$이므로 $\angle ADE = \angle AED$ $\cdots$ ㉠

$\overline{AB} /\!/ \overline{DC}$이므로 $\angle EAB = \angle AED$ (엇각) $\cdots$ ㉡

□ABCD가 평행사변형이므로 $\angle ADE = \angle CBA$ $\cdots$ ㉢

㉠, ㉡, ㉢에 의해

$\angle EAB = \angle CBA$

이때 △EAB와 △CBA에서

$\overline{BC} = \overline{AD} = \overline{AE}$, $\angle EAB = \angle CBA$, $\overline{AB}$는 공통이므로

△EAB ≡ △CBA (SAS 합동)

$\therefore \overline{BE} = \overline{AC} = 7$

7 오른쪽 그림에서 △FEC는

$\overline{FE} = \overline{FC}$인 이등변삼각형이므로

$\angle E = \angle C$ $\cdots$ ㉠

$\overline{AB} /\!/ \overline{DC}$이므로

$\angle ABE = \angle C$ (동위각) $\cdots$ ㉡

㉠, ㉡에 의해 $\angle E = \angle ABE$

따라서 △AEB에서 $\overline{AE} = \overline{AB}$이고 $\overline{AB} = \overline{CD} = 6 \text{ cm}$이므로

$\overline{AE} = \overline{AB} = 6 \text{ cm}$

$\therefore \overline{AF} = \overline{EF} - \overline{AE} = 10 - 6 = 4 \text{(cm)}$

8 ㄱ. $\angle A + \angle B = 180°$이면 $\overline{AD} /\!/ \overline{BC}$

$\angle A + \angle D = 180°$이면 $\overline{AB} /\!/ \overline{DC}$

따라서 두 쌍의 대변이 각각 평행하므로 □ABCD는 평행사변형이다.

ㄴ. $\angle C + \angle D = 180°$이면 $\overline{AD} /\!/ \overline{BC}$

오른쪽 그림에서 $\overline{AD} /\!/ \overline{BC}$,

$\overline{AB} = \overline{CD}$이지만 □ABCD는 평행 사변형이 아니다.

ㄷ. 삼각형의 세 내각의 크기의 합은

180°이므로 △ABD와 △CDB에

서 $\angle A = \angle C$,

$\angle ADB = \angle CBD$이면

$\angle ABD = \angle CDB$ $\quad \therefore \angle B = \angle D$

따라서 두 쌍의 대각의 크기가 각각 같으므로 □ABCD 는 평행사변형이다.

ㄹ. △ABC ≡ △CDA이므로

$\angle BAC = \angle DCA$ (엇각)에서

$\overline{AB} /\!/ \overline{DC}$

$\angle ACB = \angle CAD$ (엇각)에서

$\overline{AD} /\!/ \overline{BC}$

따라서 두 쌍의 대변이 각각 평행하므로 □ABCD는 평행사변형이다.

ㅁ. 오른쪽 그림에서 $\overline{AC} = \overline{BD}$,

$\overline{AC} \perp \overline{BD}$이지만 □ABCD는 평행 사변형이 아니다.

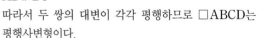

따라서 보기 중 □ABCD가 평행사변형인 것은 ㄱ, ㄷ, ㄹ 이다.

9 평행사변형의 두 대각선은 서로 다른 것을 이등분하므로 $\overline{BD}$를 대각선으로 하는 두 평행사변형 ABCD와 BEDF의 두 대각선의 교점은 일치한다.

오른쪽 그림과 같이 $\overline{AC}$, $\overline{EF}$를 긋고 $\overline{AC}$, $\overline{BD}$, $\overline{EF}$의 교점을 O라 하면 $\overline{OA}=\overline{OC}$, $\overline{OE}=\overline{OF}$

따라서 □AECF는 두 대각선이 서로 다른 것을 이등분하므로 평행사변형이다.

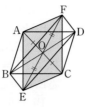

10 오른쪽 그림과 같이 밑변이 $\overline{BC}$ 일 때, 평행사변형 ABCD의 높이를 h cm라 하면
□ABCD$=8 \times h=40$ (cm²)
$\therefore h=5$
$\overline{AD} /\!/ \overline{BC}$이므로 $\angle AEB=\angle EBF$ (엇각)이고
△ABE에서 $\angle ABE=\angle AEB$
즉, $\overline{AE}=\overline{AB}=6$ cm이므로
$\overline{ED}=\overline{AD}-\overline{AE}=8-6=2$ (cm)
또 $\overline{AD} /\!/ \overline{BC}$이므로 $\angle CFD=\angle EDF$ (엇각)이고
△CDF에서 $\angle CDF=\angle CFD$
즉, $\overline{CF}=\overline{CD}=6$ cm이므로
$\overline{BF}=\overline{BC}-\overline{FC}=8-6=2$ (cm)
따라서 $\overline{ED}=\overline{BF}$, $\overline{ED} /\!/ \overline{BF}$이므로 □EBFD는 평행사변형이다.
$\therefore$ □EBFD$=\overline{BF} \times h=2 \times 5=10$ (cm²)

11 □ABCD는 평행사변형이므로 $\overline{DO}=\overline{BO}$
□OECD는 평행사변형이므로 $\overline{DO}=\overline{EC}$
즉, $\overline{BO}=\overline{EC}$이고, $\overline{OD} /\!/ \overline{EC}$에서 $\overline{BO} /\!/ \overline{EC}$이므로
$\overline{BE}$를 그으면 □BECO는 평행사변형이다.
이때 $\overline{CF}=\overline{BF}$, $\overline{OF}=\overline{EF}$이므로
$\overline{CF}=\dfrac{1}{2}\overline{BC}=\dfrac{1}{2}\overline{AD}=\dfrac{1}{2} \times 6=3$
$\overline{OF}=\dfrac{1}{2}\overline{OE}=\dfrac{1}{2}\overline{DC}=\dfrac{1}{2}\overline{AB}=\dfrac{1}{2} \times 4=2$
$\therefore \overline{CF}+\overline{OF}=3+2=5$

12 점 P가 점 A를 출발하여 x초 동안 움직이면 점 Q는 $(x-3)$초 동안 움직이므로
점 P가 움직인 거리는 $\overline{AP}=2x$ cm
점 Q가 움직인 거리는 $\overline{BQ}=4(x-3)$ cm
$\overline{AD} /\!/ \overline{BC}$에서 $\overline{AP} /\!/ \overline{QC}$이므로 □AQCP가 평행사변형이 되려면 $\overline{AP}=\overline{QC}$이어야 한다.
즉, $\overline{QC}=\overline{BC}-\overline{BQ}$이므로
$\overline{AP}=\overline{BC}-\overline{BQ}$에서
$2x=24-4(x-3)$, $6x=36$ $\therefore x=6$
따라서 점 P가 점 A를 출발한 지 6초 후에 □AQCP가 평행사변형이 된다.

13 △ABC와 △FEC에서
$\overline{BC}=\overline{EC}$, $\overline{AC}=\overline{FC}$
$\angle BCA=\angle BCE-\angle ACE=60°-\angle ACE$
$=\angle ACF-\angle ACE=\angle ECF$
이므로 △ABC≡△FEC (SAS 합동) … ①
$\therefore \overline{AB}=\overline{EF}$ (ㄴ)
또 △ABC와 △DBE에서
$\overline{AB}=\overline{DB}$, $\overline{BC}=\overline{BE}$
$\angle ABC=\angle EBC-\angle EBA=60°-\angle EBA$
$=\angle DBA-\angle EBA=\angle DBE$
이므로 △ABC≡△DBE (SAS 합동) … ②
$\therefore \angle BAC=\angle BDE \neq \angle BED$ (ㄹ)
①, ②에 의해
△ABC≡△FEC≡△DBE이므로
△DBE≡△FEC (ㄱ)
또 ①에서 △ABC≡△FEC이므로
$\overline{AB}=\overline{FE}$ $\therefore \overline{DA}=\overline{EF}$ … ③
②에서 △ABC≡△DBE이므로
$\overline{AC}=\overline{DE}$ $\therefore \overline{DE}=\overline{AF}$ … ④
③, ④에 의해 □AFED는 평행사변형이다. (ㄷ)
따라서 보기 중 옳은 것은 ㄱ, ㄴ, ㄷ이다.

14 □ABCD가 평행사변형이므로 $\overline{AE} /\!/ \overline{CF}$이고, $\overline{AB}=\overline{CD}$에서 $\overline{AE}=\overline{CF}$이므로 □AECF는 평행사변형이다.
오른쪽 그림과 같이 $\overline{AC}$와 $\overline{BD}$의 교점을 O라 하면
△AOH와 △COG에서
$\angle OAH=\angle OCG$ (엇각),
$\overline{OA}=\overline{OC}$, $\angle AOH=\angle COG$ (맞꼭지각)이므로
△AOH≡△COG (ASA 합동)
$\therefore △AOH=△COG$
$\therefore$ □AEGH$=$□AEGO$+△AOH$
$=$□AEGO$+△COG$
$=△AEC$
$=\dfrac{1}{4}$□ABCD
$=\dfrac{1}{4} \times 64=16$ (cm²)

15 $\overline{AD} /\!/ \overline{EG} /\!/ \overline{BC}$이고 $\overline{AB} /\!/ \overline{HF} /\!/ \overline{DC}$이므로 □AEPH, □EBFP, □PFCG, □HPGD는 모두 평행사변형이다. 즉,
$△APH=\dfrac{1}{2}$□AEPH, $△EBP=\dfrac{1}{2}$□EBFP
$△PFC=\dfrac{1}{2}$□PFCG, $△DPG=\dfrac{1}{2}$□HPGD
$\therefore$ (색칠한 부분의 넓이)
$=△APH+△EBP+△PFC+△DPG$
$=\dfrac{1}{2}($□AEPH$+$□EBFP$+$□PFCG$+$□HPGD$)$
$=\dfrac{1}{2}$□ABCD$=\dfrac{1}{2} \times 28=14$ (cm²)

16 $\overline{BE}=\dfrac{1}{2}\overline{EC}$에서 $\overline{BE}:\overline{EC}=1:2$

$\overline{BE}=k$, $\overline{EC}=2k\,(k>0)$라 하면

$\overline{AB}:\overline{BC}=2:3$이므로 $\overline{AB}=2k$

점 F는 $\overline{DC}$의 중점이므로 $\overline{CF}=\overline{DF}=k$

오른쪽 그림과 같이 $\overline{AE}$를 그으면

$\triangle ABE$와 $\triangle ECF$에서

$\overline{AB}=\overline{EC}$,

$\angle ABE=\angle ECF=90°$,

$\overline{BE}=\overline{CF}$이므로

$\triangle ABE\equiv\triangle ECF$ (SAS 합동)

즉, $\overline{AE}=\overline{EF}$이므로 $\triangle AEF$는 이등변삼각형이다.

$\therefore \angle EAF=\angle EFA$

또 $\angle CEF=\angle BAE$이므로

$\angle CEF+\angle BEA=\angle BAE+\angle BEA=180°-90°=90°$

$\therefore \angle AEF=180°-(\angle CEF+\angle BEA)=90°$

따라서 $\angle EFA=\angle EAF=\dfrac{1}{2}\times(180°-90°)=45°$이므로

$\angle AFD+\angle CFE=180°-45°=135°$

17 $\triangle BEF$에서 $\overline{BE}=\overline{BF}$이므로 $\angle BEF=\angle BFE$ $\cdots$ ㉠

$\angle BFE=\angle CFD$ (맞꼭지각) $\cdots$ ㉡

$\overline{AB}\,/\!/\,\overline{DC}$이므로 $\angle BEF=\angle FCD$ $\cdots$ ㉢

㉠, ㉡, ㉢에 의해 $\angle CFD=\angle FCD$

즉, $\triangle DFC$는 이등변삼각형이므로 $\overline{DF}=\overline{DC}=\overline{BC}=10$

따라서 $\overline{BD}=\overline{BF}+\overline{DF}=6+10=16$이므로

$\overline{OD}=\overline{OB}=\dfrac{1}{2}\overline{BD}=\dfrac{1}{2}\times16=8$

18 $\triangle ABE$와 $\triangle ADF$에서

$\angle AEB=\angle AFD=90°$, $\overline{AB}=\overline{AD}$, $\angle B=\angle D$이므로

$\triangle ABE\equiv\triangle ADF$ (RHA 합동)

즉, $\overline{AE}=\overline{AF}$이므로 $\angle AEF=\angle AFE$

$\square ABCD$가 마름모이고 $\angle B=80°$이므로

$\angle BAD=180°-80°=100°$

$\triangle ABE$와 $\triangle ADF$에서

$\angle BAE=\angle DAF=180°-(80°+90°)=10°$이므로

$\angle EAF=100°-(10°+10°)=80°$

이때 $\triangle AEF$에서 $\angle AEF=\angle AFE$이므로

$\angle AFE=\dfrac{1}{2}\times(180°-80°)=50°$

19

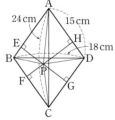

위의 그림과 같이 $\overline{AP}$, $\overline{BP}$, $\overline{CP}$, $\overline{DP}$를 그으면

$\square ABCD=\triangle PAB+\triangle PBC+\triangle PCD+\triangle PDA$이므로

$\dfrac{1}{2}\times24\times18=\dfrac{1}{2}\times15\times\overline{PE}+\dfrac{1}{2}\times15\times\overline{PF}$

$\qquad\qquad\qquad+\dfrac{1}{2}\times15\times\overline{PG}+\dfrac{1}{2}\times15\times\overline{PH}$

$216=\dfrac{1}{2}\times15\times(\overline{PE}+\overline{PF}+\overline{PG}+\overline{PH})$

$\therefore \overline{PE}+\overline{PF}+\overline{PG}+\overline{PH}=\dfrac{144}{5}\,(\text{cm})$

20 $\triangle ABE$에서 $\overline{AB}=\overline{AE}$이므로

$\angle AEB=\angle ABE=35°$

$\therefore \angle EAB=180°-(35°+35°)=110°$

이때 $\angle DAB=90°$이므로

$\angle EAD=110°-90°=20°$

$\triangle ADE$에서 $\overline{AD}=\overline{AE}$이므로

$\angle EDF=\angle ADE=\dfrac{1}{2}\times(180°-20°)=80°$

21 $\triangle PBC$가 정삼각형이므로

$\angle PBC=\angle PCB=60°$

$\therefore \angle ABP=\angle DCP=90°-60°=30°$

$\triangle ABP$에서 $\overline{BA}=\overline{BP}$이므로

$\angle BPA=\dfrac{1}{2}\times(180°-30°)=75°$

$\triangle DCP$에서 $\overline{CP}=\overline{CD}$이므로

$\angle CPD=\dfrac{1}{2}\times(180°-30°)=75°$

또 $\angle BPC=60°$이므로

$\angle APD=360°-(75°+60°+75°)=150°$

22 $\triangle ADE$와 $\triangle CDE$에서

$\overline{AD}=\overline{CD}$, $\angle ADE=\angle CDE=45°$, $\overline{DE}$는 공통이므로

$\triangle ADE\equiv\triangle CDE$ (SAS 합동)

$\therefore \angle DAE=\angle DCE$ $\cdots$ ㉠

$\overline{AD}\,/\!/\,\overline{BF}$이므로

$\angle DAE=\angle AFC=40°$ (엇각) $\cdots$ ㉡

㉠, ㉡에 의해 $\angle DCE=\angle DAE=40°$

$\therefore \angle BCE=90°-\angle DCE=90°-40°=50°$

23 오른쪽 그림과 같이 $\overline{CD}$의 연장선 위에

$\overline{BE}=\overline{DG}$가 되도록 점 G를 잡으면

$\triangle ABE$와 $\triangle ADG$에서

$\overline{AB}=\overline{AD}$, $\angle ABE=\angle ADG=90°$,

$\overline{BE}=\overline{DG}$이므로

$\triangle ABE\equiv\triangle ADG$ (SAS 합동)

$\therefore \overline{AE}=\overline{AG}$, $\angle BAE=\angle DAG$

$\triangle AGF$와 $\triangle AEF$에서

$\overline{AG}=\overline{AE}$, $\overline{AF}$는 공통,

$\angle GAF=\angle GAD+\angle DAF=\angle EAB+\angle DAF$

$\qquad\quad=\angle DAB-\angle FAE=90°-45°=45°=\angle EAF$

이므로 $\triangle AGF\equiv\triangle AEF$ (SAS 합동)

$\therefore \angle AFD=\angle AFE=180°-(64°+45°)=71°$

24 오른쪽 그림과 같이 점 A를 지나고 $\overline{DC}$와 평행한 직선을 그어 $\overline{BC}$와 만나는 점을 E라 하면 $\overline{AD} /\!/ \overline{BC}$, $\overline{AE} /\!/ \overline{DC}$이므로 □AECD는 평행사변형이다.

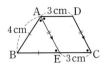

∴ $\overline{EC} = \overline{AD} = 3$ cm ··· ㉠

$\overline{AE} /\!/ \overline{DC}$이므로 ∠DCE = ∠AEB (동위각)

$\overline{AD} /\!/ \overline{BC}$이므로 ∠DAE = ∠AEB (엇각)

∠A = 2∠C이므로 ∠BAE = ∠DAE = ∠AEB

즉, ∠BAE = ∠AEB이므로 △ABE는 이등변삼각형이다.

∴ $\overline{BE} = \overline{AB} = 4$ cm ··· ㉡

㉠, ㉡에 의해

$\overline{BC} = \overline{BE} + \overline{EC} = 4 + 3 = 7$ (cm)

25 □ABCD가 평행사변형이므로 ∠A = ∠C, ∠B = ∠D

∠A + ∠D = 180°이므로 ∠FAD + ∠FDA = 90°

△AFD에서 ∠AFD = 180° − 90° = 90°

같은 방법으로 하면 ∠BHC = ∠DGC = ∠AEB = 90°

따라서 □EFGH는 직사각형이다.

∴ $\overline{EG} = \overline{FH}$

이때 $\overline{EG} + \overline{FH} = 12$에서 $2\overline{EG} = 12$

∴ $\overline{EG} = 6$

∴ $\overline{EO} = \dfrac{1}{2}\overline{EG} = \dfrac{1}{2} \times 6 = 3$

26 △ABH와 △DFH에서

∠BAH = ∠FDH (엇각), $\overline{AB} = \overline{DF}$,

∠ABH = ∠DFH (엇각)이므로

△ABH ≡ △DFH (ASA 합동)

∴ $\overline{AH} = \overline{DH}$

같은 방법으로 하면 △ABG ≡ △ECG (ASA 합동)이므로

$\overline{BG} = \overline{CG}$

이때 $\overline{BC} = 2\overline{AB}$이므로

$\overline{AB} = \overline{AH} = \overline{BG} = \overline{GH}$ (①)

즉, □ABGH는 마름모이므로

$\overline{AB} /\!/ \overline{HG}$ (③), $\overline{AG} \perp \overline{BH}$ (②)

△FPE에서 ∠FPE = 90°이므로

∠PFE + ∠PEF = 180° − 90° = 90° (④)

그런데 □ABGH가 마름모일 때, $\overline{AG} = \overline{BH}$인지는 알 수 없으므로 옳지 않은 것은 ⑤이다.

27 $\overline{AB} /\!/ \overline{DC}$, $\overline{AD} /\!/ \overline{BC}$이므로 □ABCD는 평행사변형이다.

오른쪽 그림과 같이 □ABCD의 네 변과 원 O의 접점을 각각 E, F, G, H라 하고 $\overline{OE}$, $\overline{OF}$, $\overline{OG}$, $\overline{OH}$를 그으면

△AOE와 △AOH에서

∠AEO = ∠AHO = 90°,

$\overline{AO}$는 공통, $\overline{OE} = \overline{OH}$이므로

△AOE ≡ △AOH (RHS 합동)

∴ $\overline{AE} = \overline{AH}$ ··· ㉠

△BOE와 △DOH에서

∠BEO = ∠DHO = 90°, $\overline{BO} = \overline{DO}$, $\overline{OE} = \overline{OH}$이므로

△BOE ≡ △DOH (RHS 합동)

∴ $\overline{BE} = \overline{DH}$ ··· ㉡

㉠, ㉡에 의해 $\overline{AB} = \overline{AD}$이고 □ABCD는 평행사변형이므로 □ABCD는 마름모이다.

∴ □ABCD $= \dfrac{1}{2} \times \overline{AC} \times \overline{BD}$

$= \dfrac{1}{2} \times 6 \times 8 = 24$

28 ① 평행사변형의 중점을 연결하여 만든 사각형은 평행사변형이므로 A_1이 평행사변형이면 A_2, A_3도 평행사변형이다.

② A_1이 직사각형이면 A_2는 마름모, A_3은 직사각형, A_4는 마름모이다.

③ 정사각형의 중점을 연결하여 만든 사각형은 정사각형이므로 A_n이 정사각형이면 A_{2n}도 정사각형이다.

④ A_1이 등변사다리꼴이면 A_2는 마름모, A_3은 직사각형, A_4는 마름모, A_5는 직사각형, ···이므로 A_{2n}은 마름모이다.

⑤ 오른쪽 그림과 같이 A_2는 정사각형이지만 A_1은 등변사다리꼴인 경우도 있다. 즉, A_2가 정사각형이라고 해서 A_1이 정사각형인 것은 아니다.

따라서 옳지 않은 것은 ⑤이다.

29 오른쪽 그림과 같이 $\overline{OA}$, $\overline{OB}$를 그으면 $\overline{AB} /\!/ \overline{CD}$이므로

△OAB = △CAB

즉, 색칠한 부분의 넓이는 부채꼴 OAB의 넓이와 같다.

이때 $\overarc{AB}$의 길이가 원 O의 둘레의 길이의 $\dfrac{1}{6}$이므로

∠AOB $= \dfrac{1}{6} \times 360° = 60°$

∴ (색칠한 부분의 넓이) $= \pi \times 3^2 \times \dfrac{60}{360} = \dfrac{3}{2}\pi$ (cm²)

30 오른쪽 그림과 같이 $\overline{AC}$를 그으면 $\overline{AD} /\!/ \overline{CF}$에서

△DCF = △ACF이고,

△ECF는 공통이므로

△DEF = △ACE

이때

△ACE = △ACD − △AED

$= \dfrac{1}{2} \times 10 \times 10 - \dfrac{1}{2} \times 10 \times 8$

$= 50 - 40 = 10$ (cm²)

∴ △DEF = △ACE = 10 (cm²)

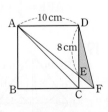

31 오른쪽 그림과 같이 $\overline{BD}$를 그으면
$\overline{AB}/\!/\overline{EC}$에서
$\triangle ABD = \triangle ABE$이고,
$\triangle ABG$는 공통이므로
$\triangle BDG = \triangle AGE$
또 $\overline{AD}/\!/\overline{BC}$에서 $\triangle BDG = \triangle CDG$
$\therefore \triangle AGE = \triangle BDG = \triangle CDG$
따라서 $\triangle AGE$와 넓이가 같은 것은 ④이다.

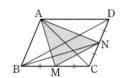

32 오른쪽 그림과 같이 $\overline{CF}$를 그으면
$\overline{AE}:\overline{EC}=1:3$이므로
$\overline{AE}:\overline{AC}=1:4$ $\cdots$ ㉠
$\therefore \triangle AFC = 4\triangle AFE$
$\qquad = 4\times6 = 24\,(\text{cm}^2)$
또 $\overline{BD}:\overline{DC}=1:1$이므로
$\triangle ABD = \triangle ACD,\ \triangle FBD = \triangle FCD$
$\therefore \triangle ABF = \triangle ACF = 24\,(\text{cm}^2)$
$\triangle ABE = \triangle ABF + \triangle AFE = 24+6 = 30\,(\text{cm}^2)$
㉠에 의해 $\triangle ABE : \triangle ABC = 1:4$이므로
$\triangle ABC = 4\triangle ABE = 4\times30 = 120\,(\text{cm}^2)$

33 오른쪽 그림과 같이 $\overline{AC}$, $\overline{BD}$,
$\overline{BN}$을 그으면 $\overline{BC}:\overline{MC}=2:1$이
므로
$\triangle MCN = \dfrac{1}{2}\triangle BCN$
$\qquad = \dfrac{1}{2}\times\dfrac{1}{2}\triangle BCD$
$\qquad = \dfrac{1}{2}\times\dfrac{1}{2}\times\dfrac{1}{2}\square ABCD$
$\qquad = \dfrac{1}{8}\square ABCD = 5$
$\therefore \square ABCD = 5\times8 = 40$
이때 $\overline{CD}:\overline{CN}=2:1$이므로
$\triangle AMN = \triangle AMC + \triangle ANC - \triangle MCN$
$\qquad = \dfrac{1}{2}\triangle ABC + \dfrac{1}{2}\triangle ACD - 5$
$\qquad = \dfrac{1}{2}(\triangle ABC + \triangle ACD) - 5$
$\qquad = \dfrac{1}{2}\square ABCD - 5$
$\qquad = \dfrac{1}{2}\times40 - 5 = 15$

34 오른쪽 그림과 같이 $\overline{BD}$를 그어
$\overline{AC}$와 만나는 점을 O라 하면
$\triangle GOD$와 $\triangle HOB$에서
$\angle GOD = \angle HOB\,(맞꼭지각)$,
$\overline{OD} = \overline{OB}$
이때 $\square ABCD$가 직사각형이므로 $\overline{AB} = \overline{DC}$, $\overline{AB}/\!/\overline{DC}$
두 점 E, F가 각각 $\overline{AB}$, $\overline{DC}$의 중점이므로
$\overline{EB} = \overline{DF}$, $\overline{EB}/\!/\overline{DF}$

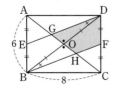

즉, $\square EBFD$는 평행사변형이므로
$\angle ODG = \angle OBH\,(엇각)$
$\therefore \triangle GOD \equiv \triangle HOB\,(\text{ASA 합동})$
$\therefore \square GHFD = \triangle GOD + \square OHFD$
$\qquad = \triangle HOB + \square OHFD$
$\qquad = \triangle BFD = \dfrac{1}{2}\triangle BCD$
$\qquad = \dfrac{1}{2}\times\dfrac{1}{2}\square ABCD = \dfrac{1}{4}\square ABCD$
$\qquad = \dfrac{1}{4}\times\overline{AB}\times\overline{BC}$
$\qquad = \dfrac{1}{4}\times6\times8 = 12$

35 오른쪽 그림과 같이 $\overline{AC}$와 $\overline{BD}$의 교
점을 O라 하면 마름모 ABCD에서
$\overline{OA} = \overline{OC}$이므로
$\triangle ABO = \triangle CBO$,
$\triangle AMO = \triangle CMO$
$\therefore \triangle ABM = \triangle ABO - \triangle AMO$
$\qquad = \triangle CBO - \triangle CMO = \triangle CBM$ $\cdots$ ㉠
또 $\overline{BN} = \overline{CN}$이므로
$\triangle ABN = \triangle ACN,\ \triangle MBN = \triangle MCN$
$\therefore \triangle ABM = \triangle ABN - \triangle MBN$
$\qquad = \triangle ACN - \triangle MCN = \triangle ACM$ $\cdots$ ㉡
㉠, ㉡에 의해 $\triangle ABM = \triangle ACM = \triangle BCM$이므로
$\triangle BCM = \dfrac{1}{3}\triangle ABC = \dfrac{1}{3}\times\dfrac{1}{2}\square ABCD = \dfrac{1}{6}\square ABCD$
$\therefore \triangle CMN = \dfrac{1}{2}\triangle BCM$
$\qquad = \dfrac{1}{2}\times\dfrac{1}{6}\square ABCD = \dfrac{1}{12}\square ABCD$
$\qquad = \dfrac{1}{12}\times\left(\dfrac{1}{2}\times\overline{BD}\times\overline{AC}\right)$
$\qquad = \dfrac{1}{12}\times\left(\dfrac{1}{2}\times12\times10\right) = 5$

36 [길잡이] 평행사변형의 넓이는 한 대각선에 의해 이등분됨을 이용한다.
ㄱ. $\overline{AC}$를 그으면
$\triangle ABC = \triangle CDA$
$\qquad = \dfrac{1}{2}\square ABCD$
ㄴ. $\overline{BD}$를 그으면
$\triangle ABD = \triangle CDB = \dfrac{1}{2}\square ABCD$
ㄹ. 두 대각선의 교점을 O라 하고, 점 O를 지나는 직선이
$\overline{AD}$, $\overline{BC}$와 만나는 점을 각각 P, Q라 하면
$\triangle POD \equiv \triangle QOB\,(\text{ASA 합동})$이므로
$\square PQCD = \square OQCD + \triangle POD$
$\qquad = \square OQCD + \triangle QOB$
$\qquad = \triangle DBC = \dfrac{1}{2}\square ABCD$
따라서 옳은 것은 ㄱ, ㄴ, ㄹ이다.

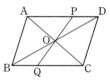

37 【길잡이】 고정한 두 점을 중심으로 두 정사각형을 각각 회전시켜 겹쳐지는 부분을 찾아본다.

세 정사각형이 겹쳐지는 부분의 넓이가 최대가 될 때는 오른쪽 그림과 같다. 즉, 세 정사각형이 모두 겹쳐지는 부분의 최대 넓이는 한 변의 길이가 4 cm인 정사각형과 한 변의 길이가 8 cm인 정사각형이 겹쳐지는 부분의 넓이와 같다.

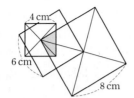

정사각형의 두 대각선은 서로 다른 것을 수직이등분하므로 오른쪽 그림의 △ABC와 △ADE에서

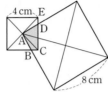

∠ACB=∠AED=45°,
$\overline{AC}=\overline{AE}$,
∠BAC=90°−∠CAD=∠DAE
∴ △ABC≡△ADE (ASA 합동)
∴ (구하는 넓이)=□ABCD
=△ABC+△ACD
=△ADE+△ACD
=△ACE
$=\dfrac{1}{4}\times4\times4=4(\text{cm}^2)$

38 【길잡이】 점 B를 지나고, $\overline{AC}$에 평행한 선분을 그어 평행선과 삼각형의 넓이를 이용한다.

오른쪽 그림과 같이 점 B를 지나고, $\overline{AC}$에 평행한 직선을 그어 두 점 P, Q를 잡으면 $\overline{AC}$∥$\overline{PQ}$이므로
△ABC=△AQC
따라서 새로운 경계선을 $\overline{AQ}$로 하면 두 텃밭의 넓이가 변하지 않는다.

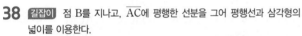

P. 32~33 내신 **1%** 뛰어넘기

01 52°	**02** 80 cm²	**03** 6 cm²	**04** 2 cm
05 6	**06** 2x		

01 【길잡이】 $\overline{AD}$와 $\overline{BM}$의 연장선을 이용하여 △BCM과 합동인 삼각형을 그려 본다.

오른쪽 그림과 같이 $\overline{AD}$와 $\overline{BM}$의 연장선의 교점을 P라 하면
△BCM과 △PDM에서

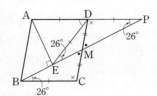

∠MCB=∠MDP (엇각),
$\overline{MC}=\overline{MD}$, ∠CMB=∠DMP (맞꼭지각)이므로
△BCM≡△PDM (ASA 합동)
∴ $\overline{DP}=\overline{BC}=\overline{AD}$

이때 △AEP에서 ∠AEP=90°이므로 △AEP는 직각삼각형이다.
또 $\overline{AP}$는 직각삼각형 AEP의 빗변이고, $\overline{AD}=\overline{DP}$이므로 점 D는 △AEP의 외심이다.
∴ $\overline{AD}=\overline{DP}=\overline{DE}$
$\overline{AP}$∥$\overline{BC}$이므로 ∠APE=∠MBC=26° (엇각)
$\overline{DE}=\overline{DP}$이므로 ∠DEP=∠DPE=26°
따라서 △DEP에서
∠ADE=∠DEP+∠DPE
=26°+26°=52°

02 【길잡이】 사다리꼴 ABCD와 넓이가 같은 평행사변형을 그려 본다.

오른쪽 그림과 같이 점 M을 지나고 $\overline{AB}$와 평행한 직선이 $\overline{BC}$와 만나는 점을 F, $\overline{AD}$의 연장선과 만나는 점을 G라 하면 $\overline{AG}$∥$\overline{BF}$, $\overline{AB}$∥$\overline{GF}$이므로 □ABFG는 평행사변형이다.

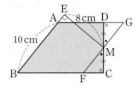

△DMG와 △CMF에서
∠DMG=∠CMF (맞꼭지각),
$\overline{DM}=\overline{CM}$, ∠GDM=∠FCM (엇각)이므로
△DMG≡△CMF (ASA 합동)
따라서 □ABCD의 넓이와 □ABFG의 넓이가 같으므로
□ABCD=□ABFG=$\overline{AB}\times\overline{EM}$
=10×8=80(cm²)

03 【길잡이】 직사각형의 내부의 임의의 한 점 P에 대하여 △ABD와 넓이가 같은 삼각형을 찾아본다.

오른쪽 그림과 같이 대각선 BD와 $\overline{AP}$의 교점을 Q라 하면
△ABD=△APD+△PBC에서
△ABQ+△AQD
=(△AQD+△PDQ)+△PBC
이므로 △ABQ=△PDQ+△PBC
또 △ABQ=△PAB−△PQB이므로
△PDQ+△PBC=△PAB−△PQB
즉, △PQB+△PDQ=△PAB−△PBC
∴ △PDB=△PQB+△PDQ
=△PAB−△PBC
=16−10=6(cm²)

04 【길잡이】 $\overline{AB}$와 $\overline{AD}$의 길이 사이의 관계를 생각해 본다.

정오각형 AD'EFB'에서 $\overline{AD'}=\overline{AB'}$ … ㉠
$\overline{D'B'}=\overline{D'B}$ (접은 변)이고, $\overline{D'B'}=\overline{B'D}$ (접은 변)이므로
$\overline{D'B}=\overline{B'D}$ … ㉡
㉠, ㉡에 의해
$\overline{AB}=\overline{AD'}+\overline{D'B}=\overline{AB'}+\overline{B'D}=\overline{AD}$
즉, □ABCD는 이웃한 두 변의 길이가 같은 평행사변형이므로 마름모이다.

$$\therefore \overline{AB}=\frac{1}{4}\times(\square ABCD의\ 둘레의\ 길이)$$
$$=\frac{1}{4}\times 8=2(cm)$$

05 길잡이 □ABCD를 점 B를 중심으로 시계 반대 방향으로 90°만큼 회전시킨 다음 △BEF와 합동인 삼각형을 찾아본다.

□ABCD를 점 B를 중심으로 시계 반대 방향으로 90°만큼 회전시키면 오른쪽 그림과 같다.

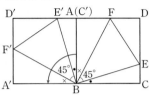

$\angle FBA=\angle F'BA'$,
$\angle CBE=\angle ABE'$이므로
$\angle FBE'=\angle FBA+\angle ABE'$
$\qquad\quad=\angle FBA+\angle CBE$
$\qquad\quad=\angle ABC-\angle FBE$
$\qquad\quad=90°-45°=45°$

한편, △BFE'과 △BF'E'에서
$\overline{BF}=\overline{BF'}$, $\angle FBE'=\angle F'BE'$, $\overline{BE'}$은 공통이므로
$\triangle BFE'\equiv\triangle BF'E'$(SAS 합동)
$\therefore \overline{E'F}=\overline{E'F'}=\overline{EF}$
$\therefore (\triangle DEF의\ 둘레의\ 길이)=\overline{DE}+\overline{EF}+\overline{DF}$
$\qquad\qquad\qquad\qquad\qquad=\overline{D'E'}+\overline{E'F}+\overline{DF}$
$\qquad\qquad\qquad\qquad\qquad=\overline{D'D}$
$\qquad\qquad\qquad\qquad\qquad=3+3=6$

06 길잡이 합동인 삼각형을 찾은 후 이등변삼각형을 찾아본다.

△OAB와 △ODC에서
$\overline{OA}=\overline{OD}$,
$\angle AOB=\angle DOC=90°$,
$\overline{OB}=\overline{OC}$이므로
$\triangle OAB\equiv\triangle ODC$(SAS 합동)
$\therefore \angle OAB=\angle ODC$,
$\quad \angle OBA=\angle OCD$, $\overline{AB}=\overline{DC}$
$\angle AOB=\angle OPB=90°$이므로
$\angle AOP=90°-\angle BOP=\angle OBP$
또 $\angle AOP=\angle COQ$(맞꼭지각)이므로
△OCQ는 $\angle OCQ=\angle COQ$인 이등변삼각형이다.
즉, $\overline{OQ}=\overline{CQ}$이므로
$\overline{OQ}+\overline{DQ}=\overline{CQ}+\overline{DQ}$
$\qquad\qquad\quad=\overline{DC}=\overline{AB}=2x$

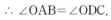

P. 34~35 **1~2 서술형 완성하기**

[과정은 풀이 참조]

1 74°	**2** 15	**3** 60°	**4** 16 cm	**5** 66°

6 (1) 풀이 참조 (2) 6 : 1 **7** 57° **8** 14 cm²

1 △ABC에서 $\overline{AB}=\overline{AC}$이므로
$\angle B=\angle C$
$\qquad=\frac{1}{2}\times(180°-32°)=74°$ ⋯ (i)

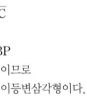

△BDF와 △CED에서
$\overline{BD}=\overline{CE}$, $\angle B=\angle C$, $\overline{BF}=\overline{CD}$이므로
$\triangle BDF\equiv\triangle CED$(SAS 합동) ⋯ (ii)
즉, $\angle BDF=\angle CED$, $\angle BFD=\angle CDE$이므로
$\angle BDF+\angle CDE=\angle BDF+\angle BFD$
$\qquad\qquad\qquad=180°-\angle B$
$\qquad\qquad\qquad=180°-74°=106°$ ⋯ (iii)
$\therefore \angle FDE=180°-(\angle BDF+\angle CDE)$
$\qquad\qquad=180°-106°=74°$ ⋯ (iv)

채점 기준	비율
(i) $\angle B$, $\angle C$의 크기 구하기	20 %
(ii) $\triangle BDF\equiv\triangle CED$임을 보이기	30 %
(iii) $\angle BDF+\angle CDE$의 크기 구하기	30 %
(iv) $\angle FDE$의 크기 구하기	20 %

2 오른쪽 그림과 같이 점 P에서 $\overline{AC}$에 내린 수선의 발을 F라 하면
△PDA와 △PFA에서
$\angle PDA=\angle PFA=90°$,
$\overline{PA}$는 공통,
$\angle PAD=\angle PAF$이므로
$\triangle PDA\equiv\triangle PFA$(RHA 합동)
△PFC와 △PEC에서
$\angle PFC=\angle PEC=90°$, $\overline{PC}$는 공통,
$\angle PCF=\angle PCE$이므로
$\triangle PFC\equiv\triangle PEC$(RHA 합동) ⋯ (i)
$\therefore \triangle PDA+\triangle PEC=\triangle PFA+\triangle PFC$
$\qquad\qquad\qquad\qquad=\triangle PAC$ ⋯ (ii)
$\qquad\qquad\qquad\qquad=\frac{1}{2}\times\overline{AC}\times\overline{PF}$
$\qquad\qquad\qquad\qquad=\frac{1}{2}\times\overline{AC}\times\overline{PD}$
$\qquad\qquad\qquad\qquad=\frac{1}{2}\times 6\times 5=15$ ⋯ (iii)

채점 기준	비율
(i) △PDA, △PEC와 합동인 삼각형을 찾기	각 30 %
(ii) $\triangle PDA+\triangle PEC=\triangle PAC$임을 보이기	20 %
(iii) △PDA와 △PEC의 넓이의 합 구하기	20 %

3 오른쪽 그림에서 조건 (개)에 의해 점 O가 △ABC의 외심이므로
$\overline{OA}=\overline{OB}=\overline{OC}$
또 조건 (내)에 의해
$\angle ABO:\angle CBO=3:2$이므로
$\angle ABO=3\angle x$, $\angle CBO=2\angle x$라 하면

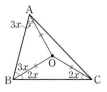

$\angle BAO = \angle ABO = 3\angle x$,

$\angle BCO = \angle CBO = 2\angle x$ ··· (i)

이때 $\angle BAO + \angle CBO + \angle ACO = 90°$이므로

$3\angle x + 2\angle x + \angle ACO = 90°$

$\therefore \angle ACO = \angle CAO = 90° - 5\angle x$

$\angle BAC = \angle BAO + \angle CAO$

$\qquad = 3\angle x + (90° - 5\angle x)$

$\qquad = 90° - 2\angle x$

$\angle BCA = \angle BCO + \angle ACO$

$\qquad = 2\angle x + (90° - 5\angle x)$

$\qquad = 90° - 3\angle x$ ··· (ii)

이때 조건 ㈐에 의해

$\angle BAC : \angle BCA = 4 : 3$이므로

$(90° - 2\angle x) : (90° - 3\angle x) = 4 : 3$에서

$3(90° - 2\angle x) = 4(90° - 3\angle x)$

$270° - 6\angle x = 360° - 12\angle x$

$6\angle x = 90°$ $\therefore \angle x = 15°$ ··· (iii)

$\therefore \angle BAC = 90° - 2\angle x$

$\qquad\qquad = 90° - 2 \times 15° = 60°$ ··· (iv)

채점 기준	비율
(i) $\angle ABO$, $\angle BAO$, $\angle CBO$, $\angle BCO$의 크기를 $\angle x$를 사용하여 나타내기	20 %
(ii) $\angle BAC$, $\angle BCA$의 크기를 $\angle x$를 사용하여 나타내기	30 %
(iii) $\angle x$의 크기 구하기	30 %
(iv) $\angle BAC$의 크기 구하기	20 %

4 △ABE와 △FCE에서

$\angle ABE = \angle FCE$ (엇각), $\overline{BE} = \overline{CE}$,

$\angle BEA = \angle CEF$ (맞꼭지각)이므로

$\triangle ABE \equiv \triangle FCE$ (ASA 합동) ··· (i)

$\therefore \overline{CF} = \overline{BA} = 8\,\mathrm{cm}$ ··· (ii)

이때 $\overline{DC} = \overline{AB} = 8\,\mathrm{cm}$이므로

$\overline{DF} = \overline{DC} + \overline{CF}$

$\qquad = 8 + 8 = 16\,(\mathrm{cm})$ ··· (iii)

채점 기준	비율
(i) $\triangle ABE \equiv \triangle FCE$임을 보이기	50 %
(ii) $\overline{CF}$의 길이 구하기	20 %
(iii) $\overline{DF}$의 길이 구하기	30 %

5 □ABCD는 마름모이고, △ABP는 정삼각형이므로

$\overline{AB} = \overline{BC} = \overline{CD} = \overline{DA} = \overline{BP} = \overline{PA}$ ··· (i)

$\angle ABC = 72°$이므로

$\angle BAD = 180° - 72° = 108°$

△ABP가 정삼각형이므로

$\angle DAP = 108° - 60° = 48°$ ··· (ii)

이때 △APD에서 $\overline{AP} = \overline{AD}$이므로

$\angle APD = \dfrac{1}{2} \times (180° - 48°) = 66°$ ··· (iii)

채점 기준	비율
(i) 주어진 조건으로 길이가 같은 변 구하기	20 %
(ii) $\angle BAD$, $\angle DAP$의 크기 구하기	각 20 %
(iii) $\angle APD$의 크기 구하기	40 %

6 (1) 평행사변형 ABCD에서 $\overline{AD} \parallel \overline{BC}$이므로

$\angle AFB = \angle FBE$ (엇각), $\angle AEB = \angle FAE$ (엇각)

△ABF에서

$\angle ABF = \angle AFB$이므로 $\overline{AB} = \overline{AF}$ ··· ㉠

△BEA에서

$\angle BAE = \angle BEA$이므로 $\overline{AB} = \overline{BE}$ ··· ㉡

㉠, ㉡에 의해 $\overline{AF} = \overline{BE}$

따라서 □ABEF는 $\overline{AD} \parallel \overline{BC}$에서 $\overline{AF} \parallel \overline{BE}$,

$\overline{AF} = \overline{BE}$이므로 평행사변형이고, 이때 ㉠에 의해 이웃

하는 두 변의 길이가 같으므로 마름모이다. ··· (i)

(2) 평행사변형 ABCD와 마름모 ABEF는 높이가 같으므

로 넓이의 비는 밑변의 길이의 비와 같다.

$\therefore \square ABCD : \square ABEF = \overline{BC} : \overline{BE}$

$\qquad\qquad\qquad\qquad = 6 : 4 = 3 : 2$ ··· (ii)

이때 점 G는 마름모 ABEF의 두 대각선의 교점이므로

$\triangle GAF = \dfrac{1}{4} \square ABEF$

$\qquad\quad = \dfrac{1}{4} \times \dfrac{2}{3} \square ABCD$

$\qquad\quad = \dfrac{1}{6} \square ABCD$

$\therefore \square ABCD : \triangle GAF = 6 : 1$ ··· (iii)

채점 기준	비율
(i) □ABEF가 어떤 사각형인지 말하고, 이유 설명하기	50 %
(ii) $\square ABCD : \square ABEF$ 구하기	25 %
(iii) $\square ABCD : \triangle GAF$ 구하기	25 %

7 점 I는 이등변삼각형 ABD의 내심이므로 $\overline{AE}$는 ∠A의 이

등분선이다.

즉, $\overline{AE} \perp \overline{BD}$이므로

$\angle AED = 90°$ $\therefore \angle DEO = 90°$ ··· (i)

△DBC에서 $\overline{BD} = \overline{BC}$이므로

$\angle BDC = \angle BCD = \dfrac{1}{2} \times (180° - 48°) = 66°$

점 I'은 △DBC의 내심이므로

$\angle BDO = \dfrac{1}{2} \angle BDC = \dfrac{1}{2} \times 66° = 33°$ ··· (ii)

따라서 △EOD에서

$\angle EOD = 180° - (\angle DEO + \angle EDO)$

$\qquad\quad = 180° - (90° + 33°) = 57°$

$\therefore \angle AOD = \angle EOD = 57°$ ··· (iii)

채점 기준	비율
(i) $\angle DEO$의 크기 구하기	30 %
(ii) $\angle BDO$의 크기 구하기	40 %
(iii) $\angle AOD$의 크기 구하기	30 %

8 오른쪽 그림과 같이 점 G를 지나고 $\overline{AB}$와 평행한 직선을 그어 $\overline{AD}$, $\overline{BC}$와 만나는 점을 각각 P, Q라 하면 $\overline{AB}\,/\!/\,\overline{GQ}$이므로

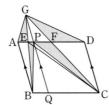

$\triangle ABG = \triangle ABP$

이때 $\triangle ABE$가 공통이므로

$\triangle GAE = \triangle ABG - \triangle ABE$
$\qquad\quad = \triangle ABP - \triangle ABE = \triangle EBP$

한편, $\overline{AB}\,/\!/\,\overline{DC}$에서 $\overline{GQ}\,/\!/\,\overline{DC}$이므로 $\triangle GCD = \triangle PCD$

이때 $\triangle FCD$가 공통이므로

$\triangle GFD = \triangle GCD - \triangle FCD$
$\qquad\quad = \triangle PCD - \triangle FCD = \triangle PCF \qquad \cdots\text{(i)}$

또 $\overline{AD}\,/\!/\,\overline{BC}$이므로 $\triangle EBP = \triangle ECP$

$\therefore \triangle GAE + \triangle GFD = \triangle EBP + \triangle PCF$
$\qquad\qquad\qquad\qquad = \triangle ECP + \triangle PCF$
$\qquad\qquad\qquad\qquad = \triangle ECF \qquad\qquad \cdots\text{(ii)}$

이때 $\overline{AE}:\overline{EF}:\overline{FD}=1:2:3$이므로

$\triangle ECF = \dfrac{2}{6}\triangle ACD$

$\qquad\quad = \dfrac{1}{3}\times\dfrac{1}{2}\square ABCD$

$\qquad\quad = \dfrac{1}{6}\square ABCD$

$\qquad\quad = \dfrac{1}{6}\times 84$

$\qquad\quad = 14(\text{cm}^2)$

$\therefore \triangle GAE + \triangle GFD = \triangle ECF$
$\qquad\qquad\qquad\qquad = 14(\text{cm}^2) \qquad\qquad \cdots\text{(iii)}$

채점 기준	비율
(i) $\triangle GAE$, $\triangle GFD$와 넓이가 같은 삼각형 찾기	각 20 %
(ii) $\triangle GAE$와 $\triangle GFD$의 넓이의 합과 넓이가 같은 삼각형 찾기	30 %
(iii) $\triangle GAE$와 $\triangle GFD$의 넓이의 합 구하기	30 %

3. 도형의 닮음

1 ㄱ, ㄹ, ㅂ **2** ⑤ **3** 10 cm **4** ⑤

5 10π **6** 32 cm² **7** 4π cm² **8** 45 cm² **9** 54 cm³

10 150 mL **11** 130분 **12** ④ **13** ③

14 12 cm **15** 6 cm **16** $\frac{28}{5}$ cm **17** ⑤ **18** ②

19 27 **20** 78 **21** $\frac{10}{3}$ cm **22** 11 m

23 5760 m³ **24** 560 cm² **25** 42 m

26 375 m

---

1 다음의 경우에는 닮은 도형이 아니다.

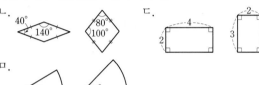

따라서 항상 닮음인 도형은 ㄱ, ㄹ, ㅂ이다.

2 ① $\angle EFG = \angle ABC = 110°$

② $\angle AEF = \angle DAB = 360° - (110° + 85° + 65°) = 100°$

③, ⑤ $\overline{AD} : \overline{EA} = 2 : 1$이므로 □ABCD와 □EFGA의 닮음비는 2 : 1이다.

즉, $\overline{DC} : \overline{AG} = 2 : 1$, $6 : \overline{AG} = 2 : 1$, $2\overline{AG} = 6$

∴ $\overline{AG} = 3$(cm)

④ $\overline{BC}$의 대응변은 $\overline{FG}$이다.

따라서 옳은 것은 ⑤이다.

3 $\overline{BC} : \overline{AB} = \overline{CD} : \overline{BF}$이므로

$18 : 12 = 12 : \overline{BF}$, $18\overline{BF} = 144$ ∴ $\overline{BF} = 8$(cm)

∴ $\overline{FC} = \overline{BC} - \overline{BF} = 18 - 8 = 10$(cm)

4 ① $\overline{GH} = \overline{JK} = 6$이므로 $\overline{AB} : \overline{GH} = 3 : 6 = 1 : 2$

② ①에서 두 삼각기둥의 닮음비는 1 : 2이므로

$\overline{AC} : \overline{GI} = 1 : 2$

$\overline{GI} = \overline{JL} = 12$이므로

$\overline{AC} : 12 = 1 : 2$, $2\overline{AC} = 12$ ∴ $\overline{AC} = 6$

③ $\overline{CB} : \overline{IH} = 1 : 2$이므로 $4 : \overline{IH} = 1 : 2$ ∴ $\overline{IH} = 8$

④ $\overline{BE} : \overline{HK} = 1 : 2$이므로 $\overline{BE} : 16 = 1 : 2$

$2\overline{BE} = 16$ ∴ $\overline{BE} = 8$

따라서 옳은 것은 ⑤이다.

5 두 원뿔 A, B의 닮음비는 $12 : 15 = 4 : 5$이므로

원뿔 B의 밑면인 원의 반지름의 길이를 r라 하면

$4 : 5 = 4 : r$ ∴ $r = 5$

따라서 원뿔 B의 밑면인 원의 둘레의 길이는

$2\pi \times 5 = 10\pi$

6 □ABCD와 □A′BC′D′의 닮음비는 $10 : 6 = 5 : 3$이므로

넓이의 비는 $5^2 : 3^2 = 25 : 9$

즉, □ABCD : 18 = 25 : 9이므로

9□ABCD = 450 ∴ □ABCD = 50(cm²)

따라서 색칠한 부분의 넓이는

□ABCD − □A′BC′D′ = 50 − 18 = 32(cm²)

7 가장 작은 원과 가장 큰 원의 닮음비는 1 : 3이므로 넓이의 비는 $1^2 : 3^2 = 1 : 9$

가장 작은 원의 넓이를 x cm²라 하면

$x : 36\pi = 1 : 9$, $9x = 36\pi$ ∴ $x = 4\pi$

따라서 가장 작은 원의 넓이는 4π cm²이다.

8 주어진 사진과 확대한 사진의 닮음비는 $100 : 150 = 2 : 3$이므로 넓이의 비는 $2^2 : 3^2 = 4 : 9$

확대한 사진의 넓이를 x cm²라 하면

$20 : x = 4 : 9$, $4x = 180$ ∴ $x = 45$

따라서 확대한 사진의 넓이는 45 cm²이다.

9 두 직육면체 A, B의 겉넓이의 비가

$90 : 160 = 9 : 16 = 3^2 : 4^2$이므로 닮음비는 3 : 4

따라서 부피의 비는 $3^3 : 4^3 = 27 : 64$이므로

직육면체 A의 부피를 x cm³라 하면

$x : 128 = 27 : 64$, $64x = 3456$

∴ $x = 54$

따라서 직육면체 A의 부피는 54 cm³이다.

10 두 사탕 A, B의 닮음비는 3 : 5이므로 겉넓이의 비는

$3^2 : 5^2 = 9 : 25$

사탕 B의 겉면을 칠하는 데 필요한 초콜릿의 양을 x mL라 하면

$54 : x = 9 : 25$, $9x = 1350$ ∴ $x = 150$

따라서 필요한 초콜릿의 양은 150 mL이다.

11 물의 높이와 그릇의 높이의 비가 1 : 3이므로 물의 부피와 그릇의 부피의 비는 $1^3 : 3^3 = 1 : 27$

물을 채우는 데 걸리는 시간과 채워지는 물의 양은 정비례하므로 그릇에 물을 가득 채울 때까지 x분이 더 걸린다고 하면

$5 : x = 1 : (27 - 1)$ ∴ $x = 130$

따라서 그릇에 물을 가득 채울 때까지 130분이 더 걸린다.

12 ④ △ABC에서 ∠A = 80°이면

$\angle C = 180° - (45° + 80°) = 55°$

△ABC와 △DFE에서

$\angle B = \angle F = 45°$, $\angle C = \angle E = 55°$이므로

△ABC ∽ △DFE (AA 닮음)

13 ①, ⑤ △ABC와 △EBD에서

$\overline{AB} : \overline{EB} = (6 + 6) : 8 = 12 : 8 = 3 : 2$,

∠B는 공통, $\overline{BC}:\overline{BD}=(8+1):6=9:6=3:2$

이므로 △ABC∽△EBD(SAS 닮음)

이때 △ABC와 △EBD의 닮음비는 3:2이다.

② △ABC∽△EBD이므로 $\overline{AC}:\overline{ED}=\overline{BC}:\overline{BD}$에서

$\overline{ED}\times\overline{BC}=\overline{AC}\times\overline{BD}$ $\therefore \dfrac{\overline{ED}}{\overline{AC}}=\dfrac{\overline{BD}}{\overline{BC}}$

③ $\overline{AC}:\overline{ED}=3:2$이므로 $\overline{AC}:5=3:2$

$2\overline{AC}=15$ $\therefore \overline{AC}=\dfrac{15}{2}$

④ △ABC∽△EBD이므로 ∠EDB=∠C

따라서 옳지 않은 것은 ③이다.

14 △ABC와 △DAC에서

∠B=∠CAD, ∠C는 공통이므로

△ABC∽△DAC(AA 닮음)

따라서 $\overline{AC}:\overline{DC}=\overline{BC}:\overline{AC}$이므로

$\overline{AC}:8=(10+8):\overline{AC}$, $\overline{AC}^2=144$

이때 $\overline{AC}>0$이므로 $\overline{AC}=12$(cm)

15 $\overline{AD}/\!/\overline{BC}$이므로 △AFE와 △CFB에서

∠FAE=∠FCB(엇각), ∠FEA=∠FBC(엇각)

$\therefore$ △AFE∽△CFB(AA 닮음)

따라서 $\overline{AF}:\overline{CF}=\overline{AE}:\overline{CB}$이므로

$4:6=\overline{AE}:9$, $6\overline{AE}=36$

$\therefore \overline{AE}=6$(cm)

16 오른쪽 그림의 △DBE와 △ECF

에서 ∠DBE=∠ECF=60°

∠DEF=∠DAF=60°이므로

∠BDE

$=180°-(60°+∠DEB)$

$=∠CEF$

$\therefore$ △DBE∽△ECF(AA 닮음)

$\overline{EF}=\overline{AF}=7$ cm,

$\overline{CF}=\overline{AC}-\overline{AF}=12-7=5$(cm)이므로

$\overline{BE}:\overline{CF}=\overline{DE}:\overline{EF}$에서

$4:5=\overline{DE}:7$, $5\overline{DE}=28$ $\therefore \overline{DE}=\dfrac{28}{5}$(cm)

$\therefore \overline{AD}=\overline{DE}=\dfrac{28}{5}$ cm

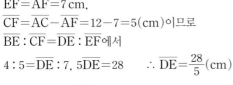

17 ① ∠ADE=∠FBE=90°, ∠AED=∠FEB(맞꼭지각)

이므로 △ADE∽△FBE(AA 닮음)

② ∠ABC=∠ADE=90°, ∠A는 공통이므로

△ABC∽△ADE(AA 닮음)

③ ∠ABC=∠FDC=90°, ∠ACB는 공통이므로

△ABC∽△FDC(AA 닮음)

④ ∠FBE=∠FDC=90°, ∠F는 공통이므로

△FBE∽△FDC(AA 닮음)

따라서 옳지 않은 것은 ⑤이다.

18 $\overline{BD}:\overline{CD}=2:1$이므로

$\overline{CD}=\dfrac{1}{3}\times9=3$(cm)

△ADC와 △BEC에서

∠ADC=∠BEC=90°, ∠C는 공통이므로

△ADC∽△BEC(AA 닮음)

따라서 $\overline{AC}:\overline{BC}=\overline{CD}:\overline{CE}$이므로

$6:9=3:\overline{CE}$, $6\overline{CE}=27$ $\therefore \overline{CE}=\dfrac{9}{2}$(cm)

$\therefore \overline{AE}=\overline{AC}-\overline{CE}=6-\dfrac{9}{2}=\dfrac{3}{2}$(cm)

19 $\overline{AB}^2=\overline{BH}\times\overline{BC}$이므로

$20^2=16\times\overline{BC}$ $\therefore \overline{BC}=25$

$\therefore \overline{CH}=\overline{BC}-\overline{BH}=25-16=9$

$\overline{AH}^2=\overline{BH}\times\overline{CH}$이므로

$x^2=16\times9=144$

이때 $x>0$이므로 $x=12$

$\overline{AC}^2=\overline{CH}\times\overline{CB}$이므로

$y^2=9\times25=225$

이때 $y>0$이므로 $y=15$

$\therefore x+y=12+15=27$

20 △ABD에서 $\overline{AE}^2=\overline{BE}\times\overline{DE}$이므로

$6^2=\overline{BE}\times9$ $\therefore \overline{BE}=4$

$\overline{BD}=\overline{BE}+\overline{DE}=4+9=13$이므로

☐ABCD$=2$△ABD

$=2\times\left(\dfrac{1}{2}\times\overline{BD}\times\overline{AE}\right)$

$=2\times\left(\dfrac{1}{2}\times13\times6\right)=78$

21 오른쪽 그림의 △ABD′과

△D′CE에서 ∠B=∠C=90°

∠BAD′=90°-∠AD′B

$=∠CD′E$

$\therefore$ △ABD′∽△D′CE(AA 닮음)

$\overline{D′C}=\overline{BC}-\overline{BD′}=\overline{AD}-\overline{BD′}$

$=10-8=2$(cm)

따라서 $\overline{AB}:\overline{D′C}=\overline{AD′}:\overline{D′E}$이므로

$6:2=10:\overline{D′E}$, $6\overline{D′E}=20$ $\therefore \overline{D′E}=\dfrac{10}{3}$(cm)

$\therefore \overline{DE}=\overline{D′E}=\dfrac{10}{3}$ cm

22 △ABP와 △DCP에서

∠ABP=∠DCP=90°

입사각과 반사각의 크기가 같으므로 ∠APB=∠DPC

$\therefore$ △ABP∽△DCP(AA 닮음)

$\overline{AB}:\overline{DC}=\overline{BP}:\overline{CP}$이므로

$1.5:\overline{DC}=2.4:17.6$, $2.4\overline{DC}=26.4$ $\therefore \overline{DC}=11$(m)

따라서 나무의 높이는 11 m이다.

23 다음 그림과 같이 피라미드의 높이를 $h\,$m라 하면

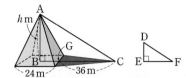

$\triangle$ABC$\backsim\triangle$DEF(AA 닮음)이고, $\overline{BG}=\dfrac{1}{2}\times24=12\,(m)$

이므로 $h:1=(12+36):1.6,\ 1.6h=48$ $\therefore h=30$

따라서 피라미드의 부피는 $\dfrac{1}{3}\times24\times24\times30=5760\,(m^3)$

24 축척이 $\dfrac{1}{5000}$이므로 지도에서의 땅의 넓이와 실제 땅의 넓

이의 비는 $1:5000^2=1:25000000$

지도에서 땅의 넓이를 $x\,cm^2$라 하면

$x:14000000000=1:25000000$

$25x=14000$ $\therefore x=560$

따라서 지도에서 땅의 넓이는 $560\,cm^2$이다.

25 (축척)$=\dfrac{6\,cm}{30\,m}=\dfrac{6\,cm}{3000\,cm}=\dfrac{1}{500}$이므로 건물의 높이는

$8.4\div\dfrac{1}{500}=8.4\times500=4200\,(cm)=42\,(m)$

26 $\triangle$PAB$\backsim\triangle$PCD(AA 닮음)이므로 $\overline{AB}:\overline{CD}=\overline{PA}:\overline{PC}$

$\overline{AB}:3=5:2,\ 2\overline{AB}=15$ $\therefore \overline{AB}=\dfrac{15}{2}\,(cm)$

이때 두 지점 A, P 사이의 실제 거리가 250 m이므로

(축척)$=\dfrac{5\,cm}{250\,m}=\dfrac{5\,cm}{25000\,cm}=\dfrac{1}{5000}$

따라서 두 지점 A, B 사이의 실제 거리는

$\dfrac{15}{2}\div\dfrac{1}{5000}=\dfrac{15}{2}\times5000=37500\,(cm)=375\,(m)$

P. 43~48 내신 **5%** 따라잡기

1 ③	**2** 10 cm	**3** ②	**4** 84 cm²	**5** ③
6 1 : 3	**7** 17000원		**8** 111π cm³	
9 32 cm²	**10** ①	**11** 4	**12** 1	**13** $\dfrac{3}{2}$
14 8 : 9	**15** $\dfrac{25}{2}$ cm	**16** $\dfrac{3}{2}$	**17** 195 cm²	
18 8 : 3	**19** 8 cm	**20** $\dfrac{5}{7}a$	**21** ④	**22** 15
23 $\dfrac{324}{25}$ cm²		**24** $\dfrac{6}{5}$ cm	**25** 3	**26** $\dfrac{26}{5}$
27 $\dfrac{45}{4}$	**28** $\dfrac{8}{3}$	**29** ②	**30** 12	**31** 6.4 m
32 2시간	**33** 17.8 m	**34** 1 : 7	**35** $\dfrac{64}{27}$배	
36 ㄱ, ㄴ, ㄹ				

1 $\triangle$ABC$\backsim\triangle$DEF에서

$\overline{AC}:\overline{DF}=2:5$이므로

$\overline{AC}:10=2:5,\ 5\overline{AC}=20$ $\therefore \overline{AC}=4\,(cm)$

$\overline{AB}:\overline{DE}=2:5$이므로

$2:\overline{DE}=2:5$ $\therefore \overline{DE}=5\,(cm)$

$\overline{BC}:\overline{EF}=2:5$이므로

$5:\overline{EF}=2:5,\ 2\overline{EF}=25$ $\therefore \overline{EF}=\dfrac{25}{2}\,(cm)$

$\therefore \overline{AC}+\overline{DE}+\overline{EF}=4+5+\dfrac{25}{2}=\dfrac{43}{2}\,(cm)$

2 처음 원뿔의 밑면의 반지름의 길이를 $r\,cm$라 하면

$r:4=(8+12):8,\ 8r=80$

$\therefore r=10$

따라서 처음 원뿔의 밑면의 반지름의 길이는 10 cm이다.

3 오른쪽 그림과 같이 B4 용지의 짧은 변의 길이를 a, 긴 변의 길이를 b라 하면 B5, B6, B7, B8 용지의 짧은 변의 길이와 긴 변의 길이는 다음 표와 같다.

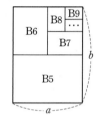

	B5 용지	B6 용지	B7 용지	B8 용지
짧은 변의 길이	$\dfrac{1}{2}b$	$\dfrac{1}{2}a$	$\dfrac{1}{2}\times\dfrac{1}{2}b=\dfrac{1}{4}b$	$\dfrac{1}{2}\times\dfrac{1}{2}a=\dfrac{1}{4}a$
긴 변의 길이	a	$\dfrac{1}{2}b$	$\dfrac{1}{2}a$	$\dfrac{1}{4}b$

따라서 B8 용지와 B4 용지의 닮음비는

$\dfrac{1}{4}a:a=1:4$

4 큰 정사각형과 작은 정사각형의 닮음비가 4 : 1이므로

넓이의 비는 $4^2:1^2=16:1$

작은 정사각형 한 개의 넓이를 $x\,cm^2$라 하면

$96:x=16:1,\ 16x=96$ $\therefore x=6$

따라서 작은 정사각형의 한 개의 넓이가 6 cm²이므로 남은

종이의 넓이는

$96-2\times6=84\,(cm^2)$

5 $\overline{AB},\ \overline{CD},\ \overline{AC}$를 각각 지름으로 하는 반원은 모두 닮은 도

형이고, 그 닮음비는 $\overline{AB}:\overline{CD}:\overline{AC}=4:2:1$이므로

넓이의 비는 $4^2:2^2:1^2=16:4:1$

$\overline{AC}$를 지름으로 하는 반원의 넓이를 $x\,cm^2$라 하면

$28:x=4:1,\ 4x=28$ $\therefore x=7$

이때 $\overline{AC}=\overline{DB}$이므로 $\overline{DB}$를 지름으로 하는 반원의 넓이도

7 cm²이다.

$\overline{AB}$를 지름으로 하는 반원의 넓이를 $y\,cm^2$라 하면

$y:7=16:1$ $\therefore y=112$

따라서 색칠한 부분의 넓이는

$112-(7+7+28)=70\,(cm^2)$

6 두 상자 A와 B에 들어 있는 공 한 개의 반지름의 길이의 비는 3 : 1이므로 공 한 개의 겉넓이의 비는
$3^2 : 1^2 = 9 : 1$
이때 두 상자 A와 B에 들어 있는 공의 개수는 각각 1개, 27개이므로 두 상자에 들어 있는 공 전체의 겉넓이의 비는
$(9 \times 1) : (1 \times 27) = 9 : 27 = 1 : 3$

7 두 용기 A와 B의 닮음비는 2 : 4 = 1 : 2이므로 부피의 비는
$1^3 : 2^3 = 1 : 8$
용기 A에 담은 벌꿀의 가격을 x원이라 하면 용기 B에 담은 벌꿀의 가격은 $8x$원이므로
$x + 8x = 153000$ ∴ $x = 17000$
따라서 용기 A에 담은 벌꿀의 가격은 17000원이다.

8 주어진 원뿔대의 두 밑면의 넓이가 각각 $16\pi\,cm^2$, $64\pi\,cm^2$이므로 반지름의 길이는 각각 $4\,cm$, $8\,cm$이다.
오른쪽 그림과 같이 원뿔대의 모선을 연장하여 원뿔을 그려 보면 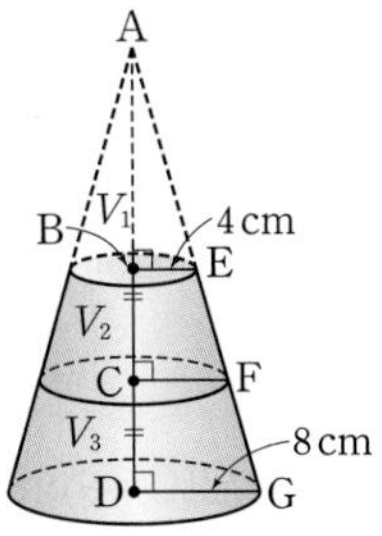
$\triangle ADG$에서
$\overline{AB} : \overline{AD} = \overline{BE} : \overline{DG}$
$\qquad = 4 : 8 = 1 : 2$
∴ $\overline{AD} = 2\overline{AB}$
즉, $\overline{AB} = \overline{BD}$이고 $\overline{BC} = \overline{CD}$이므로
$\overline{AB} = \overline{BD} = 2\overline{BC}$
$\overline{AC} = \overline{AB} + \overline{BC} = 2\overline{BC} + \overline{BC} = 3\overline{BC}$
∴ $\overline{AB} : \overline{AC} = 2\overline{BC} : 3\overline{BC} = 2 : 3$
$\triangle ACF$에서 $\overline{AB} : \overline{AC} = \overline{BE} : \overline{CF}$이므로
$2 : 3 = 4 : \overline{CF}$, $2\overline{CF} = 12$ ∴ $\overline{CF} = 6\,(cm)$
즉, $\overline{BE} : \overline{CF} : \overline{DG} = 4 : 6 : 8 = 2 : 3 : 4$이므로 원뿔의 부피를 V_1, 입체도형 P의 부피를 V_2, 입체도형 Q의 부피를 V_3이라 하면 부피의 비는
$V_1 : V_2 : V_3 = 2^3 : (3^3 - 2^3) : (4^3 - 3^3) = 8 : 19 : 37$
그런데 입체도형 P의 부피가 $57\pi\,cm^3$이므로
$V_2 : V_3 = 19 : 37$에서
$57\pi : V_3 = 19 : 37$, $19V_3 = 2109\pi$
∴ $V_3 = 111\pi\,(cm^3)$
따라서 입체도형 Q의 부피는 $111\pi\,cm^3$이다.

9 $\triangle ABC$와 $\triangle EDC$에서
∠BAC = ∠DEC, ∠C는 공통이므로
$\triangle ABC \varpropto \triangle EDC$ (AA 닮음)
이때 $\triangle ABC$와 $\triangle EDC$의 닮음비는
$\overline{AC} : \overline{EC} = 10 : 6 = 5 : 3$이므로
넓이의 비는 $5^2 : 3^2 = 25 : 9$
즉, $\triangle ABC : \triangle EDC = 25 : 9$이므로
$50 : \triangle EDC = 25 : 9$, $25\triangle EDC = 450$
∴ $\triangle EDC = 18\,(cm^2)$
∴ □ABED $= \triangle ABC - \triangle EDC$
$\qquad = 50 - 18 = 32\,(cm^2)$

10 $\triangle ABC$와 $\triangle ADB$에서
$\overline{AB} : \overline{AD} = 20 : (25 - 9) = 20 : 16 = 5 : 4$,
$\overline{AC} : \overline{AB} = 25 : 20 = 5 : 4$,
∠A는 공통이므로
$\triangle ABC \varpropto \triangle ADB$ (SAS 닮음)
∴ ∠ABC = ∠ADB = 110°
따라서 $\triangle ABC$에서
∠BAC + ∠ACB = 180° − ∠ABC
$\qquad\qquad\qquad = 180° - 110° = 70°$

11 $\overline{AD} : \overline{BD} = 1 : 3$이므로
오른쪽 그림과 같이 $\overline{AD} = a$, $\overline{BD} = 3a\,(a > 0)$라 하자. 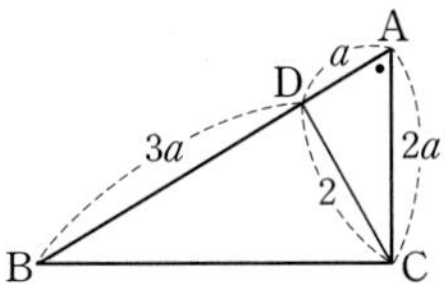
$\overline{AB} = \overline{AD} + \overline{BD} = a + 3a = 4a$
이고 $\overline{AB} : \overline{AC} = 2 : 1$이므로
$\overline{AC} = \frac{1}{2}\overline{AB} = \frac{1}{2} \times 4a = 2a$
$\triangle ABC$와 $\triangle ACD$에서
$\overline{AB} : \overline{AC} = 2 : 1$,
$\overline{AC} : \overline{AD} = 2a : a = 2 : 1$, ∠A는 공통이므로
$\triangle ABC \varpropto \triangle ACD$ (SAS 닮음)
따라서 $\overline{BC} : \overline{CD} = 2 : 1$이므로
$\overline{BC} : 2 = 2 : 1$ ∴ $\overline{BC} = 4$

12 오른쪽 그림의 $\triangle AEF$와 $\triangle AEC$에서 ∠AEF = ∠AEC = 90°
$\overline{AE}$는 공통, ∠EAF = ∠EAC
∴ $\triangle AEF \equiv \triangle AEC$
　　　(ASA 합동) 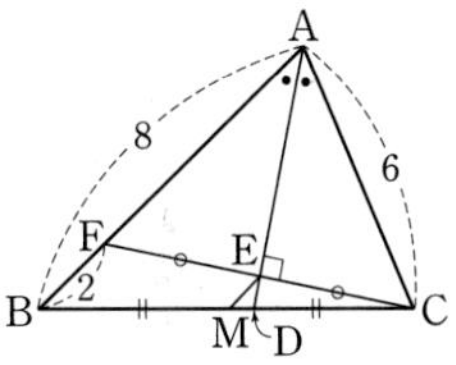
즉, $\overline{AF} = \overline{AC} = 6$이므로
$\overline{BF} = \overline{AB} - \overline{AF} = 8 - 6 = 2$
$\triangle CME$와 $\triangle CBF$에서
$\overline{CE} : \overline{CF} = 1 : 2$, $\overline{CM} : \overline{CB} = 1 : 2$, ∠C는 공통이므로
$\triangle CME \varpropto \triangle CBF$ (SAS 닮음)
따라서 $\overline{EM} : \overline{FB} = 1 : 2$이므로
$\overline{EM} : 2 = 1 : 2$, $2\overline{EM} = 2$ ∴ $\overline{EM} = 1$

13 오른쪽 그림과 같이 $\triangle ABC$는 $\overline{AB} = \overline{AC}$인 이등변삼각형이므로
∠ABC = ∠ACB
$\triangle ABD$와 $\triangle DCE$에서
∠ABD = ∠DCE 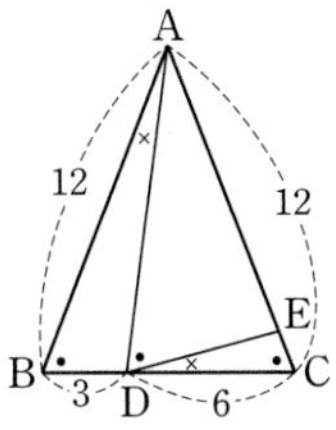
$\triangle ABD$에서
∠ADC = ∠ABD + ∠BAD
이때 ∠ADC = ∠ADE + ∠CDE이고
∠ABD = ∠ADE이므로 ∠BAD = ∠CDE
∴ $\triangle ABD \varpropto \triangle DCE$ (AA 닮음)
따라서 $\overline{AB} : \overline{DC} = \overline{BD} : \overline{CE}$이므로
$12 : 6 = 3 : \overline{CE}$, $12\overline{CE} = 18$ ∴ $\overline{CE} = \frac{3}{2}$

14 △DEF와 △ABC에서

∠EDF = ∠ACD + ∠CAD

　　　= ∠BAE + ∠CAD = ∠BAC

∠DEF = ∠BAE + ∠ABE

　　　= ∠CBF + ∠ABE = ∠ABC

이므로 △DEF∽△ABC (AA 닮음)

∴ $\overline{\text{DE}} : \overline{\text{EF}} = \overline{\text{AB}} : \overline{\text{BC}} = 16 : 18 = 8 : 9$

15 $\overline{\text{DE}} = k\,\text{cm}$라 하면 $\overline{\text{DG}} = \dfrac{3}{2}k\,\text{cm}$

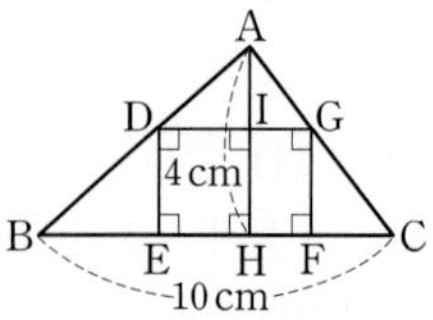

△ABC와 △ADG에서

∠A는 공통, $\overline{\text{DG}} \,//\, \overline{\text{BC}}$에서

∠B = ∠ADG (동위각)이므로

△ABC∽△ADG (AA 닮음)

이때 $\overline{\text{AH}}$와 $\overline{\text{DG}}$의 교점을 I라 하면

$\overline{\text{AH}} : \overline{\text{AI}} = \overline{\text{BC}} : \overline{\text{DG}}$이므로 $4 : (4-k) = 10 : \dfrac{3}{2}k$

$40 - 10k = 6k$, $16k = 40$ ∴ $k = \dfrac{5}{2}$

따라서 □DEFG의 둘레의 길이는

$2\left(k + \dfrac{3}{2}k\right) = 5k = 5 \times \dfrac{5}{2} = \dfrac{25}{2}\,(\text{cm})$

16 △ABE와 △ACD에서

$\overline{\text{AB}} = \overline{\text{AC}}$, ∠BAE = ∠CAD = 60°, $\overline{\text{AE}} = \overline{\text{AD}}$이므로

△ABE≡△ACD (SAS 합동) ⋯ ㉠

또 △ABE와 △FCE에서 ∠AEB = ∠FEC (맞꼭지각),

㉠에서 ∠ABE = ∠ACD = ∠FCE이므로

△ABE∽△FCE (AA 닮음)

이때 $\overline{\text{AE}} = 4$에서 $\overline{\text{CE}} = \overline{\text{AC}} - \overline{\text{AE}} = 6 - 4 = 2$이므로

$\overline{\text{AE}} : \overline{\text{FE}} = \overline{\text{AB}} : \overline{\text{FC}}$에서 $4 : \overline{\text{FE}} = 6 : \overline{\text{FC}}$

$4\overline{\text{FC}} = 6\overline{\text{FE}}$ ∴ $\dfrac{\overline{\text{FC}}}{\overline{\text{FE}}} = \dfrac{3}{2}$

17 △AOD와 △COB에서

$\overline{\text{AD}} \,//\, \overline{\text{BC}}$이므로 ∠DAO = ∠BCO (엇각),

∠AOD = ∠COB (맞꼭지각)이므로

△AOD∽△COB (AA 닮음)

이때 △AOD와 △COB의 닮음비는

$\overline{\text{AD}} : \overline{\text{CB}} = 14 : 21 = 2 : 3$이므로 넓이의 비는 $2^2 : 3^2 = 4 : 9$

즉, △AOD : △COB = 4 : 9이므로

52 : △COB = 4 : 9, 4△COB = 468

∴ △COB = 117 (cm²)

또 △AOD : △DOC = $\overline{\text{AO}} : \overline{\text{OC}}$ = 2 : 3이므로

52 : △DOC = 2 : 3, 2△DOC = 156

∴ △DOC = 78 (cm²)

∴ △DBC = △COB + △DOC = 117 + 78 = 195 (cm²)

18 △AFD와 △EFC에서

∠AFD = ∠EFC (맞꼭지각),

$\overline{\text{AD}} \,//\, \overline{\text{BE}}$이므로 ∠ADF = ∠ECF (엇각)

∴ △AFD∽△EFC (AA 닮음)

이때 $\overline{\text{AD}} = \overline{\text{BC}}$이고,

$\overline{\text{DF}} : \overline{\text{CF}} = $ △EDF : △EFC = 5 : 3이므로

$\overline{\text{AD}} : \overline{\text{EC}} = \overline{\text{DF}} : \overline{\text{CF}}$에서 $\overline{\text{BC}} : \overline{\text{EC}} = 5 : 3$

∴ $\overline{\text{BE}} : \overline{\text{CE}} = (5+3) : 3 = 8 : 3$

19 $\overline{\text{DB}} = x\,\text{cm}$, $\overline{\text{EC}} = y\,\text{cm}$라 하면

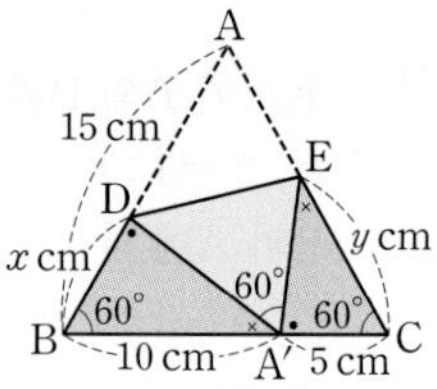

$\overline{\text{A'D}} = \overline{\text{AD}} = (15-x)\,\text{cm}$

$\overline{\text{A'E}} = \overline{\text{AE}} = (15-y)\,\text{cm}$

△A'DB와 △EA'C에서

∠A'BD = ∠ECA = 60°,

∠DA'E = ∠DAE = 60°이므로

∠BDA' = 180° − (60° + ∠DA'B) = ∠CA'E

∴ △A'DB∽△EA'C (AA 닮음)

즉, $\overline{\text{A'B}} : \overline{\text{EC}} = \overline{\text{DB}} : \overline{\text{A'C}}$이므로

$10 : y = x : 5$ ∴ $xy = 50$ ⋯ ㉠

또 $\overline{\text{A'D}} : \overline{\text{EA'}} = \overline{\text{A'B}} : \overline{\text{EC}}$이므로

$(15-x) : (15-y) = 10 : y$

$150 - 10y = 15y - xy$

$25y = 150 + xy$ ⋯ ㉡

㉠을 ㉡에 대입하면

$25y = 150 + 50 = 200$ ∴ $y = 8$

∴ $\overline{\text{EC}} = 8\,\text{cm}$

20 정사면체에서 실이 지나는 부분을 전개도로 나타내면 오른쪽 그림과 같다.

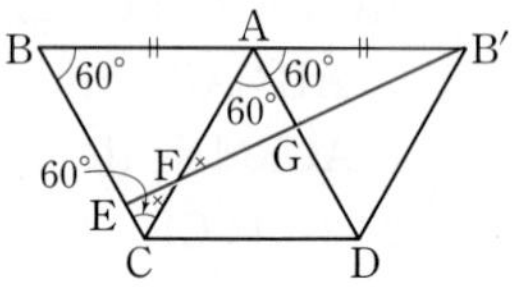

△B'AG와 △B'BE에서

∠B'AG = ∠B'BE = 60°,

∠AB'G = ∠BB'E (공통)

이므로 △B'AG∽△B'BE (AA 닮음)

즉, $\overline{\text{AG}} : \overline{\text{BE}} = \overline{\text{B'A}} : \overline{\text{B'B}} = 1 : 2$

이때 $\overline{\text{BE}} : \overline{\text{EC}} = 5 : 1$에서 $\overline{\text{BE}} = \dfrac{5}{6}a$, $\overline{\text{EC}} = \dfrac{1}{6}a$이므로

$\overline{\text{AG}} : \dfrac{5}{6}a = 1 : 2$, $2\overline{\text{AG}} = \dfrac{5}{6}a$ ∴ $\overline{\text{AG}} = \dfrac{5}{12}a$

한편, △AFG와 △CFE에서

∠FAG = ∠FCE = 60°, ∠AFG = ∠CFE (맞꼭지각)

이므로 △AFG∽△CFE (AA 닮음)

따라서 $\overline{\text{AF}} : \overline{\text{CF}} = \overline{\text{AG}} : \overline{\text{CE}} = \dfrac{5}{12}a : \dfrac{1}{6}a = 5 : 2$이고

$\overline{\text{AC}} = a$이므로 $\overline{\text{AF}} = \dfrac{5}{5+2} \times \overline{\text{AC}} = \dfrac{5}{7}a$

21 오른쪽 그림에서 $\overline{\text{AB}} \,//\, \overline{\text{ED}}$이므로

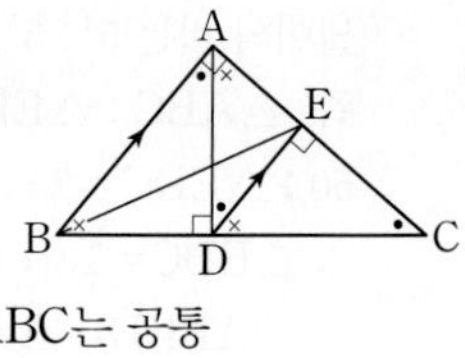

∠DEC = ∠BAC = 90° (동위각)

△ABC와 닮음인 삼각형은

(i) △ABC와 △DBA에서

　　∠BAC = ∠BDA = 90°, ∠ABC는 공통

　　∴ △ABC∽△DBA (AA 닮음)

(ii) △ABC와 △DAC에서
　　∠BAC=∠ADC=90°, ∠ACB는 공통
　　∴ △ABC∽△DAC (AA 닮음)
(iii) △ABC와 △EDC에서
　　∠BAC=∠DEC=90°, ∠ACB는 공통
　　∴ △ABC∽△EDC (AA 닮음)
(iv) △ABC와 △EAD에서
　　∠BAC=∠AED=90°,
　　∠ACB=90°-∠EDC=∠EDA
　　∴ △ABC∽△EAD (AA 닮음)
따라서 (i)~(iv)에 의해 △ABC와 서로 닮음인 삼각형은
△DBA, △DAC, △EDC, △EAD의 4개이다.

22 $\overline{BO}=\overline{DO}=\dfrac{1}{2}\overline{BD}=\dfrac{1}{2}\times20=10$

△DOP와 △DAB에서
∠DOP=∠DAB=90°, ∠PDO는 공통이므로
△DOP∽△DAB (AA 닮음)
즉, $\overline{DO}:\overline{DA}=\overline{PO}:\overline{BA}$이므로
$10:16=\overline{PO}:12$, $16\overline{PO}=120$
$\therefore \overline{PO}=\dfrac{15}{2}$

한편, △POD와 △QOB에서
∠POD=∠QOB=90°, $\overline{DO}=\overline{BO}$,
∠PDO=∠QBO (엇각)이므로
△POD≡△QOB (ASA 합동)
$\therefore \overline{PO}=\overline{QO}$
$\therefore \overline{PQ}=2\overline{PO}=2\times\dfrac{15}{2}=15$

23 △ABC와 △ADF에서
∠C=∠AFD=90° (동위각), ∠A는 공통이므로
△ABC∽△ADF (AA 닮음)
$\overline{DF}=\overline{FC}=x$ cm라 하면 $\overline{BC}:\overline{DF}=\overline{AC}:\overline{AF}$이므로
$9:x=6:(6-x)$, $54-9x=6x$
$15x=54$　$\therefore x=\dfrac{18}{5}$
$\therefore \square DECF=\left(\dfrac{18}{5}\right)^2=\dfrac{324}{25}(\text{cm}^2)$

24 △ABC에서 $\overline{AH}^2=\overline{BH}\times\overline{CH}$이므로
$\overline{AH}^2=4\times1=4$
이때 $\overline{AH}>0$이므로 $\overline{AH}=2$ cm
한편, 직각삼각형의 외심은 빗변의 중점이므로 점 M은 직각삼각형 ABC의 외심이다.
즉, $\overline{AM}=\overline{BM}=\overline{CM}=\dfrac{1}{2}\times(4+1)=\dfrac{5}{2}(\text{cm})$이므로
$\overline{MH}=\overline{CM}-\overline{CH}=\dfrac{5}{2}-1=\dfrac{3}{2}(\text{cm})$
이때 △HAM에서 $\overline{MH}\times\overline{AH}=\overline{AM}\times\overline{HG}$이므로
$\dfrac{3}{2}\times2=\dfrac{5}{2}\times\overline{HG}$　$\therefore \overline{HG}=\dfrac{6}{5}(\text{cm})$

25 오른쪽 그림에서
∠BAC+∠ACE=180°
이므로 $\overline{AB}/\!/\overline{CE}$
△DAB와 △DEC에서
∠BAD=∠CED (엇각),
∠ABD=∠ECD (엇각)이므로
△DAB∽△DEC (AA 닮음)
이때 $\overline{BD}=2\overline{CD}$에서 $\overline{BD}:\overline{CD}=2:1$이므로
$\overline{BA}:\overline{CE}=2:1$, $6:\overline{CE}=2:1$
$2\overline{CE}=6$　$\therefore \overline{CE}=3$
△CAE에서 $\overline{CE}^2=\overline{DE}\times\overline{AE}$　⋯ ㉠
또 $\overline{DA}:\overline{DE}=2:1$에서 $\overline{AE}=3\overline{DE}$이므로
㉠에 대입하면
$3^2=\overline{DE}\times3\overline{DE}$, $3^2=3\overline{DE}^2$
$\therefore \overline{DE}^2=3$

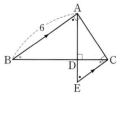

26 오른쪽 그림의 △PBQ와 △CBA
에서 ∠PQB=∠CAB=90°
∠PBQ는 공통이므로
△PBQ∽△CBA (AA 닮음)
즉, $\overline{PB}:\overline{CB}=\overline{BQ}:\overline{BA}$이므로
$4:10=\overline{BQ}:6$, $10\overline{BQ}=24$　$\therefore \overline{BQ}=\dfrac{12}{5}$

이때 $\overline{DQ}=\overline{BQ}=\dfrac{12}{5}$ (접은 변)이므로
$\overline{CD}=\overline{BC}-\overline{BD}=\overline{BC}-2\overline{BQ}$
　　$=10-2\times\dfrac{12}{5}=\dfrac{26}{5}$

27 오른쪽 그림에서
∠PBD=∠CBD (접은 각)
∠PDB=∠DBC (엇각)이므로
∠PBD=∠PDB
즉, △PBD는 이등변삼각형이므로
$\overline{BH}=\overline{DH}=\dfrac{1}{2}\overline{BD}=\dfrac{1}{2}\times30=15$
△PBH와 △DBC에서
∠PHB=∠DCB=90°, ∠PBH=∠DBC이므로
△PBH∽△DBC (AA 닮음)
따라서 $\overline{BH}:\overline{BC}=\overline{PH}:\overline{DC}$이므로
$15:24=\overline{PH}:18$, $24\overline{PH}=270$
$\therefore \overline{PH}=\dfrac{45}{4}$

28 오른쪽 그림에서
$\overline{EA'}=\overline{EA}=10$ (접은 변)
$\overline{AB}=10+6=16$에서 $\square ABCD$
는 한 변의 길이가 16인 정사각형
이므로
$\overline{A'D'}=\overline{AD}=16$ (접은 변),
$\overline{A'C}=\overline{BC}-\overline{BA'}=16-8=8$

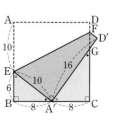

△EBA′과 △A′CG에서

∠EBA′=∠A′CG=90°,

∠BEA′=180°-(90°+∠EA′B)=∠CA′G이므로

△EBA′∽△A′CG(AA 닮음)

즉, $\overline{EB}:\overline{A'C}=\overline{EA'}:\overline{A'G}$이므로

$6:8=10:\overline{A'G}$, $6\overline{A'G}=80$

∴ $\overline{A'G}=\dfrac{40}{3}$

∴ $\overline{GD'}=\overline{A'D'}-\overline{A'G}=16-\dfrac{40}{3}=\dfrac{8}{3}$

29 오른쪽 그림의 △ABF와 △DAE
에서 ∠AFB=∠DEA=90°,

∠BAF=90°-∠DAE=∠ADE

∴ △ABF∽△DAE(AA 닮음)

이때 $\overline{EF}=a$, $\overline{BF}=b$라 하면

$\overline{BF}:\overline{AE}=\overline{AF}:\overline{DE}$이므로

$b:4=(4+a):6$, $6b=4(4+a)$

$6b=16+4a$, $4a-6b=-16$

∴ $2a-3b=-8$ ··· ㉠

한편, △BCF와 △CDE에서

∠BFC=∠CED=90°,

∠BCF=90°-∠DCE=∠CDE

∴ △BCF∽△CDE(AA 닮음)

즉, $\overline{BF}:\overline{CE}=\overline{CF}:\overline{DE}$이므로

$b:8=(8-a):6$, $6b=8(8-a)$

$6b=64-8a$, $8a+6b=64$

∴ $4a+3b=32$ ··· ㉡

㉠+㉡을 하면 $6a=24$ ∴ $a=4$

∴ $\overline{EF}=4$

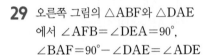

30 오른쪽 그림과 같이 $\overline{AM}$, $\overline{BM}$을 그으면
△AEM과 △ADM에서

∠AEM=∠ADM=90°,

$\overline{AM}$은 공통, $\overline{EM}=\overline{DM}$이므로

△AEM≡△ADM(RHS 합동)

∴ $\overline{AE}=\overline{AD}$,

∠AME=∠AMD ··· ㉠

또 △EBM과 △CBM에서

∠BEM=∠BCM=90°, $\overline{BM}$은 공통, $\overline{EM}=\overline{CM}$이므로

△EBM≡△CBM(RHS 합동)

∴ $\overline{BE}=\overline{BC}$, ∠BME=∠BMC ··· ㉡

㉠, ㉡에 의해

∠AME+∠BME=$\dfrac{1}{2}$∠DMC=$\dfrac{1}{2}×180°=90°$

직각삼각형 AMB에서

$\overline{AE}=\overline{AD}=4$, $\overline{BE}=\overline{BC}=9$이므로

$\overline{EM}^2=\overline{AE}×\overline{BE}=4×9=36$

이때 $\overline{EM}>0$이므로 $\overline{EM}=6$

∴ $\overline{CD}=2\overline{EM}=2×6=12$

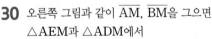

31 다음 그림과 같이 철봉의 꼭대기 지점을 A, 철봉이 지면과
맞닿은 지점을 B, 벽면에 생긴 그림자의 꼭대기 지점을 C,
벽면에 생긴 그림자가 지면과 맞닿은 지점을 D라 하고 막대
기의 꼭대기 지점을 A′, 막대기가 지면과 맞닿은 지점을 B′
이라 하자.

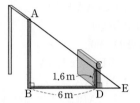

벽면이 철봉의 그림자를 가리지 않았다고 할 때, $\overline{AC}$와 $\overline{BD}$
의 연장선이 만나는 점을 E라 하고 막대기의 그림자의 끝
지점을 C′이라 하면

△CDE∽△A′B′C′(AA 닮음)이므로

$\overline{CD}:\overline{A'B'}=\overline{DE}:\overline{B'C'}$에서

$1.6:2=\overline{DE}:2.5$, $2\overline{DE}=4$

∴ $\overline{DE}=2$(m)

또 △ABE∽△CDE(AA 닮음)이므로

$\overline{AB}:\overline{CD}=\overline{BE}:\overline{DE}$에서

$\overline{AB}:1.6=(6+2):2$, $2\overline{AB}=12.8$

∴ $\overline{AB}=6.4$(m)

따라서 철봉의 높이는 6.4 m이다.

32 축척이 $\dfrac{1}{50000}$인 지도에서 거리가 20 cm인 두 지점 사이의
실제 거리는

$20÷\dfrac{1}{50000}=20×50000=1000000(cm)=10000$(m)

$=10$(km)

따라서 실제 거리 10 km를 자전거를 타고 시속 10 km로
왕복하는 데 걸리는 시간은

$\dfrac{10+10}{10}=2$(시간)

33 (축척)$=\dfrac{3.5\,cm}{28\,m}=\dfrac{3.5\,cm}{2800\,cm}=\dfrac{1}{800}$

∴ $\overline{AC}=\overline{DF}×800=2×800=1600(cm)=16$(m)

따라서 나무의 실제 높이는 $1.8+16=17.8$(m)

34 길잡이 각 사분원은 중심각의 크기가 모두 같은 부채꼴이므로 서로 닮은
도형임을 이용한다.

각 사분원은 모두 닮음이므로 사분원의 호의 길이의 비는
사분원의 반지름의 길이의 비와 같다.

4번째 그린 사분원의 반지름의 길이는 3,

5번째 그린 사분원의 반지름의 길이는 5이므로

6번째 그린 사분원의 반지름의 길이는 3+5=8,

7번째 그린 사분원의 반지름의 길이는 5+8=13,

8번째 그린 사분원의 반지름의 길이는 8+13=21

따라서 4번째 그린 사분원의 호의 길이와 8번째 그린 사분원
의 호의 길이의 비는 3 : 21=1 : 7이다.

35 길잡이 처음 정삼각형의 한 변의 길이를 a라 하고, 각 단계에서 지운 정삼각형의 한 변의 길이를 a로 나타낸다.

모든 정삼각형은 서로 닮음이므로 첫 번째 그림의 정삼각형의 한 변의 길이를 a라 하면

두 번째 그림의 색칠한 정삼각형의 한 변의 길이는 $\frac{1}{2}a$

세 번째 그림의 색칠한 정삼각형의 한 변의 길이는 $\frac{1}{4}a$

네 번째 그림의 색칠한 정삼각형의 한 변의 길이는 $\frac{1}{8}a$

즉, 첫 번째 그림의 정삼각형의 한 변의 길이와 네 번째 그림의 색칠한 정삼각형의 한 변의 길이의 비는

$a : \frac{1}{8}a = 8 : 1$

∴ (첫 번째 그림의 정삼각형 1개의 넓이)

  : (네 번째 그림의 색칠한 정삼각형 1개의 넓이)

$= 8^2 : 1^2 = 64 : 1$

이때 네 번째 그림에서 색칠한 정삼각형은 $3 \times 3 \times 3 = 27$(개)이므로 첫 번째 그림의 정삼각형 1개의 넓이와 네 번째 그림의 색칠한 정삼각형 27개의 넓이의 비는

$64 : 27$

따라서 첫 번째 그림의 정삼각형의 넓이는 네 번째 그림의 색칠한 부분의 넓이의 $\frac{64}{27}$배이다.

36 길잡이 맞꼭지각과 엇각의 크기가 같음을 이용하여 서로 닮음인 두 삼각형을 찾는다.

ㄱ. (i)에서 $\overline{BN} = \overline{CN}$

ㄴ. △RON과 △RBA에서

  ∠ORN = ∠BRA (맞꼭지각)이고,

  (i)에서 $\overline{AB} \parallel \overline{MN}$이므로 ∠ONR = ∠BAR (엇각)

  ∴ △RON ∽ △RBA (AA 닮음)

ㄷ. $\overline{AB} = \overline{MN} = 2\overline{ON}$이므로 $\overline{AB} : \overline{ON} = 2 : 1$

ㄹ. △RPA와 △RQN에서

  ∠PRA = ∠QRN (맞꼭지각)이고,

  (iv)에서 ∠RPA = ∠RQN = 90°이므로

  △RPA ∽ △RQN (AA 닮음)

  ∴ $\overline{PR} : \overline{QR} = \overline{AR} : \overline{NR} = \overline{AB} : \overline{NO} = 2 : 1$(∵ ㄴ, ㄷ)

따라서 옳은 것은 ㄱ, ㄴ, ㄹ이다.

P. 49~51 내신 **1%** 뛰어넘기

01 $20\,\text{cm}^2$	**02** $1 : 4$	**03** $65°$	**04** $15 : 24 : 26$
05 $\frac{94}{3}$	**06** 252	**07** $3 : 10$	**08** 6	**09** $\frac{10}{3}$ m

01 길잡이 직선 m과 정사각형의 변으로 이루어진 서로 닮음인 두 삼각형을 찾아 길이의 비를 알아본다.

세 정사각형 P, R, T의 넓이의 비는

$2 : 8 : 32 = 1 : 4 : 16 = 1^2 : 2^2 : 4^2$

즉, 세 정사각형 P, R, T의 한 변의 길이의 비는 $1 : 2 : 4$이므로 세 정사각형 P, R, T의 한 변의 길이를 각각 $a\,\text{cm}$, $2a\,\text{cm}$, $4a\,\text{cm}(a > 0)$라 하자.

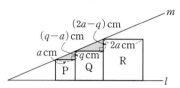

정사각형 Q의 한 변의 길이를 $q\,\text{cm}$라 하면 위의 그림에서 색칠한 두 삼각형은 서로 닮은 도형이므로

$a : q = (q-a) : (2a-q)$, $a(2a-q) = q(q-a)$

$2a^2 - aq = q^2 - aq$ ∴ $q^2 = 2a^2$

이때 정사각형 P의 넓이가 $2\,\text{cm}^2$이므로 $a^2 = 2$

∴ $q^2 = 2a^2 = 2 \times 2 = 4$

즉, 정사각형 Q의 넓이는 $4\,\text{cm}^2$이다.

정사각형 S의 한 변의 길이를 $s\,\text{cm}$라 하고 같은 방법으로 하면

$s^2 = 2 \times (2a)^2 = 8a^2 = 8 \times 2 = 16$

즉, 정사각형 S의 넓이는 $16\,\text{cm}^2$이다.

따라서 두 정사각형 Q, S의 넓이의 합은

$4 + 16 = 20(\text{cm}^2)$

02 길잡이 작은 정사면체와 큰 정사면체의 부피의 비를 구해 본다.

한 모서리의 길이가 1인 정사면체와 한 모서리의 길이가 2인 정사면체의 부피의 비는

$1^3 : 2^3 = 1 : 8$

이므로 한 모서리의 길이가 1인 정사면체의 부피를 a, 한 모서리의 길이가 2인 정사면체의 부피를 $8a$라 하면

(한 모서리의 길이가 1인 정팔면체의 부피)

= (한 모서리의 길이가 2인 정사면체의 부피)

  − (한 모서리의 길이가 1인 정사면체 4개의 부피)

$= 8a - 4 \times a = 4a$

따라서 한 모서리의 길이가 1인 정사면체 한 개와 한 모서리의 길이가 1인 정팔면체 한 개의 부피의 비는

$a : 4a = 1 : 4$

03 길잡이 닮음인 두 삼각형 △ABD와 △ECD의 변의 길이의 비를 이용하여 서로 닮음인 두 삼각형을 찾아본다.

∠DEC = 180° − (15° + 80°) = 85°이고,

△ABD ∽ △ECD이므로

∠DAB = ∠DEC = 85°, ∠ADB = ∠EDC = 15°

한편, △DAE와 △DBC에서

$\overline{DA} : \overline{DB} = \overline{DE} : \overline{DC}$ (∵ △ABD ∽ △ECD)이고,

∠ADE = 15° + ∠BDE = ∠BDC이므로

△DAE ∽ △DBC (SAS 닮음)

즉, ∠DAE = ∠DBC = 20°이므로

∠BAE = ∠DAB − ∠DAE = 85° − 20° = 65°

04 길잡이 서로 닮음인 도형을 찾아 $\overline{AE} : \overline{CE}$와 $\overline{AG} : \overline{CG}$를 구해 본다.

$2\overline{DE} = 3\overline{EF}$이므로 $\overline{DE} : \overline{EF} = 3 : 2$

오른쪽 그림의
$\triangle AED$와 $\triangle CEF$에서

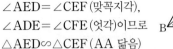

$\angle AED = \angle CEF$ (맞꼭지각),
$\angle ADE = \angle CFE$ (엇각)이므로
$\triangle AED \backsim \triangle CEF$ (AA 닮음)
$\overline{AE} : \overline{CE} = \overline{DE} : \overline{FE} = 3 : 2$ ····· ㉠
또 $\overline{AD} : \overline{CF} = \overline{DE} : \overline{FE} = 3 : 2$이고
$\overline{BF} = \overline{AD}$이므로 $\overline{BF} : \overline{CF} = \overline{AD} : \overline{CF} = 3 : 2$
한편, $\triangle AGM$과 $\triangle CGB$에서
$\angle AGM = \angle CGB$ (맞꼭지각), $\angle AMG = \angle CBG$ (엇각)
이므로 $\triangle AGM \backsim \triangle CGB$ (AA 닮음)
이때 $\overline{BF} : \overline{CF} = 3 : 2$이므로 $\overline{BF} = 3a$, $\overline{CF} = 2a \,(a > 0)$라
하면

$$\overline{AG} : \overline{CG} = \overline{AM} : \overline{CB} = \tfrac{1}{2}\overline{BF} : (\overline{BF} + \overline{CF})$$
$$= \tfrac{3}{2}a : 5a = 3 : 10 \quad\quad \cdots\cdots ㉡$$

㉠에서 $\overline{AE} = 3b$, $\overline{CE} = 2b \,(b > 0)$라 하면
$\overline{AC} = 3b + 2b = 5b$
이때 ㉡에서

$$\overline{AG} = \tfrac{3}{13}\overline{AC} = \tfrac{15}{13}b, \quad \overline{CG} = \tfrac{10}{13}\overline{AC} = \tfrac{50}{13}b,$$
$$\overline{GE} = \overline{CG} - \overline{CE} = \tfrac{50}{13}b - 2b = \tfrac{24}{13}b$$
$$\therefore \overline{AG} : \overline{GE} : \overline{EC} = \tfrac{15}{13}b : \tfrac{24}{13}b : 2b$$
$$= 15 : 24 : 26$$

05 길잡이 $\triangle ABC$와 $\triangle PQC$는 $\overline{AB} /\!/ \overline{PQ}$, 즉 $\angle BAC = \angle QPC$일 때
서로 닮음이 되고, $\angle BAC = \angle PQC$일 때 서로 닮음이 된다.

(i) $\overline{AB} /\!/ \overline{PQ}$인 경우
오른쪽 그림의
$\triangle ABC$와 $\triangle PQC$에서
$\angle BAC = \angle QPC$ (동위각),
$\angle C$는 공통이므로
$\triangle ABC \backsim \triangle PQC$ (AA 닮음)
즉, $\overline{AC} : \overline{PC} = \overline{BC} : \overline{QC}$이므로
$(5 + 10) : 10 = 18 : \overline{QC}$, $15\overline{QC} = 180$
$\therefore \overline{QC} = 12 \,(\mathrm{cm})$
$\therefore \overline{BQ} = \overline{BC} - \overline{QC} = 18 - 12 = 6 \,(\mathrm{cm})$
그런데 점 Q는 매초 0.5 cm의 속력으로 움직이므로 점
Q가 점 B에서 출발한 지 $6 \div 0.5 = 12$(초) 후에
$\triangle ABC \backsim \triangle PQC$가 된다. $\quad \therefore x = 12$

(ii) $\angle BAC = \angle PQC$인 경우
오른쪽 그림의
$\triangle ABC$와 $\triangle QPC$에서
$\angle BAC = \angle PQC$,
$\angle C$는 공통이므로
$\triangle ABC \backsim \triangle QPC$ (AA 닮음)

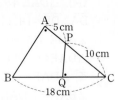

즉, $\overline{AC} : \overline{QC} = \overline{BC} : \overline{PC}$이므로
$(5 + 10) : \overline{QC} = 18 : 10$, $18\overline{QC} = 150$
$$\therefore \overline{QC} = \tfrac{25}{3} \,(\mathrm{cm})$$
$$\therefore \overline{BQ} = \overline{BC} - \overline{QC} = 18 - \tfrac{25}{3} = \tfrac{29}{3} \,(\mathrm{cm})$$
그런데 점 Q는 매초 0.5 cm의 속력으로 움직이므로 점
Q가 점 B에서 출발한 지 $\tfrac{29}{3} \div 0.5 = \tfrac{58}{3}$(초) 후에
$\triangle ABC \backsim \triangle QPC$가 된다. $\quad \therefore y = \tfrac{58}{3}$

따라서 (i), (ii)에 의해 $x + y = 12 + \tfrac{58}{3} = \tfrac{94}{3}$

06 길잡이 정사각형 ABCD의 한 변의 길이를 a로 놓고 길이가 주어진 $\overline{AP}$
와 $\overline{AQ}$를 한 변으로 하는 직각삼각형과 서로 닮음인 도형을 찾아본다.
$\overline{AC}$는 정사각형의 대각선이므로 $\angle BAC = \angle DAC = 45°$
$\triangle ABE$와 $\triangle AQF$에서
$\angle ABE = \angle AQF = 90°$,
$\angle BAE = 45° - \angle EAC = \angle QAF$이므로
$\triangle ABE \backsim \triangle AQF$ (AA 닮음)
이때 정사각형 ABCD의 한 변의 길이를 a라 하면
$\overline{AE} : \overline{AF} = \overline{AB} : \overline{AQ} = a : 18$ ····· ㉠
$\triangle AEP$와 $\triangle AFD$에서
$\angle APE = \angle ADF = 90°$,
$\angle EAP = 45° - \angle FAC = \angle FAD$이므로
$\triangle AEP \backsim \triangle AFD$ (AA 닮음)
즉, $\overline{AE} : \overline{AF} = \overline{AP} : \overline{AD} = 14 : a$ ····· ㉡
㉠, ㉡에 의해
$a : 18 = 14 : a$, $a^2 = 252$
$\therefore \square ABCD = a^2 = 252$

07 길잡이 전봇대, 가로등, 쇠막대, 그림자 등의 위치를 간단한 도형을 이
용하여 그림으로 나타낸 후, 직각삼각형의 닮음을 이용한다.
오른쪽 그림과 같이 전봇대가 지
면과 만나는 점을 O, $\overline{AT_A}$와
$\overline{BT_B}$가 만나는 점을 점 Q라 하면

$$\overline{PQ} = \tfrac{56}{100} = \tfrac{14}{25} \,(\mathrm{m})$$
$$\overline{AO} = \overline{BA} = \tfrac{1}{2}\overline{BO}$$
$$= \tfrac{1}{2} \times 2 = 1 \,(\mathrm{m})$$
$\overline{OT_A} : \overline{OT_B} = 5 : 3$이므로
$\overline{OT_A} = 5a \,\mathrm{m}$, $\overline{OT_B} = 3a \,\mathrm{m} \,(a > 0)$라 하면
$\triangle APQ$와 $\triangle AOT_A$에서
$\angle APQ = \angle AOT_A = 90°$, $\angle PAQ$는 공통이므로
$\triangle APQ \backsim \triangle AOT_A$ (AA 닮음)
즉, $\overline{AP} : \overline{AO} = \overline{PQ} : \overline{OT_A}$이므로
$\overline{AP} : 1 = \tfrac{14}{25} : 5a$, $5a\overline{AP} = \tfrac{14}{25}$
$$\therefore \overline{AP} = \tfrac{14}{125a} \,(\mathrm{m}) \quad\quad \cdots\cdots ㉠$$

$\triangle$BPQ와 $\triangle$BOT$_B$에서

$\angle$BPQ$=\angle$BOT$_B$$=90\degree$,

$\angle$PBQ는 공통이므로

$\triangle$BPQ$\sim\triangle$BOT$_B$ (AA 닮음)

즉, $\overline{BP}:\overline{BO}=\overline{PQ}:\overline{OT_B}$이므로

$\overline{BP}:2=\dfrac{14}{25}:3a$, $3a\overline{BP}=\dfrac{28}{25}$

$\therefore \overline{BP}=\dfrac{28}{75a}(m)$ $\quad\cdots$ ㉡

㉠, ㉡에 의해

$\overline{AP}:\overline{BP}=\dfrac{14}{125a}:\dfrac{28}{75a}=\dfrac{1}{5}:\dfrac{2}{3}=3:10$

08 길잡이 $\overline{GF}$, $\overline{FH}$의 길이가 주어졌으므로 이를 이용할 수 있도록 서로 닮음인 직각삼각형을 찾고 변의 길이의 비를 이용한다.

오른쪽 그림의 직각삼각형 BDC에서

$\overline{DG}^2=\overline{BG}\times\overline{CG}$ $\quad\cdots$ ㉠

$\triangle$HBG와 $\triangle$CFG에서

$\angle$HGB$=\angle$CGF$=90\degree$,

$\angle$BHG$=180\degree-(\angle$HBG$+90\degree)$

$\qquad\qquad =\angle$BCE$=\angle$FCG

$\therefore \triangle$HBG$\sim\triangle$CFG (AA 닮음)

즉, $\overline{BG}:\overline{FG}=\overline{HG}:\overline{CG}$이므로

$\overline{BG}\times\overline{CG}=\overline{FG}\times\overline{HG}$ $\quad\cdots$ ㉡

㉠, ㉡에 의해

$\overline{DG}^2=\overline{BG}\times\overline{CG}=\overline{FG}\times\overline{HG}=3\times(9+3)=36$

이때 $\overline{DG}>0$이므로 $\overline{DG}=6$

09 길잡이 담벼락에 생긴 전봇대의 그림자의 길이와 전봇대에서 담벼락까지의 거리를 구해 본다.

오른쪽 그림과 같이 꺾이지 않은 담벼락에 생긴 그림자의 길이를 $\overline{DC}$라 하면

$\overline{DC}=1+2=3(m)$

이때 전봇대에서 꺾이지 않은 담벼락까지의 거리를 $\overline{BC}$라 하면

$\overline{BC}=4+1=5(m)$

$\overline{AD}$와 $\overline{BC}$의 연장선이 만나는 점을 E라 하면 담벼락이 없을 때 전봇대의 그림자의 길이는 $\overline{BE}$의 길이와 같다.

$\triangle$ABE와 $\triangle$DCE에서

$\angle$ABE$=\angle$DCE$=90\degree$, $\angle$E는 공통이므로

$\triangle$ABE$\sim\triangle$DCE (AA 닮음)

$\overline{BE}=x\,m$라 하면

$\overline{AB}:\overline{DC}=\overline{BE}:\overline{CE}$이므로

$6:3=x:(x-5)$

$6(x-5)=3x$

$3x=30$ $\quad\therefore x=10$

즉, 높이가 $6\,m$인 전봇대의 그림자의 길이는 $10\,m$이므로 높이가 $2\,m$인 막대의 그림자의 길이를 $y\,m$라 하면

$6:10=2:y$

$6y=20$ $\quad\therefore y=\dfrac{10}{3}$

따라서 높이가 $2\,m$인 막대의 그림자의 길이는 $\dfrac{10}{3}\,m$이다.

4. 평행선 사이의 선분의 길이의 비

P. 54~57 개념+대표 문제 확인하기

1 $\frac{11}{3}$	**2** 17	**3** 8	**4** ④	**5** $\frac{5}{4}$
6 10 cm	**7** 3 cm	**8** 8 cm	**9** 12 cm	**10** 5
11 ②	**12** $x=8$, $y=14$		**13** ④	**14** ③
15 ③	**16** ③	**17** 18	**18** 2 cm^2	**19** 9

1 $\overline{AD}:\overline{AB}=\overline{DE}:\overline{BC}$에서 $8:(8+4)=\overline{DE}:10$

$12\overline{DE}=80 \quad \therefore \overline{DE}=\frac{20}{3}$

$\overline{AD}:\overline{DB}=\overline{AE}:\overline{EC}$에서 $8:4=6:\overline{EC}$

$8\overline{EC}=24 \quad \therefore \overline{EC}=3$

$\therefore \overline{DE}-\overline{EC}=\frac{20}{3}-3=\frac{11}{3}$

2 $\overline{AB}:\overline{BD}=\overline{AC}:\overline{CE}$에서

$12:4=x:3$, $4x=36 \quad \therefore x=9$

$\overline{AB}:\overline{AF}=\overline{AC}:\overline{AG}$에서

$12:y=9:6$, $9y=72 \quad \therefore y=8$

$\therefore x+y=9+8=17$

3 $\overline{CG}=x$라 하면 $\overline{BG}=\overline{BC}-\overline{CG}=12-x$

$\triangle ABG$에서 $\overline{AF}:\overline{AG}=\overline{DF}:\overline{BG}$이므로

$\overline{AF}:\overline{AG}=3:(12-x) \quad \cdots$ ㉠

$\triangle AGC$에서 $\overline{AF}:\overline{AG}=\overline{FE}:\overline{GC}$이므로

$\overline{AF}:\overline{AG}=6:x \quad \cdots$ ㉡

㉠, ㉡에 의해

$3:(12-x)=6:x$, $3x=6(12-x)$

$9x=72 \quad \therefore x=8$

$\therefore \overline{CG}=8$

4 $\overline{AB}:\overline{AC}=\overline{BD}:\overline{CD}$에서

$10:15=4:\overline{CD}$, $10\overline{CD}=60 \quad \therefore \overline{CD}=6$

$\overline{BA}:\overline{BC}=\overline{AE}:\overline{CE}$에서

$10:(4+6)=\overline{AE}:\overline{CE} \quad \therefore \overline{AE}=\overline{CE}$

$\therefore \overline{CE}=\frac{1}{2}\overline{AC}=\frac{1}{2}\times 15=\frac{15}{2}$

다른 풀이

$\overline{AB}:\overline{AC}=\overline{BD}:\overline{CD}$에서

$10:15=4:\overline{CD}$, $10\overline{CD}=60 \quad \therefore \overline{CD}=6$

$\therefore \overline{BC}=\overline{BD}+\overline{DC}=4+6=10$

$\triangle BAC$는 $\overline{BA}=\overline{BC}=10$이므로 이등변삼각형이다.

따라서 이등변삼각형의 꼭지각의 이등분선은 밑변을 수직이등분하므로 $\overline{CE}=\frac{1}{2}\overline{AC}=\frac{15}{2}$

5 $\overline{AB}:\overline{AC}=\overline{BD}:\overline{CD}$에서

$3:2=\overline{BD}:3$, $2\overline{BD}=9 \quad \therefore \overline{BD}=\frac{9}{2}$

$\therefore \overline{BC}=\overline{BD}-\overline{CD}=\frac{9}{2}-3=\frac{3}{2}$

이때 $\triangle ABC:\triangle ACD=\overline{BC}:\overline{CD}$이므로

$\triangle ABC:\frac{5}{2}=\frac{3}{2}:3$, $3\triangle ABC=\frac{15}{4}$

$\therefore \triangle ABC=\frac{5}{4}$

6 $\triangle ABC$에서

$\overline{BD}=\overline{DA}$, $\overline{BE}=\overline{EC}$이므로 $\overline{DE}=\frac{1}{2}\overline{AC}$

$\overline{CF}=\overline{FA}$, $\overline{CE}=\overline{EB}$이므로 $\overline{EF}=\frac{1}{2}\overline{AB}$

$\overline{AD}=\overline{DB}$, $\overline{AF}=\overline{FC}$이므로 $\overline{FD}=\frac{1}{2}\overline{BC}$

$\therefore$ ($\triangle DEF$의 둘레의 길이)

$=\overline{DE}+\overline{EF}+\overline{FD}$

$=\frac{1}{2}(\overline{AC}+\overline{AB}+\overline{BC})$

$=\frac{1}{2}\times$($\triangle ABC$의 둘레의 길이)

$=\frac{1}{2}\times 20=10(\text{cm})$

7 $\triangle ABF$에서 $\overline{AD}=\overline{DB}$, $\overline{AE}=\overline{EF}$이므로 $\overline{DE}/\!/\overline{BF}$

$\overline{GF}=x$ cm라 하면

$\triangle CED$에서 $\overline{CF}=\overline{FE}$, $\overline{DE}/\!/\overline{GF}$이므로

$\overline{DE}=2\overline{GF}=2x(\text{cm})$

또 $\triangle ABF$에서 $\overline{BF}=2\overline{DE}$이므로

$9+x=2\times 2x$, $3x=9 \quad \therefore x=3$

$\therefore \overline{GF}=3$ cm

8 오른쪽 그림과 같이 점 E를 지나고 $\overline{BD}$에 평행한 직선을 그어 $\overline{AC}$와 만나는 점을 G라 하면

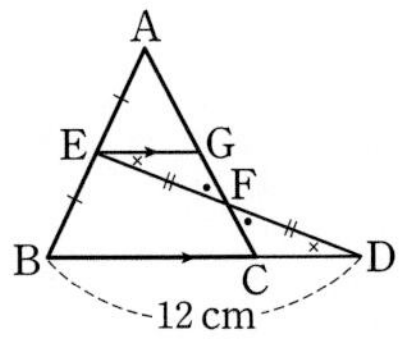

$\triangle EFG$와 $\triangle DFC$에서

$\angle EFG=\angle DFC$ (맞꼭지각),

$\overline{EF}=\overline{DF}$, $\angle GEF=\angle CDF$ (엇각)이므로

$\triangle EFG\equiv\triangle DFC$ (ASA 합동)

$\therefore \overline{EG}=\overline{DC}$

$\triangle ABC$에서 $\overline{AE}=\overline{EB}$, $\overline{EG}/\!/\overline{BC}$이므로

$\overline{BC}=2\overline{EG}=2\overline{DC}$

이때 $\overline{BD}=\overline{BC}+\overline{CD}=2\overline{CD}+\overline{CD}=3\overline{CD}$이므로

$3\overline{CD}=12 \quad \therefore \overline{CD}=4(\text{cm})$

$\therefore \overline{BC}=2\overline{DC}=2\times 4=8(\text{cm})$

9 $\triangle ABC$에서 $\overline{BE}=\overline{EA}$, $\overline{BF}=\overline{FC}$이므로

$\overline{EF}=\frac{1}{2}\overline{AC}=\frac{1}{2}\times 16=8(\text{cm})$

$\triangle BCD$에서 $\overline{CF}=\overline{FB}$, $\overline{CG}=\overline{GD}$이므로 $\overline{FG}=\frac{1}{2}\overline{BD}$

$\triangle ACD$에서 $\overline{DH}=\overline{HA}$, $\overline{DG}=\overline{GC}$이므로

$\overline{HG}=\frac{1}{2}\overline{AC}=\frac{1}{2}\times 16=8(\text{cm})$

△ABD에서 $\overline{AE}=\overline{EB}$, $\overline{AH}=\overline{HD}$이므로 $\overline{EH}=\dfrac{1}{2}\overline{BD}$

(□EFGH의 둘레의 길이)$=\overline{EF}+\overline{FG}+\overline{HG}+\overline{EH}$이므로

$28=8+\dfrac{1}{2}\overline{BD}+8+\dfrac{1}{2}\overline{BD}$

$\therefore \overline{BD}=12(\text{cm})$

10 $\overline{AM}=\overline{MB}$, $\overline{DN}=\overline{NC}$이므로 $\overline{AD}/\!/\overline{MN}/\!/\overline{BC}$

△ABD에서 $\overline{BM}=\overline{MA}$, $\overline{MP}/\!/\overline{AD}$이므로

$\overline{MP}=\dfrac{1}{2}\overline{AD}=\dfrac{3}{2}$

$\therefore \overline{MQ}=\overline{MP}+\overline{PQ}=\dfrac{3}{2}+1=\dfrac{5}{2}$

△ABC에서 $\overline{AM}=\overline{MB}$, $\overline{MQ}/\!/\overline{BC}$이므로

$\overline{BC}=2\overline{MQ}=2\times\dfrac{5}{2}=5$

11 $8:4=x:3$이므로 $4x=24$ $\therefore x=6$

$7:y=8:4$이므로 $8y=28$ $\therefore y=\dfrac{7}{2}$

$\therefore x+y=6+\dfrac{7}{2}=\dfrac{19}{2}$

12 $\overline{AE}:\overline{EB}=\overline{DF}:\overline{FC}$에서

$x:4=10:5$, $5x=40$ $\therefore x=8$

[방법 1] 오른쪽 그림과 같이 꼭짓점 A를 지나고 $\overline{DC}$와 평행한 보조선을 긋고 $\overline{EF}$와의 교점을 G, $\overline{BC}$와의 교점을 H라 하면

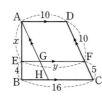

$\overline{GF}=\overline{HC}=\overline{AD}=10$

△ABH에서 $\overline{AE}:\overline{AB}=\overline{EG}:\overline{BH}$이므로

$8:(8+4)=\overline{EG}:(16-10)$

$12\overline{EG}=48$ $\therefore \overline{EG}=4$

$\therefore y=\overline{EG}+\overline{GF}=4+10=14$

[방법 2] 오른쪽 그림과 같이 보조선 AC를 긋고 $\overline{EF}$와의 교점을 G라 하면 △ABC에서

$\overline{AE}:\overline{AB}=\overline{EG}:\overline{BC}$이므로

$8:(8+4)=\overline{EG}:16$

$12\overline{EG}=128$ $\therefore \overline{EG}=\dfrac{32}{3}$

△CDA에서 $\overline{CF}:\overline{CD}=\overline{GF}:\overline{AD}$이므로

$5:(5+10)=\overline{GF}:10$

$15\overline{GF}=50$ $\therefore \overline{GF}=\dfrac{10}{3}$

$\therefore y=\overline{EG}+\overline{GF}=\dfrac{32}{3}+\dfrac{10}{3}=14$

13 $\overline{AD}/\!/\overline{BC}$이므로 $\overline{OA}:\overline{OC}=\overline{AD}:\overline{BC}=6:9=2:3$

△ABC에서 $\overline{AO}:\overline{AC}=\overline{EO}:\overline{BC}$이므로

$2:(2+3)=\overline{EO}:9$, $5\overline{EO}=18$

$\therefore \overline{EO}=\dfrac{18}{5}$

△CDA에서 $\overline{CO}:\overline{CA}=\overline{OF}:\overline{AD}$이므로

$3:(3+2)=\overline{OF}:6$, $5\overline{OF}=18$ $\therefore \overline{OF}=\dfrac{18}{5}$

$\therefore \overline{EF}=\overline{EO}+\overline{OF}=\dfrac{18}{5}+\dfrac{18}{5}=\dfrac{36}{5}$

14 ① △ABE와 △CDE에서

∠BAE=∠DCE(엇각), ∠ABE=∠CDE(엇각)

$\therefore$ △ABE∽△CDE(AA 닮음)

② △CAB와 △CEF에서

∠CAB=∠CEF(동위각), ∠C는 공통

$\therefore$ △CAB∽△CEF(AA 닮음)

③ $\overline{AB}/\!/\overline{DC}$이므로

$\overline{AE}:\overline{CE}=\overline{AB}:\overline{CD}=4:6=2:3$

④ $\overline{AB}/\!/\overline{DC}$이므로

$\overline{DB}:\overline{DE}=\overline{CA}:\overline{CE}=5:3$

⑤ $\overline{EF}/\!/\overline{AB}$이므로

$\overline{EF}:\overline{AB}=\overline{CE}:\overline{CA}$, $\overline{EF}:4=3:(3+2)$

$5\overline{EF}=12$ $\therefore \overline{EF}=\dfrac{12}{5}(\text{cm})$

따라서 옳지 않은 것은 ③이다.

15 △ABE=△EBF=△FBD이므로

△ABC$=2$△ABD$=2\times3$△EBF$=6$△EBF

$\quad\quad\quad=6\times4=24(\text{cm}^2)$

16 직각삼각형 ABC에서 $\overline{CD}$는 중선이므로 $\overline{AD}=\overline{BD}$이다.

즉, 점 D는 $\overline{AB}$는 중점이므로 △ABC의 외심이다.

$\therefore \overline{CD}=\overline{AD}=\overline{BD}=\dfrac{1}{2}\overline{AB}=\dfrac{1}{2}\times12=6(\text{cm})$

이때 점 G는 △ABC의 무게중심이므로

$\overline{CG}=\dfrac{2}{3}\overline{CD}=\dfrac{2}{3}\times6=4(\text{cm})$

17 점 G′은 △GBC의 무게중심이므로

$\overline{GD}=\dfrac{3}{2}\overline{GG'}=\dfrac{3}{2}\times4=6$

또 점 G는 △ABC의 무게중심이므로

$\overline{AD}=3\overline{GD}=3\times6=18$

18 점 G는 △ABC의 무게중심이므로

△GDC$=\dfrac{1}{6}$△ABC$=\dfrac{1}{6}\times24=4(\text{cm}^2)$

이때 $\overline{GE}=\overline{EC}$이므로

△GDE$=\dfrac{1}{2}$△GDC$=\dfrac{1}{2}\times4=2(\text{cm}^2)$

19 두 점 M, N은 각각 △ABC, △ACD의 무게중심이므로

$\overline{BM}=\overline{ND}=\overline{MN}=6$

$\therefore \overline{BD}=3\overline{MN}=3\times6=18$

이때 △BCD에서 $\overline{CE}=\overline{EB}$, $\overline{CF}=\overline{FD}$이므로

$\overline{EF}=\dfrac{1}{2}\overline{BD}=\dfrac{1}{2}\times18=9$

1 4 : 2 : 3	**2** 4	**3** 1	**4** 8	**5** $12\,\text{cm}^2$
6 $\dfrac{27}{4}$	**7** 2	**8** 7 : 6	**9** 8 cm	**10** 2
11 5	**12** $\dfrac{26}{7}$	**13** ③	**14** ③	**15** ②
16 $48\,\text{cm}^2$	**17** 84	**18** $1\,\text{cm}^2$	**19** $\dfrac{10}{3}$	**20** ⑤
21 24	**22** ②	**23** $\dfrac{45}{2}$	**24** ②	**25** 4
26 $\dfrac{3}{2}$	**27** $\dfrac{5}{2}$	**28** $\dfrac{5}{3}$	**29** 14	**30** ②
31 7	**32** ④	**33** ③	**34** ②	**35** 230
36 $\dfrac{32}{5}\,\text{cm}$		**37** $20\pi\,\text{cm}$		

1 △ADC에서 $\overline{DC}\,/\!/\,\overline{FE}$이므로
$\overline{AE}:\overline{EC}=\overline{AF}:\overline{FD}=2:1$
이때 $\overline{AF}=2k$, $\overline{FD}=k(k>0)$라 하면
$\overline{AD}=\overline{AF}+\overline{FD}=2k+k=3k$
△ABC에서 $\overline{BC}\,/\!/\,\overline{DE}$이므로
$\overline{AD}:\overline{DB}=\overline{AE}:\overline{EC}$
$3k:\overline{DB}=2:1,\ 2\overline{DB}=3k$
$\therefore\ \overline{DB}=\dfrac{3}{2}k$

$\therefore\ \overline{AF}:\overline{FD}:\overline{DB}=2k:k:\dfrac{3}{2}k=4:2:3$

2 $\angle ABD=\angle EDF=\angle GFH=60°$
즉, 동위각의 크기가 같으므로 $\overline{AB}\,/\!/\,\overline{ED}\,/\!/\,\overline{GF}$
이때 $\overline{BD}=\overline{AB}=9$이므로
$\overline{CD}=\overline{BC}-\overline{BD}=27-9=18$
△ABC에서 $\overline{AB}\,/\!/\,\overline{ED}$이므로
$\overline{CB}:\overline{CD}=\overline{AB}:\overline{ED},\ 27:18=9:\overline{ED}$
$27\overline{ED}=162\ \ \ \therefore\ \overline{ED}=6$
즉, $\overline{DF}=\overline{ED}=6$이므로
$\overline{CF}=\overline{CD}-\overline{DF}=18-6=12$
△CED에서 $\overline{ED}\,/\!/\,\overline{GF}$이므로
$\overline{CD}:\overline{CF}=\overline{ED}:\overline{GF},\ 18:12=6:\overline{GF}$
$18\overline{GF}=72\ \ \ \therefore\ \overline{GF}=4$
$\therefore\ \overline{GH}=\overline{GF}=4$

3 $\overline{DE}\,/\!/\,\overline{BC}$이므로
$\overline{AD}:\overline{AB}=\overline{DE}:\overline{BC}$에서
$2:(2+3)=\overline{DE}:5,\ 5\overline{DE}=10$
$\therefore\ \overline{DE}=2$
이때 $\overline{DE}\,/\!/\,\overline{BC}$, $\overline{EG}\,/\!/\,\overline{AB}$, $\overline{DF}\,/\!/\,\overline{AC}$이므로 □DBGE,
□DFCE는 평행사변형이다.
따라서 $\overline{BG}=\overline{FC}=\overline{DE}=2$이므로
$\overline{GF}=\overline{BC}-(\overline{BG}+\overline{FC})$
$\quad\ =5-(2+2)=1$

4 $\overline{AE}:\overline{EC}=1:3$이므로 $\overline{AE}:\overline{AC}=1:4$
$\therefore\ \overline{AE}=\dfrac{1}{4}\overline{AC}=\dfrac{1}{4}\times16=4$
$\overline{DE}\,/\!/\,\overline{BC}$이므로 $\overline{AD}:\overline{AB}=\overline{AE}:\overline{AC}=1:4$
$\overline{DF}\,/\!/\,\overline{AC}$이므로 $\overline{CF}:\overline{CB}=\overline{AD}:\overline{AB}=1:4$
$\overline{GF}\,/\!/\,\overline{AB}$이므로 $\overline{CG}:\overline{CA}=\overline{CF}:\overline{CB}=1:4$
$\therefore\ \overline{CG}=\dfrac{1}{4}\overline{CA}=\dfrac{1}{4}\times16=4$
$\therefore\ \overline{EG}=\overline{AC}-(\overline{AE}+\overline{CG})=16-(4+4)=8$

5 오른쪽 그림과 같이 점 D에서 $\overline{BE}$
에 평행한 직선을 그어 $\overline{AC}$와 만나
는 점을 G라 하면 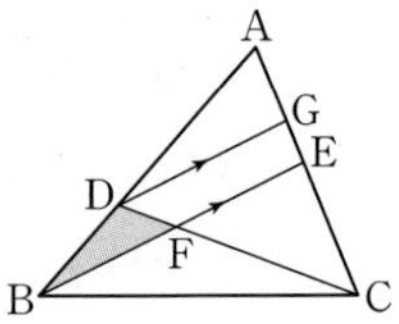
△ABE에서 $\overline{DG}\,/\!/\,\overline{BE}$이므로
$\overline{AG}:\overline{GE}=\overline{AD}:\overline{DB}=7:3$
이때 $\overline{AG}=7k$, $\overline{GE}=3k(k>0)$라 하면
$\overline{AE}=\overline{AG}+\overline{GE}=7k+3k=10k$
$\overline{AE}:\overline{EC}=4:5$이므로
$10k:\overline{EC}=4:5,\ 4\overline{EC}=50k\ \ \ \therefore\ \overline{EC}=\dfrac{25}{2}k$
△CDG에서 $\overline{FE}\,/\!/\,\overline{DG}$이므로
$\overline{CF}:\overline{FD}=\overline{CE}:\overline{EG}=\dfrac{25}{2}k:3k=25:6$
이때 △FBC:△DBF$=\overline{CF}:\overline{FD}$이므로
$50:\triangle DBF=25:6,\ 25\triangle DBF=300$
$\therefore\ \triangle DBF=12(\text{cm}^2)$

6 오른쪽 그림과 같이 $\overline{AM}$과 $\overline{PS}$
가 만나는 점을 I라 하면 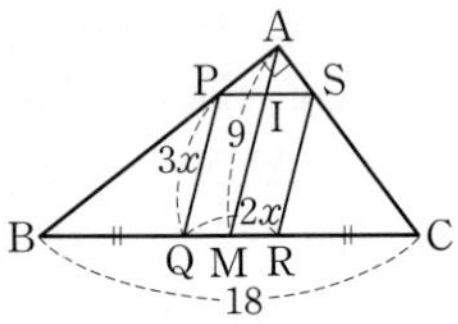
점 M은 △ABC의 외심이므로
$\overline{AM}=\overline{BM}=\overline{CM}=\dfrac{1}{2}\overline{BC}=9$
이때 $\overline{PQ}:\overline{QR}=3:2$이므로
$\overline{PQ}=3x$, $\overline{QR}=2x(x>0)$라 하면 $\overline{AI}=9-3x$
△ABC에서 $\overline{PS}\,/\!/\,\overline{BC}$이므로
$\overline{AP}:\overline{AB}=\overline{PS}:\overline{BC}\quad\cdots\ \bigcirc$
△ABM에서 $\overline{PI}\,/\!/\,\overline{BM}$이므로
$\overline{AP}:\overline{AB}=\overline{AI}:\overline{AM}\quad\cdots\ \bigcirc\!\!\!\!\bigcirc$
$\bigcirc$, $\bigcirc\!\!\!\!\bigcirc$에 의해 $\overline{PS}:\overline{BC}=\overline{AI}:\overline{AM}$이므로
$2x:18=(9-3x):9,\ 18x=18(9-3x)$
$x=9-3x,\ 4x=9\ \ \ \therefore\ x=\dfrac{9}{4}$
$\therefore\ \overline{PQ}=3x=3\times\dfrac{9}{4}=\dfrac{27}{4}$

7 $\overline{AD}$는 $\angle A$의 외각이등분선이므로
$\overline{AC}:\overline{AB}=\overline{DC}:\overline{DB},\ \overline{AC}:4=15:10$
$10\overline{AC}=60\ \ \ \therefore\ \overline{AC}=6$
이때 $\overline{AD}\,/\!/\,\overline{EB}$이므로
$\overline{AE}:\overline{EC}=\overline{DB}:\overline{BC}=10:5=2:1$
$\therefore\ \overline{EC}=\dfrac{1}{3}\overline{AC}=\dfrac{1}{3}\times6=2$

8 점 I가 $\triangle ABC$의 내심이므로
$\overline{AD}$는 $\angle A$의 이등분선이다.

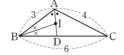

$\overline{BD}:\overline{DC}=\overline{AB}:\overline{AC}=3:4$
이므로

$\overline{BD}=\dfrac{3}{7}\overline{BC}=\dfrac{3}{7}\times6=\dfrac{18}{7}$

또 $\triangle BDA$에서 $\overline{BI}$는 $\angle B$의 이등분선이므로

$\overline{AI}:\overline{ID}=\overline{AB}:\overline{BD}=3:\dfrac{18}{7}=7:6$

9 $\overline{AD}$는 $\angle A$의 이등분선이므로
$\overline{BD}:\overline{CD}=\overline{AB}:\overline{AC}=5:4$
이때 $\triangle DBF$와 $\triangle DCE$에서
$\quad\angle BFD=\angle CED=90°$,
$\quad\angle BDF=\angle CDE$ (맞꼭지각)이므로
$\triangle DBF\backsim\triangle DCE$ (AA 닮음)
즉, $\overline{DF}:\overline{DE}=\overline{BD}:\overline{CD}=5:4$이므로
$\overline{DE}=\dfrac{4}{9}\overline{EF}=\dfrac{4}{9}\times\dfrac{9}{5}=\dfrac{4}{5}$(cm) $\quad\cdots$ ㉠
또 $\triangle ABF$와 $\triangle ACE$에서
$\quad\angle AFB=\angle AEC=90°$, $\angle BAF=\angle CAE$이므로
$\triangle ABF\backsim\triangle ACE$ (AA 닮음)
$\overline{AE}=x$ cm라 하면
$\overline{AF}:\overline{AE}=\overline{AB}:\overline{AC}$이므로
$\left(x+\dfrac{9}{5}\right):x=5:4,\ 5x=4\left(x+\dfrac{9}{5}\right)\quad\therefore x=\dfrac{36}{5}$
$\therefore \overline{AE}=\dfrac{36}{5}$ cm $\quad\cdots$ ㉡
따라서 ㉠, ㉡에 의해
$\overline{AD}=\overline{AE}+\overline{DE}=\dfrac{36}{5}+\dfrac{4}{5}=8$(cm)

10 $\triangle ABD$와 $\triangle CBA$에서
$\quad\angle BAD=\angle BCA$, $\angle B$는 공통이므로
$\triangle ABD\backsim\triangle CBA$ (AA 닮음)
즉, $\overline{AB}:\overline{CB}=\overline{BD}:\overline{BA}$이므로
$6:9=\overline{BD}:6,\ 9\overline{BD}=36$
$\therefore \overline{BD}=4$
또 $\overline{AD}:\overline{CA}=\overline{BD}:\overline{BA}=4:6=2:3$이고,
$\triangle ADC$에서 $\overline{AE}$는 $\angle DAC$의 이등분선이므로
$\overline{DE}:\overline{CE}=\overline{AD}:\overline{AC}=2:3$
이때 $\overline{DC}=\overline{BC}-\overline{BD}=9-4=5$이므로
$\overline{DE}=\dfrac{2}{5}\overline{DC}=\dfrac{2}{5}\times5=2$

11 $\triangle ABD$와 $\triangle CBD$에서
$\quad\angle A=\angle C=90°$, $\overline{BD}$는 공통, $\angle ABD=\angle CBD$이므로
$\triangle ABD\equiv\triangle CBD$ (RHA 합동)
$\therefore \overline{BA}=\overline{BC}=\overline{BF}+\overline{FC}=6+4=10$
$\triangle BEF$와 $\triangle BDC$에서
$\quad\angle BFE=\angle BCD=90°$, $\angle EBF$는 공통이므로
$\triangle BEF\backsim\triangle BDC$ (AA 닮음)

즉, $\overline{EF}:\overline{DC}=\overline{BF}:\overline{BC}$이므로
$\overline{EF}:5=6:(6+4),\ 10\overline{EF}=30\quad\therefore \overline{EF}=3$
$\triangle BFA$에서 $\overline{BE}$는 $\angle B$의 이등분선이므로
$\overline{BF}:\overline{BA}=\overline{FE}:\overline{AE},\ 6:10=3:\overline{AE}$
$6\overline{AE}=30\quad\therefore \overline{AE}=5$

12 $\overline{AD}$는 $\angle A$의 외각의 이등분선이므로
$\overline{BD}:\overline{CD}=\overline{AB}:\overline{AC}=6:3=2:1$
즉, $\overline{BC}=\overline{CD}$이므로 $\triangle ABC=\dfrac{1}{2}\triangle ABD$
이때 $\overline{AE}$는 $\angle A$의 이등분선이므로
$\overline{AB}:\overline{AC}=\overline{BE}:\overline{CE}$에서
$6:3=3:\overline{CE},\ 6\overline{CE}=9\quad\therefore \overline{CE}=\dfrac{3}{2}$
또 $\overline{BF}$는 $\angle B$의 이등분선이므로
$\overline{AF}:\overline{CF}=\overline{AB}:\overline{BC}=6:\left(3+\dfrac{3}{2}\right)=6:\dfrac{9}{2}=4:3$
따라서 $\triangle ABC:\triangle ABF=\overline{CA}:\overline{AF}=7:4$이므로
$\triangle ABF=\dfrac{4}{7}\triangle ABC=\dfrac{4}{7}\times\dfrac{1}{2}\triangle ABD$
$\qquad\quad =\dfrac{2}{7}\triangle ABD=\dfrac{2}{7}\times13=\dfrac{26}{7}$

13 $\triangle ACD$에서 $\overline{AM}=\overline{DM}$, $\overline{AP}=\overline{CP}$이므로 $\overline{MP}\,/\!/\,\overline{DC}$
$\therefore \angle APM=\angle ACD=40°$ (동위각)
$\triangle CAB$에서 $\overline{CN}=\overline{BN}$, $\overline{CP}=\overline{AP}$이므로 $\overline{PN}\,/\!/\,\overline{AB}$
$\therefore \angle CPN=\angle CAB=78°$ (동위각)
$\therefore \angle APN=180°-\angle CPN=180°-78°=102°$
이때 $\square ABCD$는 등변사다리꼴이므로 $\overline{AB}=\overline{CD}$이고,
$\overline{PN}=\dfrac{1}{2}\overline{AB}$, $\overline{PM}=\dfrac{1}{2}\overline{CD}$이므로 $\triangle PMN$은 $\overline{PM}=\overline{PN}$인
이등변삼각형이다.
$\therefore \angle PMN=\dfrac{1}{2}\times\{180°-(\angle APM+\angle APN)\}$
$\qquad\qquad =\dfrac{1}{2}\times\{180°-(40°+102°)\}=19°$

14 $\overline{AF}:\overline{FB}=1:2$이므로 $\triangle AFC:\triangle FBC=1:2$
$\therefore \triangle AFC=\dfrac{1}{3}\triangle ABC=\dfrac{1}{3}\times24=8$(cm^2)
$\triangle BCF$에서 $\overline{BD}=\overline{DF}$, $\overline{DE}\,/\!/\,\overline{FC}$이므로 $\overline{BE}=\overline{EC}$
$\triangle BGA$에서 $\overline{FE}\,/\!/\,\overline{AG}$이므로
$\overline{BE}:\overline{EG}=\overline{BF}:\overline{FA}=2:1\quad\therefore \overline{EG}=\overline{GC}$
$\triangle CFE$에서 $\overline{CG}=\overline{GE}$, $\overline{HG}\,/\!/\,\overline{FE}$이므로 $\overline{CH}=\overline{HF}$
$\therefore \triangle AHC=\dfrac{1}{2}\triangle AFC=\dfrac{1}{2}\times8=4$(cm^2)

15 오른쪽 그림과 같이 점 D에서 $\overline{BC}$에
평행한 직선을 그어 $\overline{AE}$와 만나는 점
을 G라 하면
$\triangle DFG$와 $\triangle CFE$에서
$\quad\angle GDF=\angle ECF$ (엇각),
$\overline{DF}=\overline{CF}$,

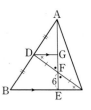

∠DFG=∠CFE (맞꼭지각)이므로

△DFG≡△CFE (ASA 합동)

즉, $\overline{GF}=\overline{EF}=6$이므로

$\overline{GE}=\overline{GF}+\overline{FE}=6+6=12$

△ABE에서 $\overline{AD}=\overline{DB}$, $\overline{DG}\,/\!/\,\overline{BE}$이므로

$\overline{AG}=\overline{GE}=12$

∴ $\overline{AF}=\overline{AG}+\overline{GF}=12+6=18$

16 삼각형의 두 변의 중점을 연결한 선분의 성질에 의해

$\overline{EF}\,/\!/\,\overline{AC}\,/\!/\,\overline{HG}$, $\overline{EH}\,/\!/\,\overline{BD}\,/\!/\,\overline{FG}$

이므로 □EFGH는 평행사변형이다.

이때 $\overline{AC}\perp\overline{BD}$이므로 $\overline{EF}\perp\overline{EH}$

즉, ∠HEF=90°이므로 □EFGH는 직사각형이다.

△ABD에서

$\overline{EH}=\dfrac{1}{2}\overline{BD}=\dfrac{1}{2}\times12=6\,(\text{cm})$

△ABC에서

$\overline{EF}=\dfrac{1}{2}\overline{AC}=\dfrac{1}{2}\times16=8\,(\text{cm})$

∴ □EFGH$=\overline{EH}\times\overline{EF}=6\times8=48\,(\text{cm}^2)$

17 세 점 A_1, B_1, C_1은 각각 $\overline{BC}$, $\overline{CA}$, $\overline{AB}$의 중점이므로

$\overline{A_1B_1}=\dfrac{1}{2}\overline{AB}$, $\overline{B_1C_1}=\dfrac{1}{2}\overline{BC}$, $\overline{C_1A_1}=\dfrac{1}{2}\overline{CA}$

즉, △$A_1B_1C_1$∽△ABC (SSS 닮음)이고,

그 닮음비는 1:2이므로 넓이의 비는

△$A_1B_1C_1$: △ABC$=1^2:2^2=1:4$

∴ △$A_1B_1C_1=\dfrac{1}{4}$△ABC$=\dfrac{1}{4}\times256=64$

같은 방법으로 하면

△$A_2B_2C_2=\dfrac{1}{4}$△$A_1B_1C_1=\dfrac{1}{4}\times64=16$

△$A_3B_3C_3=\dfrac{1}{4}$△$A_2B_2C_2=\dfrac{1}{4}\times16=4$

∴ △$A_1B_1C_1$+△$A_2B_2C_2$+△$A_3B_3C_3$
$=64+16+4=84$

18 $\overline{AE}\,/\!/\,\overline{GC}$, $\overline{AE}=\overline{GC}$에서 □AECG는 평행사변형이므로

$\overline{PS}\,/\!/\,\overline{QR}$

$\overline{HD}\,/\!/\,\overline{BF}$, $\overline{HD}=\overline{BF}$에서 □HBFD는 평행사변형이므로

$\overline{PQ}\,/\!/\,\overline{SR}$

즉, □PQRS는 평행사변형이므로 $\overline{SR}=\overline{PQ}$

△ABP에서 $\overline{BE}=\overline{EA}$, $\overline{EQ}\,/\!/\,\overline{AP}$이므로 $\overline{BQ}=\overline{QP}$

△DRC에서 $\overline{DG}=\overline{GC}$, $\overline{SG}\,/\!/\,\overline{RC}$이므로 $\overline{DS}=\overline{SR}$

∴ $\overline{BQ}=\overline{QP}=\overline{RS}=\overline{SD}$ ··· ㉠

또 △ASD에서 $\overline{AH}=\overline{HD}$, $\overline{PH}\,/\!/\,\overline{SD}$이므로

$\overline{PH}=\dfrac{1}{2}\overline{SD}$ ··· ㉡

이때 ㉠, ㉡에서

$\overline{BQ}:\overline{QP}:\overline{PH}=\overline{SD}:\overline{SD}:\dfrac{1}{2}\overline{SD}=2:2:1$

이므로 $\overline{BP}:\overline{PH}=(2+2):1=4:1$

∴ △APH$=\dfrac{1}{5}$△ABH$=\dfrac{1}{5}\times\dfrac{1}{4}$□ABCD

$\qquad\ =\dfrac{1}{5}\times\dfrac{1}{4}\times20=1\,(\text{cm}^2)$

19 △ABC에서 $\overline{DE}\,/\!/\,\overline{FG}\,/\!/\,\overline{HI}\,/\!/\,\overline{BC}$

△ABC에서 $\overline{AD}:\overline{AB}=\overline{DE}:\overline{BC}$이므로

$1:4=2:\overline{BC}$ ∴ $\overline{BC}=8$

△EBC에서 $\overline{EI}:\overline{EC}=\overline{RI}:\overline{BC}$이므로

$2:3=\overline{RI}:8$, $3\overline{RI}=16$ ∴ $\overline{RI}=\dfrac{16}{3}$

△DCE에서 $\overline{CI}:\overline{CE}=\overline{SI}:\overline{DE}$이므로

$1:3=\overline{SI}:2$, $3\overline{SI}=2$ ∴ $\overline{SI}=\dfrac{2}{3}$

∴ $\overline{RS}=\overline{RI}-\overline{SI}=\dfrac{16}{3}-\dfrac{2}{3}=\dfrac{14}{3}$ ··· ㉠

△EBC에서 $\overline{EG}:\overline{EC}=\overline{PG}:\overline{BC}$이므로

$1:3=\overline{PG}:8$, $3\overline{PG}=8$ ∴ $\overline{PG}=\dfrac{8}{3}$

△DCE에서 $\overline{CG}:\overline{CE}=\overline{QG}:\overline{DE}$이므로

$2:3=\overline{QG}:2$, $3\overline{QG}=4$ ∴ $\overline{QG}=\dfrac{4}{3}$

∴ $\overline{PQ}=\overline{PG}-\overline{QG}=\dfrac{8}{3}-\dfrac{4}{3}=\dfrac{4}{3}$ ··· ㉡

따라서 ㉠, ㉡에 의해

$\overline{RS}-\overline{PQ}=\dfrac{14}{3}-\dfrac{4}{3}=\dfrac{10}{3}$

20 오른쪽 그림과 같이 점 H에서 직선 AC와 평행한 직선을 그어 두 직선 m, n과 만나는 점을 각각 I, J라 하면

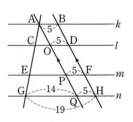

$\overline{HG}:\overline{HF}=\overline{DE}:\overline{DF}$
$\qquad\qquad\ =15:20=3:4$

이때 $\overline{IB}=\overline{JC}=\overline{HA}=12$이므로 $\overline{IG}:\overline{JF}=\overline{HG}:\overline{HF}$에서

$(12+x):(12+12)=3:4$, $4(12+x)=72$

$48+4x=72$, $4x=24$ ∴ $x=6$

21 오른쪽 그림과 같이 점 A를 지나고, 직선 BH와 평행한 직선을 그어 세 직선 l, m, n과 만나는 점을 각각 O, P, Q라 하면

$\overline{AO}:\overline{OP}:\overline{PQ}$
$=\overline{BD}:\overline{DF}:\overline{FH}$
$=2:3:2$

이므로 $\overline{AO}:\overline{AP}:\overline{AQ}=2:5:7$

이때 $\overline{QH}=\overline{PF}=\overline{OD}=\overline{AB}=5$이고,

$\overline{GQ}=\overline{GH}-\overline{QH}=19-5=14$이므로

$\overline{CO}:\overline{GQ}=\overline{AO}:\overline{AQ}$에서 $\overline{CO}:14=2:7$

$7\overline{CO}=28$ ∴ $\overline{CO}=4$

또 $\overline{EP}:\overline{GQ}=\overline{AP}:\overline{AQ}$에서 $\overline{EP}:14=5:7$

$7\overline{EP}=70$ ∴ $\overline{EP}=10$

$$\therefore \overline{CD}+\overline{EF}=(\overline{CO}+\overline{OD})+(\overline{EP}+\overline{PF})$$
$$=(4+5)+(10+5)=24$$

22 $\triangle$DBC에서 $\overline{DF}:\overline{DC}=\overline{PF}:\overline{BC}$이므로
$4:(4+2)=\overline{PF}:9$, $6\overline{PF}=36$ $\therefore \overline{PF}=6(\text{cm})$
$\triangle$CDA에서 $\overline{CF}:\overline{CD}=\overline{QF}:\overline{AD}$이므로
$2:(2+4)=\overline{QF}:6$, $6\overline{QF}=12$ $\therefore \overline{QF}=2(\text{cm})$
$\therefore \overline{PQ}=\overline{PF}-\overline{QF}=6-2=4(\text{cm})$

23 $\overline{BR}:\overline{BA}=2:(2+3+1)=1:3$이고,
$\triangle$BDA에서 $\overline{RG}:\overline{AD}=\overline{BR}:\overline{BA}$이므로
$\overline{RG}:9=1:3$, $3\overline{RG}=9$ $\therefore \overline{RG}=3$
$\therefore \overline{GS}=\overline{RS}-\overline{RG}=15-3=12$
또 $\overline{DG}:\overline{DB}=\overline{AR}:\overline{AB}=(1+3):(1+3+2)=2:3$이고,
$\triangle$DBC에서 $\overline{DG}:\overline{DB}=\overline{GS}:\overline{BC}$이므로
$2:3=12:y$, $2y=36$ $\therefore y=18$
한편, $\overline{AP}:\overline{AB}=1:(1+3+2)=1:6$이고,
$\triangle$ABC에서 $\overline{AP}:\overline{AB}=\overline{PE}:\overline{BC}$이므로
$1:6=\overline{PE}:18$, $6\overline{PE}=18$ $\therefore \overline{PE}=3$
또 $\overline{BP}:\overline{BA}=(2+3):(2+3+1)=5:6$이고,
$\triangle$ABD에서 $\overline{BP}:\overline{BA}=\overline{PF}:\overline{AD}$이므로
$5:6=\overline{PF}:9$, $6\overline{PF}=45$ $\therefore \overline{PF}=\dfrac{15}{2}$
$\therefore x=\overline{PF}-\overline{PE}=\dfrac{15}{2}-3=\dfrac{9}{2}$
$\therefore x+y=\dfrac{9}{2}+18=\dfrac{45}{2}$

24 $\overline{EB}=x\,\text{cm}$라 하면 $\overline{AE}=(8-x)\,\text{cm}$
$\triangle$ABC에서 $\overline{AE}:\overline{AB}=\overline{EP}:\overline{BC}$이므로
$(8-x):8=\overline{EP}:12$, $8\overline{EP}=12(8-x)$
$\therefore \overline{EP}=\dfrac{3}{2}(8-x)=12-\dfrac{3}{2}x(\text{cm})$
$\overline{CF}:\overline{CD}=\overline{BE}:\overline{BA}=x:8$이고,
$\triangle$ACD에서 $\overline{CF}:\overline{CD}=\overline{PF}:\overline{AD}$이므로
$x:8=\overline{PF}:10$, $8\overline{PF}=10x$ $\therefore \overline{PF}=\dfrac{5}{4}x(\text{cm})$
이때 $\overline{EP}:\overline{PF}=2:1$이므로
$\left(12-\dfrac{3}{2}x\right):\dfrac{5}{4}x=2:1$, $12-\dfrac{3}{2}x=\dfrac{5}{2}x$
$4x=12$ $\therefore x=3$
$\therefore \overline{EB}=3\,\text{cm}$

25 $\overline{AB}\parallel\overline{PQ}\parallel\overline{CD}$이므로
$\overline{BQ}:\overline{QD}=\overline{BP}:\overline{PC}=\overline{AB}:\overline{CD}=12:6=2:1$
이때 $\overline{BN}=\overline{NQ}$이므로
$\overline{BN}:\overline{NQ}:\overline{QD}=1:1:1$
또 $\overline{AM}=\overline{MP}$, $\overline{BN}=\overline{NQ}$이므로 $\overline{AB}\parallel\overline{MN}\parallel\overline{PQ}$
$\triangle$DAB에서 $\overline{DN}:\overline{DB}=\overline{MN}:\overline{AB}$이므로
$(1+1):(1+1+1)=\overline{MN}:12$
$3\overline{MN}=24$ $\therefore \overline{MN}=8$

26 오른쪽 그림과 같이 점 G에서 $\overline{AB}$와 평행한 직선을 그어 $\overline{AC}$와 만나는 점을 H라 하면
$\triangle$ABC에서
$\overline{CG}:\overline{CB}=\overline{HG}:\overline{AB}$이므로
$4:(4+1)=\overline{HG}:3$
$5\overline{HG}=12$ $\therefore \overline{HG}=\dfrac{12}{5}$
$\overline{HG}\parallel\overline{EF}\parallel\overline{DC}$이므로
$\overline{GE}:\overline{DE}=\overline{HG}:\overline{CD}=\dfrac{12}{5}:4=3:5$
$\triangle$GCD에서 $\overline{GE}:\overline{GD}=\overline{EF}:\overline{DC}$이므로
$3:(3+5)=\overline{EF}:4$, $8\overline{EF}=12$ $\therefore \overline{EF}=\dfrac{3}{2}$

27 점 G는 $\triangle$ABC의 무게중심이므로 $\overline{AG}:\overline{GD}=2:1$
$\therefore \overline{GD}=\dfrac{1}{3}\overline{AD}=\dfrac{1}{3}\times15=5$
또 $\overline{CE}$, $\overline{BF}$는 $\triangle$ABC의 중선이므로 $\overline{AE}=\overline{EB}$, $\overline{AF}=\overline{FC}$
$\therefore \overline{EF}\parallel\overline{BC}$
$\triangle$EGH와 $\triangle$CGD에서
$\angle$EGH $=\angle$CGD (맞꼭지각),
$\angle$HEG $=\angle$DCG (엇각)이므로
$\triangle$EGH $\backsim$ $\triangle$CGD (AA 닮음)
즉, $\overline{EG}:\overline{CG}=\overline{HG}:\overline{DG}$이므로 $1:2=\overline{HG}:5$
$2\overline{HG}=5$ $\therefore \overline{HG}=\dfrac{5}{2}$

28 $\overline{AE}$, $\overline{AF}$는 각각 $\triangle$ABD, $\triangle$ADC의 중선이므로
$\overline{EF}=\overline{ED}+\overline{DF}=\dfrac{1}{2}\overline{BD}+\dfrac{1}{2}\overline{DC}$
$=\dfrac{1}{2}\overline{BC}=\dfrac{1}{2}\times5=\dfrac{5}{2}$
$\triangle$AGG$'$과 $\triangle$AEF에서
두 점 G, G$'$은 각각 $\triangle$ABD, $\triangle$ADC의 무게중심이므로
$\overline{AG}:\overline{AE}=\overline{AG'}:\overline{AF}=2:3$, $\angle$GAG$'$은 공통
$\therefore \triangle$AGG$'\backsim\triangle$AEF (SAS 닮음)
즉, $\overline{AG}:\overline{AE}=\overline{GG'}:\overline{EF}$이므로
$2:3=\overline{GG'}:\dfrac{5}{2}$, $3\overline{GG'}=5$ $\therefore \overline{GG'}=\dfrac{5}{3}$

29 오른쪽 그림과 같이 $\overline{BC}$의 중점을 E라 하면 두 점 G, G$'$은 각각 $\triangle$ABC, $\triangle$DBC의 무게중심이므로 $\overline{AG}$의 연장선과 $\overline{DG'}$의 연장선은 점 E에서 만난다.
이때 $\overline{AG}:\overline{GE}=\overline{DG'}:\overline{G'E}=2:1$
이므로

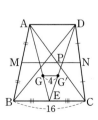

$\triangle EGG'$과 $\triangle EAD$에서
$\overline{EG} : \overline{EA} = \overline{EG'} : \overline{ED} = 1 : 3$, $\angle GEG'$은 공통
$\therefore \triangle EGG' \circ\!\!\!\!\backsim \triangle EAD$ (SAS 닮음)
즉, $\overline{EG} : \overline{EA} = \overline{GG'} : \overline{AD}$이므로
$1 : 3 = 4 : \overline{AD}$ $\therefore \overline{AD} = 12$
한편, $\overline{AC}$와 $\overline{MN}$의 교점을 P라 하면
두 점 M, N은 각각 $\overline{AB}$, $\overline{DC}$의 중점이므로
$\triangle ABC$에서 $\overline{MP} = \dfrac{1}{2}\overline{BC} = \dfrac{1}{2} \times 16 = 8$

$\triangle ACD$에서 $\overline{PN} = \dfrac{1}{2}\overline{AD} = \dfrac{1}{2} \times 12 = 6$

$\therefore \overline{MN} = \overline{MP} + \overline{PN} = 8 + 6 = 14$

30 $\overline{EF} /\!/ \overline{BC}$이므로 $\overline{EG} : \overline{BD} = \overline{AG} : \overline{AD} = \overline{GF} : \overline{DC}$
이때 $\overline{BD} = \overline{DC}$이므로 $\overline{EG} = \overline{GF}$
$\therefore \triangle EDG = \triangle GDF = 8 (\text{cm}^2)$
점 G가 $\triangle ABC$의 무게중심이므로 $\overline{AG} : \overline{GD} = 2 : 1$
즉, $\triangle EGA = 2\triangle EDG = 2 \times 8 = 16 (\text{cm}^2)$이므로
$\triangle AED = \triangle EGA + \triangle EDG$
$\qquad\quad = 16 + 8 = 24 (\text{cm}^2)$
한편, $\overline{AE} : \overline{EB} = \overline{AG} : \overline{GD} = 2 : 1$이므로
$\triangle EBD = \dfrac{1}{2}\triangle AED = \dfrac{1}{2} \times 24 = 12 (\text{cm}^2)$
$\therefore \square EBDG = \triangle EBD + \triangle EDG$
$\qquad\qquad\quad = 12 + 8 = 20 (\text{cm}^2)$

31 $\triangle AFG = \triangle CDG = \dfrac{1}{6}\triangle ABC$
또 $\triangle ABC \circ\!\!\!\!\backsim \triangle FBD$ (SAS 닮음)이고, 그 닮음비는 $2 : 1$이
므로 넓이의 비는 $2^2 : 1^2 = 4 : 1$
$\therefore \triangle FBD = \dfrac{1}{4}\triangle ABC$
$\therefore \triangle DGF + \triangle AGC$
$\quad = \triangle ABC - (\triangle AFG + \triangle GDC + \triangle FBD)$
$\quad = \triangle ABC - \left(\dfrac{1}{6}\triangle ABC + \dfrac{1}{6}\triangle ABC + \dfrac{1}{4}\triangle ABC\right)$
$\quad = \triangle ABC - \dfrac{7}{12}\triangle ABC$
$\quad = \dfrac{5}{12}\triangle ABC$
따라서 $a = 5$, $b = 12$이므로
$b - a = 12 - 5 = 7$

32 $\overline{AM} = \dfrac{1}{2}\overline{AD} = \dfrac{1}{2}\overline{BC} = \dfrac{1}{2} \times 40 = 20$

$\overline{MD} = \overline{BN}$, $\overline{MD} /\!/ \overline{BN}$이므로 $\square MBND$는 평행사변형이다.
$\therefore \overline{MB} = \overline{DN} = 36$
점 P는 $\triangle ABD$의 무게중심이므로
$\overline{AP} = \dfrac{2}{3}\overline{AO} = \dfrac{2}{3} \times 21 = 14$

$\overline{PM} = \dfrac{1}{3}\overline{BM} = \dfrac{1}{3} \times 36 = 12$

$\therefore (\triangle APM$의 둘레의 길이$) = \overline{AM} + \overline{AP} + \overline{PM}$
$\qquad\qquad\qquad\qquad\qquad = 20 + 14 + 12 = 46$

33 $\triangle CMN$과 $\triangle CBD$에서
$\overline{CM} : \overline{CB} = \overline{CN} : \overline{CD} = 1 : 2$, $\angle C$는 공통이므로
$\triangle CMN \circ\!\!\!\!\backsim \triangle CBD$ (SAS 닮음)
$\triangle CMN$과 $\triangle CBD$의 닮음비는 $1 : 2$이므로
넓이의 비는 $1^2 : 2^2 = 1 : 4$
$\therefore \triangle CBD = 4\triangle CMN = 4 \times 3 = 12 (\text{cm}^2)$
두 점 P, Q는 각각 $\triangle ABC$, $\triangle ACD$의 무게중심이므로
$\overline{BP} = \overline{PQ} = \overline{QD}$
즉, $\overline{PQ} = \dfrac{1}{3}\overline{BD}$이고, $\triangle ABD = \triangle CBD = 12 \text{cm}^2$이므로
$\triangle APQ = \dfrac{1}{3}\triangle ABD = \dfrac{1}{3} \times 12 = 4 (\text{cm}^2)$

34 오른쪽 그림과 같이 $\overline{AC}$, $\overline{BM}$을
그으면
$\overline{BP} = \overline{PQ} = \overline{QD}$에서
$\triangle PBC = \triangle QCD$이므로

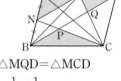

$\triangle PBC + \triangle MQD = \triangle QCD + \triangle MQD = \triangle MCD$
$\qquad\qquad\qquad\qquad = \dfrac{1}{2}\triangle ACD = \dfrac{1}{2} \times \dfrac{1}{2}\square ABCD$
$\qquad\qquad\qquad\qquad = \dfrac{1}{4}\square ABCD = \dfrac{1}{4} \times 48 = 12 \quad \cdots \unicode{x27E0}$

$\triangle ANM = \dfrac{1}{2}\triangle ABM = \dfrac{1}{2} \times \dfrac{1}{2}\triangle ABD$
$\qquad\quad = \dfrac{1}{2} \times \dfrac{1}{2} \times \dfrac{1}{2}\square ABCD$
$\qquad\quad = \dfrac{1}{8}\square ABCD = \dfrac{1}{8} \times 48 = 6 \quad \cdots \unicode{x27E1}$
따라서 $\unicode{x27E0}$, $\unicode{x27E1}$에 의해
(색칠한 부분의 넓이의 합) $= \triangle PBC + \triangle MQD + \triangle ANM$
$\qquad\qquad\qquad\qquad\qquad = 12 + 6 = 18$

35 길잡이 같은 방향으로 놓인 다리를 기준으로 오른쪽 기둥과 평행한 직선을 그어 생각해 본다.
(i) 오른쪽 그림과 같이 주어진 조형물
에서 오른쪽 위로 향하는 다리만 생
각해 보자.
점 A를 지나고 오른쪽 기둥에 평행
한 직선을 그으면
$\triangle ADE$에서 $\overline{BC} /\!/ \overline{DE}$이므로
$\overline{AB} : \overline{AD} = \overline{BC} : \overline{DE}$에서
$3 : 4 = \overline{BC} : (150 - 90)$
$4\overline{BC} = 180$ $\therefore \overline{BC} = 45 (\text{cm})$
$\therefore x = 45 + 90 = 135$

(ii) 오른쪽 그림과 같이 주어진 조형물
에서 오른쪽 아래로 향하는 다리만
생각해 보자.
점 F를 지나고 오른쪽 기둥에 평행
한 직선을 그으면
$\triangle FIJ$에서 $\overline{GH} /\!/ \overline{IJ}$이므로
$\overline{FG} : \overline{FI} = \overline{GH} : \overline{IJ}$에서

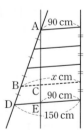

$$2:3=(125-y):(140-y)$$
$$3(125-y)=2(140-y)$$
$$375-3y=280-2y \qquad \therefore y=95$$

따라서 (i), (ii)에 의해

$$x+y=135+95=230$$

36 길잡이 정사면체의 전개도에서 선이 지나는 부분을 그린 후 삼각형의 두 변의 중점을 연결한 선분의 성질을 이용한다.

선이 지나는 부분의 정사면체 의 전개도를 그리면 오른쪽 그림과 같다.

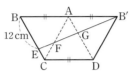

$\overline{BC}=16\,cm$, $\overline{BE}=12\,cm$ 이므로

$$\overline{EC}=\overline{BC}-\overline{BE}=16-12=4\,(cm)$$

$\triangle BEB'$에서 $\overline{BA}=\overline{AB'}$, $\overline{BE}\,/\!/\,\overline{AG}$이므로

$$\overline{AG}=\frac{1}{2}\overline{BE}=\frac{1}{2}\times 12=6\,(cm)$$

이때 $\overline{CF}:\overline{AF}=\overline{CE}:\overline{AG}=4:6=2:3$이므로

$$\overline{CF}=\frac{2}{5}\overline{AC}=\frac{2}{5}\times 16=\frac{32}{5}\,(cm)$$

37 길잡이 정삼각형의 무게중심과 내심은 일치함을 이용한다.

정삼각형의 무게중심과 내심은 일치하므로 점 G는 $\triangle ABC$ 의 내심이다.

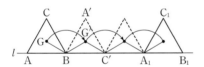

위의 그림에서

$\angle GBA=\angle GBC=30°$,

$\angle G'BA'=\angle G'BC'=30°$이므로

$\angle GBG'=180°-(30°+30°)=120°$

또 점 G가 $\triangle ABC$의 무게중심이고, 한 중선의 길이가 $15\,cm$ 이므로

$$\overline{BG}=\frac{2}{3}\times 15=10\,(cm)$$

$$\therefore \stackrel{\frown}{GG'}=2\pi\times 10\times\frac{120}{360}=\frac{20}{3}\pi\,(cm)$$

따라서 점 G가 움직인 거리는

$$3\times\frac{20}{3}\pi=20\pi\,(cm)$$

P. 64~65 내신 **1%** 뛰어넘기

01 3:1 **02** 15 **03** 1 **04** 1 cm **05** 5 cm
06 10 **07** 4 cm² **08** 10 cm²

01 길잡이 삼각형의 내각의 이등분선의 성질을 이용하여 $\overline{BE}$의 길이를 구 하고, 닮음인 삼각형을 찾아본다.

$\triangle ABC$에서 $\overline{AE}$는 $\angle A$의 이등분선이므로

$$\overline{BE}:\overline{CE}=\overline{AB}:\overline{AC}=10:14=5:7$$

$$\therefore \overline{BE}=\frac{5}{12}\overline{BC}=\frac{5}{12}\times 12=5$$

$\triangle ABE$와 $\triangle EBD$에서 $\angle B$는 공통 $\quad\cdots\,\bigcirc$

$\triangle AEC$에서 $\angle AEB=\angle EAC+\angle ECA$이고,

$\angle AEB=\angle AED+\angle BED$이므로

$\angle EAC+\angle ECA=\angle AED+\angle BED$

이때 $\angle ECA=\angle AED$이므로 $\angle EAC=\angle BED$

$$\therefore \angle BAE=\angle EAC=\angle BED \qquad \cdots\,\bigcirc$$

$\bigcirc$, $\bigcirc$에 의해 $\triangle ABE\,\backsim\,\triangle EBD$ (AA 닮음)

$\overline{AB}:\overline{EB}=\overline{EB}:\overline{DB}$이므로

$$10:5=5:\overline{DB}, \ 10\overline{DB}=25 \qquad \therefore \overline{DB}=\frac{5}{2}$$

따라서 $\overline{AD}=\overline{AB}-\overline{DB}=10-\frac{5}{2}=\frac{15}{2}$이므로

$$\overline{AD}:\overline{DB}=\frac{15}{2}:\frac{5}{2}=3:1$$

02 길잡이 $\overline{AN}$을 그어 $\triangle AMN$의 넓이를 구하고 삼각형의 내각의 이등분 선의 성질을 이용하여 선분의 길이의 비와 삼각형의 넓이의 비를 구해 본다.

$$\triangle ABC=\frac{1}{2}\times 12\times 6=36$$

오른쪽 그림과 같이 $\overline{AN}$을 그으면

$\triangle ABC$에서 $\overline{BN}=\overline{NC}$,

$\triangle ABN$에서 $\overline{AM}=\overline{MB}$이므로

$$\triangle AMN=\frac{1}{2}\triangle ABN$$
$$=\frac{1}{2}\times\frac{1}{2}\triangle ABC$$
$$=\frac{1}{4}\triangle ABC$$
$$=\frac{1}{4}\times 36=9 \qquad \cdots\,\bigcirc$$

한편, $\triangle ABC$에서 $\angle BAP=\angle CAP$이므로

$$\overline{BP}:\overline{CP}=\overline{AB}:\overline{AC}=12:6=2:1$$

$\overline{BP}=2k$, $\overline{CP}=k\,(k>0)$라 하면

$\overline{BC}=2k+k=3k$, $\overline{BN}=\frac{1}{2}\overline{BC}=\frac{3}{2}k$이므로

$$\overline{NP}=\overline{BP}-\overline{BN}=2k-\frac{3}{2}k=\frac{1}{2}k$$

즉, $\triangle ANC$에서 $\overline{NP}:\overline{CP}=\frac{1}{2}k:k=1:2$이므로

$$\triangle ANP=\frac{1}{3}\triangle ANC$$
$$=\frac{1}{3}\times\frac{1}{2}\triangle ABC$$
$$=\frac{1}{6}\triangle ABC$$
$$=\frac{1}{6}\times 36=6 \qquad \cdots\,\bigcirc$$

따라서 $\bigcirc$, $\bigcirc$에 의해

$$\square AMNP=\triangle AMN+\triangle ANP=9+6=15$$

03  $\overline{CP}$, $\overline{CQ}$의 연장선을 각각 긋고, 삼각형의 합동과 삼각형의 두 변의 중점을 연결한 선분의 성질을 이용한다.

오른쪽 그림과 같이 $\overline{CP}$, $\overline{CQ}$의 연장선과 $\overline{AB}$의 교점을 각각 P', Q'이라 하면

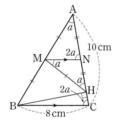

$\triangle AP'P$와 $\triangle ACP$에서

$\angle P'AP = \angle CAP$, $\overline{AP}$는 공통,

$\angle APP' = \angle APC = 90°$이므로

$\triangle AP'P \equiv \triangle ACP$ (ASA 합동)

$\therefore \overline{P'P} = \overline{CP}$, $\overline{AP'} = \overline{AC} = 5$

$\therefore \overline{BP'} = \overline{AB} - \overline{AP'} = 6 - 5 = 1$

같은 방법으로 하면

$\triangle BCQ \equiv \triangle BQ'Q$ (ASA 합동)이므로

$\overline{Q'Q} = \overline{CQ}$, $\overline{BQ'} = \overline{BC} = 3$

$\therefore \overline{P'Q'} = \overline{BQ'} - \overline{BP'} = 3 - 1 = 2$

이때 $\triangle CP'Q'$에서 $\overline{CP} = \overline{PP'}$, $\overline{CQ} = \overline{QQ'}$이므로

$\overline{PQ} = \frac{1}{2}\overline{P'Q'} = \frac{1}{2} \times 2 = 1$

04  $\overline{AB}$의 중점 M은 직각삼각형 ABH의 외심이다.

오른쪽 그림과 같이 $\overline{AB}$, $\overline{AC}$의 중점을 각각 M, N이라 하고 $\overline{MN}$, $\overline{MH}$를 각각 그으면 $\overline{MN} /\!/ \overline{BC}$이고,

$\overline{MN} = \frac{1}{2}\overline{BC}$

$\qquad = \frac{1}{2} \times 8 = 4 \text{(cm)} \quad \cdots \ \bigcirc$

이때 점 M은 직각삼각형 ABH의 빗변의 중점이므로 $\triangle ABH$의 외심이다.

즉, $\overline{AM} = \overline{MB} = \overline{MH}$이므로 $\triangle AMH$는 이등변삼각형이다.

$\angle BAC = \angle a$라 하면

$\angle MHA = \angle MAH = \angle BAC = \angle a$

또 $\angle ACB = 2\angle BAC = 2\angle a$이므로

$\angle ANM = \angle ACB = 2\angle a$ (동위각)

$\triangle NMH$에서 $\angle MNA = \angle NMH + \angle NHM$이므로

$2\angle a = \angle NMH + \angle a$

$\therefore \angle NMH = \angle a$

즉, $\angle NMH = \angle NHM = \angle a$이므로

$\overline{HN} = \overline{MN} = 4 \text{ cm} \ (\because \ \bigcirc)$

$\therefore \overline{HC} = \overline{NC} - \overline{HN}$

$\qquad = \frac{1}{2}\overline{AC} - \overline{HN}$

$\qquad = 5 - 4 = 1 \text{(cm)}$

05  $\overline{BC}$와 $\overline{AF}$의 연장선을 그어 삼각형을 만들고 삼각형의 두 변의 중점을 연결한 선분의 성질을 이용한다.

오른쪽 그림과 같이 $\overline{BC}$의 연장선과 $\overline{AF}$의 연장선의 교점을 P라 하면

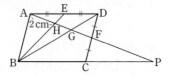

$\triangle ABP$에서

$\overline{FC} = \frac{1}{2}\overline{DC} = \frac{1}{2}\overline{AB}$이고,

$\overline{AB} /\!/ \overline{FC}$이므로 $\overline{BC} = \overline{CP}$, $\overline{AF} = \overline{FP}$

$\triangle AHE$와 $\triangle PHB$에서

$\angle AHE = \angle PHB$ (맞꼭지각),

$\angle AEH = \angle PBH$ (엇각)이므로

$\triangle AHE \backsim \triangle PHB$ (AA 닮음)

즉, $\overline{AH} : \overline{PH} = \overline{AE} : \overline{PB}$

$\qquad = \frac{1}{2}\overline{BC} : 2\overline{BC} = 1 : 4$

이므로

$\overline{AP} = 5\overline{AH} = 5 \times 2 = 10 \text{(cm)}$

$\therefore \overline{AF} = \frac{1}{2}\overline{AP} = \frac{1}{2} \times 10 = 5 \text{(cm)}$

06  삼각형의 두 변의 중점을 연결한 선분의 성질과 삼각형의 무게중심의 성질을 이용한다.

오른쪽 그림과 같이 $\overline{BG}$, $\overline{CG}$의 연장선과 $\overline{AC}$, $\overline{AB}$의 교점을 각 N, M이라 하고, $\overline{MN}$과 $\overline{AD}$의 교점을 F라 하자.

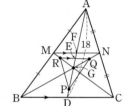

$\overline{AM} = \overline{MB}$, $\overline{AN} = \overline{NC}$이므로 $\overline{MN} /\!/ \overline{BC}$

$\overline{AM} = \overline{MB}$, $\overline{MF} /\!/ \overline{BD}$이므로

$\overline{AF} = \overline{FD} = \frac{1}{2}\overline{AD} = \frac{1}{2} \times 18 = 9$

점 G는 $\triangle ABC$의 무게중심이므로

$\overline{AG} = \frac{2}{3}\overline{AD} = \frac{2}{3} \times 18 = 12$

$\therefore \overline{FG} = \overline{AG} - \overline{AF} = 12 - 9 = 3$

두 점 R, Q는 각각 $\triangle GAB$, $\triangle GCA$의 무게중심이므로

$\overline{GR} : \overline{RM} = 2 : 1$, $\overline{GQ} : \overline{QN} = 2 : 1$

이때 $\overline{RQ} /\!/ \overline{MN}$이므로 $\overline{GE} : \overline{EF} = 2 : 1$

$\therefore \overline{FE} = \frac{1}{3}\overline{FG} = \frac{1}{3} \times 3 = 1$

$\therefore \overline{AE} = \overline{AF} + \overline{FE} = 9 + 1 = 10$

07  삼각형의 무게중심의 성질을 이용하여 $\overline{DG} = \overline{GE}$임을 알아낸다.

$\overline{DE} /\!/ \overline{BC}$이므로

$\triangle ABI$와 $\triangle AIC$에서

$\overline{DG} : \overline{BI} = \overline{AG} : \overline{AI} = \overline{GE} : \overline{IC}$

이때 $\overline{BI} = \overline{IC}$이므로 $\overline{DG} = \overline{GE}$

$\triangle ADE$에서

$\overline{DG} = \overline{GE}$, $\overline{AD} /\!/ \overline{FG}$이므로

$\overline{AF} = \overline{FE} = \frac{1}{2}\overline{AE} \qquad\qquad \cdots \ \bigcirc$

또 $\triangle AIC$에서 $\overline{GE} /\!/ \overline{IC}$이므로

$\overline{AE} : \overline{EC} = \overline{AG} : \overline{GI} = 2 : 1$

$\therefore \overline{EC} = \frac{1}{2}\overline{AE} \qquad \cdots \ \bigcirc$

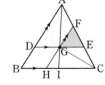

$\bigcirc$, $\bigcirc$에 의해 $\overline{AF} = \overline{FE} = \overline{EC}$

따라서 위의 그림과 같이 $\overline{GC}$를 그으면

$$\triangle FGE = \frac{1}{3}\triangle AGC$$
$$= \frac{1}{3} \times \frac{1}{3}\triangle ABC$$
$$= \frac{1}{9}\triangle ABC$$
$$= \frac{1}{9} \times 36 = 4(\text{cm}^2)$$

08 길잡이 평행사변형의 두 대각선 AC와 BD가 만나는 점을 O라 하면 $\overline{BP} = \overline{PO}$이다.

오른쪽 그림과 같이 두 대각선 AC 와 BD가 만나는 점을 O라 하면 $\triangle BCA$에서
$\overline{BE} : \overline{BA} = \overline{BF} : \overline{BC}$이므로
$\overline{EF} \,/\!/\, \overline{AC}$
이때 $\overline{BE} = \overline{EA}$이므로
$\overline{BP} = \overline{PO}$ ··· ㉠

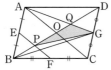

한편, 점 Q는 $\triangle ACD$의 무게중심이므로
$\overline{DQ} : \overline{QO} = 2 : 1$ ··· ㉡
$\overline{BO} = \overline{DO}$이므로 ㉠, ㉡에 의해
$\overline{BP} : \overline{PO} : \overline{OQ} : \overline{QD}$
$$= \frac{1}{2}\overline{BO} : \frac{1}{2}\overline{BO} : \frac{1}{3}\overline{BO} : \frac{2}{3}\overline{BO}$$
$$= 3 : 3 : 2 : 4$$
$$\therefore \overline{BD} : \overline{PQ} = (3+3+2+4) : (3+2)$$
$$= 12 : 5$$
$$\therefore \triangle PGQ = \frac{5}{12}\triangle BGD$$
$$= \frac{5}{12} \times \frac{1}{2}\triangle BCD$$
$$= \frac{5}{12} \times \frac{1}{2} \times \frac{1}{2}\square ABCD$$
$$= \frac{5}{48}\square ABCD$$
$$= \frac{5}{48} \times 96 = 10(\text{cm}^2)$$

5. 피타고라스 정리

P. 68~70 개념+ 문제 확인하기

1 $120\,cm^2$	**2** $36\,cm$	**3** 20	**4** $\dfrac{15}{4}$	**5** 12
6 36	**7** $60\,cm^2$	**8** 7	**9** ⑤	**10** 245
11 38	**12** 17	**13** $16\,cm$	**14** $15\,cm$	**15** $17\,cm$
16 $10\pi\,cm$				

1 △ABC에서 $\overline{AB}^2+15^2=17^2$, $\overline{AB}^2=17^2-15^2=64$
이때 $\overline{AB}>0$이므로 $\overline{AB}=8(cm)$
∴ □ABCD$=8\times15=120(cm^2)$

2 △ABD에서 $5^2+\overline{AD}^2=13^2$, $\overline{AD}^2=13^2-5^2=144$
이때 $\overline{AD}>0$이므로 $\overline{AD}=12(cm)$
△ADC에서 $\overline{DC}^2+12^2=15^2$, $\overline{DC}^2=15^2-12^2=81$
이때 $\overline{DC}>0$이므로 $\overline{DC}=9(cm)$
따라서 △ADC의 둘레의 길이는
$12+9+15=36(cm)$

3 $\overline{BD}$를 그으면 △ABD에서 $\overline{BD}^2=7^2+24^2=625$
이때 $\overline{BD}>0$이므로 $\overline{BD}=25$
△BCD에서 $15^2+\overline{CD}^2=25^2$, $\overline{CD}^2=25^2-15^2=400$
즉, $\overline{CD}>0$이므로 $\overline{CD}=20$

4 △ABH에서 $3^2+\overline{BH}^2=5^2$, $\overline{BH}^2=5^2-3^2=16$
이때 $\overline{BH}>0$이므로 $\overline{BH}=4$
$\overline{AB}^2=\overline{BH}\times\overline{BC}$이므로 $5^2=4\times\overline{BC}$ ∴ $\overline{BC}=\dfrac{25}{4}$
또 $\overline{AB}\times\overline{AC}=\overline{AH}\times\overline{BC}$이므로 $5\times x=3\times\dfrac{25}{4}$
$5x=\dfrac{75}{4}$ ∴ $x=\dfrac{15}{4}$

5 □ADEB+□ACHI=□BFGC이므로
$256+$□ACHI$=400$
∴ □ACHI$=144$
즉, $\overline{AC}^2=144$이고, $\overline{AC}>0$이므로 $\overline{AC}=12$

6 □EFGH는 정사각형이므로 $\overline{EH}^2=45$
△AEH에서 $3^2+\overline{AE}^2=45$, $\overline{AE}^2=45-3^2=36$
이때 $\overline{AE}>0$이므로 $\overline{AE}=6$
따라서 $\overline{AB}=\overline{AE}+\overline{EB}=6+3=9$이므로
□ABCD의 둘레의 길이는 $4\times9=36$

7 $8^2+15^2=17^2$이므로 주어진 삼각형은 빗변의 길이가 $17\,cm$인 직각삼각형이다.
즉, 직각을 낀 두 변의 길이가 $8\,cm$, $15\,cm$이므로 구하는 삼각형의 넓이는 $\dfrac{1}{2}\times8\times15=60(cm^2)$

8 x가 가장 긴 변의 길이이므로 삼각형이 되기 위한 조건에 의해
$6<x<6+4$ ∴ $6<x<10$ ⋯ ㉠
∠A<90°이므로 $x^2<6^2+4^2$ ∴ $x^2<52$ ⋯ ㉡
따라서 ㉠, ㉡을 모두 만족시키는 자연수 x의 값은 7이다.

9 ⑤ $c^2+a^2>b^2$이면 ∠B<90°이지만 ∠A, ∠C의 크기를 알 수 없으므로 예각삼각형인지 알 수 없다.

10 △ABC에서 두 변의 중점을 연결한 선분의 성질에 의해
$\overline{DE}=\dfrac{1}{2}\overline{BC}=\dfrac{1}{2}\times14=7$
∴ $\overline{BE}^2+\overline{CD}^2=\overline{DE}^2+\overline{BC}^2=7^2+14^2=245$

11 △ABO에서 $\overline{AB}^2=2^2+3^2=13$이므로
$\overline{AD}^2+\overline{BC}^2=\overline{AB}^2+\overline{CD}^2=13+5^2=38$

12 $\overline{AP}^2+\overline{CP}^2=\overline{BP}^2+\overline{DP}^2$이므로
$\overline{AP}^2+8^2=\overline{BP}^2+9^2$
∴ $\overline{AP}^2-\overline{BP}^2=81-64=17$

13 ($\overline{AB}$를 지름으로 하는 반원의 넓이)$=\dfrac{1}{2}\times\pi\times\left(\dfrac{12}{2}\right)^2$
$=18\pi(cm^2)$
($\overline{BC}$를 지름으로 하는 반원의 넓이)
$=$($\overline{AC}$를 지름으로 하는 반원의 넓이)
$-$($\overline{AB}$를 지름으로 하는 반원의 넓이)
$=50\pi-18\pi=32\pi(cm^2)$
즉, $\dfrac{1}{2}\times\pi\times\left(\dfrac{1}{2}\overline{BC}\right)^2=32\pi$이므로 $\overline{BC}^2=256$
이때 $\overline{BC}>0$이므로 $\overline{BC}=16(cm)$

다른 풀이
$\overline{AC}$를 지름으로 하는 반원의 넓이는
$\dfrac{1}{2}\times\pi\times\left(\dfrac{1}{2}\overline{AC}\right)^2=50\pi$이므로 $\overline{AC}^2=400$
이때 $\overline{AC}>0$이므로 $\overline{AC}=20(cm)$
△ABC에서 $12^2+\overline{BC}^2=20^2$, $\overline{BC}^2=20^2-12^2=256$
이때 $\overline{BC}>0$이므로 $\overline{BC}=16(cm)$

14 (색칠한 부분의 넓이)$=$△ABC이므로
$54=\dfrac{1}{2}\times9\times\overline{AC}$ ∴ $\overline{AC}=12(cm)$
△ABC에서 $\overline{BC}^2=9^2+12^2=225$
이때 $\overline{BC}>0$이므로 $\overline{BC}=15(cm)$

15 오른쪽 그림과 같은 직육면체의 옆면의 전개도에서 구하는 최단 거리는 $\overline{BE}$의 길이이므로
△BFE에서
$\overline{BE}^2=15^2+8^2=289$
이때 $\overline{BE}>0$이므로 $\overline{BE}=17(cm)$

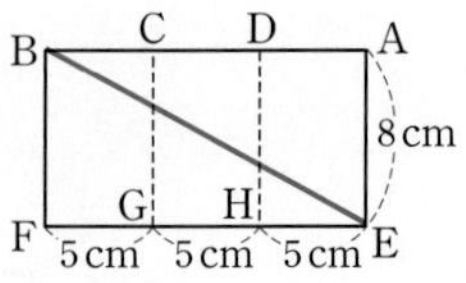

16 밑면의 둘레의 길이는 $2\pi \times 12 = 24\pi$(cm)

오른쪽 그림과 같은 원기둥의 옆면의 전개도에서 원기둥의 높이를 h cm라 하면

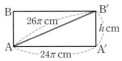

$\triangle$B'AA'에서

$h^2 + (24\pi)^2 = (26\pi)^2$, $h^2 = (26\pi)^2 - (24\pi)^2 = 100\pi^2$

이때 $h > 0$이므로 $h = 10\pi$

따라서 원기둥의 높이는 10π cm이다.

P. 71~74 **내신 5% 따라잡기**

1 $\dfrac{15}{2}$ cm   **2** $\dfrac{65}{3}$ cm²   **3** 9 cm²   **4** 8   **5** $\dfrac{168}{125}$

6 20 cm   **7** $\dfrac{66}{5}$ cm   **8** 80 cm²   **9** $\dfrac{96}{25}$ cm   **10** ④

11 $\dfrac{289}{2}$ cm²   **12** 18 cm²   **13** 3   **14** ①

15 ②   **16** ③   **17** 9   **18** 80   **19** 193

20 18π cm²   **21** 90 cm²   **22** 26π cm

23 10   **24** 58 cm²   **25** 9 m

26 ㄱ, ㄴ, ㄷ

---

1 $\triangle$ABC에서 $\overline{AB}^2 = 9^2 + 12^2 = 225$

이때 $\overline{AB} > 0$이므로 $\overline{AB} = 15$(cm)

한편, 점 M은 직각삼각형 ABC의 외심이므로

$\overline{CM} = \overline{AM} = \overline{BM} = \dfrac{1}{2}\overline{AB} = \dfrac{1}{2} \times 15 = \dfrac{15}{2}$(cm)

2 $\triangle$ABC에서 $\overline{BC}^2 = 13^2 - 5^2 = 144$

이때 $\overline{BC} > 0$이므로 $\overline{BC} = 12$(cm)

$\overline{AD}$는 $\angle$A의 이등분선이므로

$\overline{BD} : \overline{CD} = \overline{AB} : \overline{AC} = 5 : 13$

$\therefore \overline{CD} = \dfrac{13}{18}\overline{BC} = \dfrac{13}{18} \times 12 = \dfrac{26}{3}$(cm)

$\therefore \triangle$ADC $= \dfrac{1}{2} \times \overline{DC} \times \overline{AB} = \dfrac{1}{2} \times \dfrac{26}{3} \times 5 = \dfrac{65}{3}$(cm²)

3 $\triangle$ABC에서 $\overline{AC}^2 = 3^2 + 3^2 = 18$

$\triangle$ACD에서 $\overline{AD}^2 = 18 + 3^2 = 27$

$\triangle$ADE에서 $\overline{AE}^2 = 27 + 3^2 = 36$

이때 $\overline{AE} > 0$이므로 $\overline{AE} = 6$(cm)

$\therefore \triangle$AEF $= \dfrac{1}{2} \times \overline{AE} \times \overline{EF} = \dfrac{1}{2} \times 6 \times 3 = 9$(cm²)

4 오른쪽 그림과 같은 $\triangle$APD에서

$\overline{AD} = 8$이므로

$8^2 + \overline{DP}^2 = 10^2$

$\overline{DP}^2 = 10^2 - 8^2 = 36$

이때 $\overline{DP} > 0$이므로 $\overline{DP} = 6$

$\therefore \overline{PC} = \overline{DC} - \overline{DP} = 8 - 6 = 2$

$\triangle$APD와 $\triangle$QPC에서

$\angle$ADP $= \angle$QCP $= 90°$, $\angle$APD $= \angle$QPC(맞꼭지각)

이므로 $\triangle$APD $\circ$ $\triangle$QPC(AA 닮음)

$\overline{DA} : \overline{CQ} = \overline{DP} : \overline{CP}$에서

$8 : \overline{CQ} = 6 : 2$, $6\overline{CQ} = 16$ $\therefore \overline{CQ} = \dfrac{8}{3}$

$\overline{AP} : \overline{QP} = \overline{DP} : \overline{CP}$에서

$10 : \overline{QP} = 6 : 2$, $6\overline{QP} = 20$ $\therefore \overline{QP} = \dfrac{10}{3}$

$\therefore$ ($\triangle$PCQ의 둘레의 길이) $= \overline{PC} + \overline{CQ} + \overline{QP}$

$\qquad = 2 + \dfrac{8}{3} + \dfrac{10}{3} = 8$

5 $\triangle$ABC에서 $\overline{BC}^2 = 6^2 + 8^2 = 100$

이때 $\overline{BC} > 0$이므로 $\overline{BC} = 10$

점 M은 직각삼각형 ABC의 외심이므로

$\overline{AM} = \overline{BM} = \overline{CM} = \dfrac{1}{2}\overline{BC} = \dfrac{1}{2} \times 10 = 5$

$\overline{AB} \times \overline{AC} = \overline{BC} \times \overline{AH}$이므로

$6 \times 8 = 10 \times \overline{AH}$ $\therefore \overline{AH} = \dfrac{24}{5}$

$\overline{AB}^2 = \overline{BH} \times \overline{BC}$이므로 $6^2 = \overline{BH} \times 10$ $\therefore \overline{BH} = \dfrac{18}{5}$

$\therefore \overline{HM} = \overline{BM} - \overline{BH} = 5 - \dfrac{18}{5} = \dfrac{7}{5}$

따라서 $\triangle$AHM에서 $\overline{AH} \times \overline{HM} = \overline{AM} \times \overline{HI}$이므로

$\dfrac{24}{5} \times \dfrac{7}{5} = 5 \times \overline{HI}$ $\therefore \overline{HI} = \dfrac{168}{125}$

6 오른쪽 그림과 같이 점 D에서 $\overline{BC}$에 내린 수선의 발을 H라 하면

$\overline{BH} = \overline{AD} = 7$ cm

$\therefore \overline{CH} = \overline{BC} - \overline{BH} = 16 - 7 = 9$(cm)

$\triangle$DHC에서 $\overline{DH}^2 + 9^2 = 15^2$

$\overline{DH}^2 = 15^2 - 9^2 = 144$

이때 $\overline{DH} > 0$이므로 $\overline{DH} = 12$(cm)

$\therefore \overline{AB} = \overline{DH} = 12$ cm

따라서 $\triangle$ABC에서 $\overline{AC}^2 = 12^2 + 16^2 = 400$

이때 $\overline{AC} > 0$이므로 $\overline{AC} = 20$(cm)

7 오른쪽 그림에서

$\overline{BM} = \overline{CM} = \dfrac{1}{2}\overline{BC} = 3$(cm)

$\triangle$ABM에서

$\overline{AM}^2 = 4^2 + 3^2 = 25$

이때 $\overline{AM} > 0$이므로 $\overline{AM} = 5$(cm)

$\triangle$ABM과 $\triangle$DHA에서

$\angle$ABM $= \angle$DHA $= 90°$,

$\angle$BAM $= 90° - \angle$HAD $= \angle$HDA이므로

$\triangle$ABM $\circ$ $\triangle$DHA(AA 닮음)

$\overline{BM} : \overline{HA} = \overline{AM} : \overline{DA}$에서

$3 : \overline{HA} = 5 : 6$, $5\overline{HA} = 18$ $\therefore \overline{HA} = \dfrac{18}{5}$(cm)

$\overline{AB} : \overline{DH} = \overline{AM} : \overline{DA}$에서

$4 : \overline{DH} = 5 : 6$, $5\overline{DH} = 24$ $\qquad \therefore \overline{DH} = \dfrac{24}{5}$(cm)

$\therefore$ (□DHMC의 둘레의 길이)$= \overline{DH} + \overline{HM} + \overline{MC} + \overline{CD}$

$\qquad\qquad\qquad\qquad\qquad = \dfrac{24}{5} + \left(5 - \dfrac{18}{5}\right) + 3 + 4$

$\qquad\qquad\qquad\qquad\qquad = \dfrac{66}{5}$(cm)

8 오른쪽 그림과 같이 $\overline{OD}$를 그으면

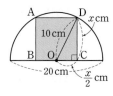

$\overline{OD} = \dfrac{1}{2} \times 20 = 10$(cm)

정사각형 ABCD의 한 변의 길이를 x cm라 하면

$\overline{OC} = \dfrac{1}{2}\overline{BC} = \dfrac{x}{2}$(cm)

△OCD에서 $\left(\dfrac{x}{2}\right)^2 + x^2 = 10^2$, $\dfrac{5}{4}x^2 = 100$ $\qquad \therefore x^2 = 80$

따라서 정사각형 ABCD의 넓이는 80 cm²이다.

9 △ABD에서 $\overline{BD}^2 = 8^2 + 6^2 = 100$

이때 $\overline{BD} > 0$이므로 $\overline{BD} = 10$(cm)

△ABD에서 $\overline{AB} \times \overline{AD} = \overline{AE} \times \overline{BD}$이므로

$6 \times 8 = \overline{AE} \times 10$ $\qquad \therefore \overline{AE} = \dfrac{24}{5}$(cm)

또 $\overline{AD}^2 = \overline{DE} \times \overline{DB}$이므로

$8^2 = \overline{DE} \times 10$ $\qquad \therefore \overline{DE} = \dfrac{32}{5}$(cm)

△AED에서 $\overline{AE} \times \overline{DE} = \overline{AD} \times \overline{EF}$이므로

$\dfrac{24}{5} \times \dfrac{32}{5} = 8 \times \overline{EF}$ $\qquad \therefore \overline{EF} = \dfrac{96}{25}$(cm)

10 오른쪽 그림과 같이 원뿔의 꼭짓점을 A라 하고, 꼭짓점 A에서 원뿔의 밑면에 내린 수선의 발을 H라 하면

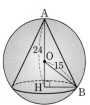

$\overline{OA} = \overline{OB} = 15$이므로

$\overline{OH} = 24 - 15 = 9$

△OBH에서 $9^2 + \overline{BH}^2 = 15^2$

$\overline{BH}^2 = 15^2 - 9^2 = 144$

이때 $\overline{BH} > 0$이므로 $\overline{BH} = 12$

따라서 원뿔의 부피는 $\dfrac{1}{3} \times (\pi \times 12^2) \times 24 = 1152\pi$

11 오른쪽 그림과 같이 꼭짓점 A에서 $\overline{BC}$, $\overline{DE}$에 내린 수선의 발을 각각 L, M이라 하면

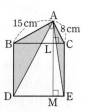

△ABC에서 $\overline{BC}^2 = 15^2 + 8^2 = 289$

이때 $\overline{BC} > 0$이므로 $\overline{BC} = 17$(cm)

따라서 색칠한 부분의 넓이는

$\triangle ABD + \triangle AEC = \dfrac{1}{2}\Box BDML + \dfrac{1}{2}\Box LMEC$

$\qquad\qquad\qquad\qquad = \dfrac{1}{2}\Box BDEC = \dfrac{1}{2} \times 17^2 = \dfrac{289}{2}$(cm²)

다른 풀이

$\triangle ABD = \triangle LBD = \dfrac{1}{2}\Box BDML = \dfrac{1}{2} \times 15^2 = \dfrac{225}{2}$(cm²)

$\triangle AEC = \triangle LEC = \dfrac{1}{2}\Box LMEC = \dfrac{1}{2} \times 8^2 = 32$(cm²)

따라서 색칠한 부분의 넓이는

$\triangle ABD + \triangle AEC = \dfrac{225}{2} + 32 = \dfrac{289}{2}$(cm²)

12 오른쪽 그림에서

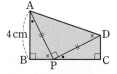

△ABP≡△PCD이므로

$\overline{AP} = \overline{PD}$, $\angle APB = \angle PDC$

$\therefore \angle APD$

$\quad = 180° - (\angle APB + \angle DPC)$

$\quad = 180° - (\angle PDC + \angle DPC) = \angle C = 90°$

즉, △APD는 직각이등변삼각형이고, 넓이가 10 cm²이므로

$\dfrac{1}{2} \times \overline{AP} \times \overline{PD} = 10$에서 $\overline{AP}^2 = 20$

△ABP에서 $4^2 + \overline{BP}^2 = 20$

$\overline{BP}^2 = 20 - 4^2 = 4$

이때 $\overline{BP} > 0$이므로 $\overline{BP} = 2$(cm)

따라서 $\overline{CD} = \overline{BP} = 2$ cm, $\overline{PC} = \overline{AB} = 4$ cm이므로

$\Box ABCD = \dfrac{1}{2} \times (4 + 2) \times (2 + 4) = 18$(cm²)

13 오른쪽 그림과 같이 △CDE와 원 O의 세 접점을 각각 P, Q, R라 하고, 원 O의 반지름의 길이를 r라 하면

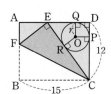

$\overline{OP} = \overline{OQ} = \overline{OR} = r$

이때 $\overline{CE} = \overline{BC} = 15$이므로

△CDE에서 $\overline{DE}^2 + 12^2 = 15^2$

$\overline{DE}^2 = 15^2 - 12^2 = 81$

이때 $\overline{DE} > 0$이므로 $\overline{DE} = 9$

따라서 $\triangle CDE = \dfrac{1}{2} \times 9 \times 12 = 54$이고,

$\triangle CDE = \triangle CDO + \triangle DEO + \triangle ECO$이므로

$\dfrac{1}{2} \times r \times (12 + 9 + 15) = 54$, $18r = 54$ $\qquad \therefore r = 3$

따라서 원 O의 반지름의 길이는 3이다.

14 △ABE에서 $\overline{BE}^2 + 4^2 = 5^2$

$\overline{BE}^2 = 5^2 - 4^2 = 9$

이때 $\overline{BE} > 0$이므로 $\overline{BE} = 3$

주어진 그림에서 4개의 직각삼각형이 합동이므로 □EFGH는 정사각형이고 $\overline{AH} = \overline{BE} = 3$

즉, $\overline{EH} = \overline{AE} - \overline{AH} = 4 - 3 = 1$이므로

$\Box EFGH = 1^2 = 1$

15 ㄱ. △ADC에서 $\angle C = 90°$이므로 $x^2 + y^2 = b^2$

ㄴ. △ABD에서 $\angle BAD < 90°$이므로 $a^2 < b^2 + c^2$

ㄷ. △ABD에서 $\angle ADB > 90°$이므로 $c^2 > a^2 + b^2$

그런데 $b^2 = x^2 + y^2$이므로 $c^2 > a^2 + x^2 + y^2$

ㄹ. $\triangle ABD$에서 $\angle B < 90°$이므로 $b^2 < a^2 + c^2$

그런데 $b^2 = x^2 + y^2$이므로 $x^2 + y^2 < a^2 + c^2$

따라서 옳은 것은 ㄱ, ㄹ이다.

16 주어진 5개의 선분 중에서 3개를 골라 삼각형을 만들 수 있는 경우를 순서쌍으로 각각 나타내면

(i) 가장 긴 변의 길이가 11인 경우

$(11, 4, 8), (11, 4, 9), (11, 6, 8), (11, 6, 9),$
$(11, 8, 9)$

(ii) 가장 긴 변의 길이가 9인 경우

$(9, 4, 6), (9, 4, 8), (9, 6, 8)$

(iii) 가장 긴 변의 길이가 8인 경우

$(8, 4, 6)$

따라서 (i)~(iii)에서

$11^2 > 4^2 + 8^2 \Rightarrow$ 둔각삼각형, $11^2 > 4^2 + 9^2 \Rightarrow$ 둔각삼각형,
$11^2 > 6^2 + 8^2 \Rightarrow$ 둔각삼각형, $11^2 > 6^2 + 9^2 \Rightarrow$ 둔각삼각형,
$11^2 < 8^2 + 9^2 \Rightarrow$ 예각삼각형, $9^2 > 4^2 + 6^2 \Rightarrow$ 둔각삼각형,
$9^2 > 4^2 + 8^2 \Rightarrow$ 둔각삼각형, $9^2 < 6^2 + 8^2 \Rightarrow$ 예각삼각형,
$8^2 > 4^2 + 6^2 \Rightarrow$ 둔각삼각형

즉, $a = 2$, $b = 7$이므로 $b - a = 7 - 2 = 5$

17 $\triangle ADE$와 $\triangle ABC$에서

$\overline{AD} : \overline{AB} = \overline{AE} : \overline{AC} = 1 : 3$, $\angle A$는 공통이므로

$\triangle ADE \backsim \triangle ABC$ (SAS 닮음)

즉, $\overline{DE} : \overline{BC} = 1 : 3$이므로

$\overline{DE} = a$, $\overline{BC} = 3a\,(a > 0)$라 하면

$\overline{DE}^2 + \overline{BC}^2 = \overline{BE}^2 + \overline{CD}^2$에서

$a^2 + (3a)^2 = 90$, $10a^2 = 90$, $a^2 = 9$

이때 $a > 0$이므로 $a = 3$

$\therefore \overline{BC} = 3 \times 3 = 9$

18 오른쪽 그림과 같이 $\overline{DE}$를 그으면 삼각형의 두 변의 중점을 연결한 선분의 성질에 의해

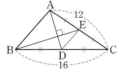

$\overline{DE} = \dfrac{1}{2}\overline{AB}$

$\square ABDE$에서 $\overline{AB}^2 + \overline{DE}^2 = \overline{AE}^2 + \overline{BD}^2$이므로

$\overline{AB}^2 + \left(\dfrac{1}{2}\overline{AB}\right)^2 = 6^2 + 8^2$, $\dfrac{5}{4}\overline{AB}^2 = 100$ $\quad \therefore \overline{AB}^2 = 80$

19 $\triangle ABD$에서 $\overline{BD}^2 = 15^2 + 20^2 = 625$

이때 $\overline{BD} > 0$이므로 $\overline{BD} = 25$

$\overline{AB} \times \overline{AD} = \overline{AE} \times \overline{BD}$에서

$15 \times 20 = \overline{AE} \times 25$ $\quad \therefore \overline{AE} = 12$

$\overline{AB}^2 = \overline{BE} \times \overline{BD}$에서 $15^2 = \overline{BE} \times 25$ $\quad \therefore \overline{BE} = 9$

$\therefore \overline{DE} = \overline{BD} - \overline{BE} = 25 - 9 = 16$

이때 $\overline{AE}^2 + \overline{CE}^2 = \overline{BE}^2 + \overline{DE}^2$이므로

$12^2 + \overline{CE}^2 = 9^2 + 16^2$

$\therefore \overline{CE}^2 = 9^2 + 16^2 - 12^2 = 193$

20 오른쪽 그림과 같이 $\overline{AH}$를 긋고, 색칠한 부분의 넓이를 각각 $S_1, S_2, S_3, S_4, S_5, S_6$이라 하면

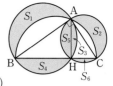

(색칠한 부분의 넓이)
$= (S_1 + S_2) + (S_3 + S_4) + (S_5 + S_6)$
$= \triangle ABC$
$\quad + \{(\overline{AB}를\ 지름으로\ 하는\ 반원의\ 넓이) - \triangle ABH\}$
$\quad + \{(\overline{AC}를\ 지름으로\ 하는\ 반원의\ 넓이) - \triangle AHC\}$
$= \{\triangle ABC - (\triangle ABH + \triangle AHC)\}$
$\quad + \{(\overline{AB}를\ 지름으로\ 하는\ 반원의\ 넓이)$
$\quad + (\overline{AC}를\ 지름으로\ 하는\ 반원의\ 넓이)\}$
$= (\overline{BC}를\ 지름으로\ 하는\ 반원의\ 넓이)$
$= \dfrac{1}{2} \times \pi \times \left(\dfrac{1}{2} \times 12\right)^2 = 18\pi\,(\text{cm}^2)$

21 오른쪽 그림과 같이 $\overline{BD}$를 긋고, 색칠한 부분의 넓이를 각각 S_1, S_2, S_3, S_4라 하면

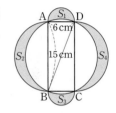

(색칠한 부분의 넓이)
$= (S_1 + S_2) + (S_3 + S_4)$
$= \triangle ABD + \triangle BCD$
$= \square ABCD$
$= 15 \times 6 = 90\,(\text{cm}^2)$

22 오른쪽 그림과 같은 원기둥의 옆면의 전개도에서 구하는 최단 거리는 $\overline{AB''}$의 길이와 같다.

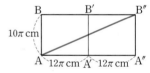

따라서 $\overline{AA'}$, $\overline{A'A''}$의 길이는 밑면의 둘레의 길이와 같으므로

$\overline{AA'} = \overline{A'A''} = 2\pi \times 6 = 12\pi\,(\text{cm})$

$\triangle AA''B''$에서 $\overline{AB''}^2 = (10\pi)^2 + (24\pi)^2 = 676\pi^2$

이때 $\overline{AB''} > 0$이므로 $\overline{AB''} = 26\pi\,(\text{cm})$

23 점 A와 x축에 대하여 대칭인 점을 A'이라 하면 $A'(-4, -3)$

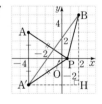

$\overline{AP} + \overline{BP} = \overline{A'P} + \overline{BP} \geq \overline{A'B}$이고,

$\triangle A'HB$에서 $\overline{A'B}^2 = 6^2 + 8^2 = 100$

이때 $\overline{A'B} > 0$이므로 $\overline{A'B} = 10$

따라서 구하는 최소 길이는 10이다.

24 길잡이 두 사각형 PQRS와 EFGH가 정사각형임을 알고 $\square PQRS$의 한 변의 길이를 구해 본다.

$\overline{AE} = x\,\text{cm}$라 하면 $\overline{BE} = (10 - x)\,\text{cm}$

이때 $\overline{AE} = \overline{PE}$, $\overline{BE} = \overline{QE}$이므로

$\overline{PQ} = \overline{EQ} - \overline{EP} = (10 - x) - x = 10 - 2x\,(\text{cm})$

마찬가지로 $\overline{PQ} = \overline{QR} = \overline{RS} = \overline{SP}$

또 $\angle HPE = \angle A = 90°$이므로 $\angle SPQ = 90°$

마찬가지로 $\angle SPQ = \angle PQR = \angle QRS = \angle RSP = 90°$

즉, □PQRS는 정사각형이고, 넓이가 $16\,\mathrm{cm}^2$이므로 한 변의 길이는 $4\,\mathrm{cm}$이다. 즉,

$10-2x=4$, $2x=6$ ∴ $x=3$

∴ $\overline{\mathrm{BF}}=\overline{\mathrm{AE}}=3\,\mathrm{cm}$, $\overline{\mathrm{BE}}=10-3=7(\mathrm{cm})$

△BEF에서 $\overline{\mathrm{EF}}^2=3^2+7^2=58$

이때 $\angle \mathrm{A}=\angle \mathrm{B}=\angle \mathrm{C}=\angle \mathrm{D}=90°$이고,

$\overline{\mathrm{AE}}=\overline{\mathrm{BF}}=\overline{\mathrm{CG}}=\overline{\mathrm{DH}}$, $\overline{\mathrm{AH}}=\overline{\mathrm{BE}}=\overline{\mathrm{CF}}=\overline{\mathrm{DG}}$이므로

△AEH≡△BFE≡△CGF≡△DHG (SAS 합동)

즉, $\angle \mathrm{HEF}=\angle \mathrm{EFG}=\angle \mathrm{FGH}=\angle \mathrm{GHE}=90°$,

$\overline{\mathrm{EF}}=\overline{\mathrm{FG}}=\overline{\mathrm{GH}}=\overline{\mathrm{HE}}$이므로 □EFGH는 정사각형이다.

∴ □EFGH$=\overline{\mathrm{EF}}^2=58(\mathrm{cm}^2)$

25 길잡이 직각삼각형에서 빗변을 한 변으로 하는 정사각형의 넓이가 나머지 두 변을 각각 한 변으로 하는 두 정사각형의 넓이의 합과 같음을 이용한다.

오른쪽 그림과 같이 각 꽃밭의 넓이를 $S_1, S_2, S_3, \cdots$, S_{10}이라 하면

(채송화가 심어진 꽃밭의 넓이의 합)
$=(S_1+S_2)+S_4+(S_6+S_7)+S_9$
$=(S_3+S_4)+(S_8+S_9)$
$=S_5+S_{10}$

그런데 $\overline{\mathrm{AB}}$를 한 변으로 하는 정사각형의 넓이는 S_5+S_{10}이고 $S_5+S_{10}=324(\mathrm{m}^2)$이므로 $\overline{\mathrm{AB}}^2=324$

이때 $\overline{\mathrm{AB}}>0$이므로 $\overline{\mathrm{AB}}=18(\mathrm{m})$

점 D는 직각삼각형 ABC의 외심이므로

(다리의 길이)$=\overline{\mathrm{CD}}=\dfrac{1}{2}\overline{\mathrm{AB}}=\dfrac{1}{2}\times 18=9(\mathrm{m})$

26 길잡이 삼각형의 세 변의 길이 사이의 관계와 직각삼각형의 세 반원 사이의 관계를 이용한다.

삼각형의 세 변의 길이를 각각 a, b, $c\,(c$가 가장 긴 변의 길이$)$라 하면 이 세 변을 각각 지름으로 하는 반원의 넓이는

$\dfrac{1}{8}a^2\pi$, $\dfrac{1}{8}b^2\pi$, $\dfrac{1}{8}c^2\pi$

ㄱ. 예각삼각형인 경우는 $c^2<a^2+b^2$이므로

$\dfrac{1}{8}c^2\pi<\dfrac{1}{8}a^2\pi+\dfrac{1}{8}b^2\pi$

즉, 가장 큰 반원의 넓이는 나머지 두 반원의 넓이의 합보다 작다.

ㄴ. 직각삼각형인 경우는 $c^2=a^2+b^2$이므로

$\dfrac{1}{8}c^2\pi=\dfrac{1}{8}a^2\pi+\dfrac{1}{8}b^2\pi$

즉, 가장 큰 반원의 넓이는 나머지 두 반원의 넓이의 합과 같다.

ㄷ. 둔각삼각형인 경우는 $c^2>a^2+b^2$이므로

$\dfrac{1}{8}c^2\pi>\dfrac{1}{8}a^2\pi+\dfrac{1}{8}b^2\pi$

즉, 가장 큰 반원의 넓이는 나머지 두 반원의 넓이의 합보다 크다.

따라서 옳은 것은 ㄱ, ㄴ, ㄷ이다.

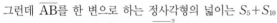

01 $\dfrac{2}{3}$ cm **02** 258 **03** 3 cm **04** 12 km

01 길잡이 원의 반지름의 길이를 $r\,\mathrm{cm}$라 할 때, △ABC의 넓이를 r에 대한 식으로 나타낸다.

오른쪽 그림과 같이 양 끝의 두 원의 중심을 각각 P, Q, 세 점 P, Q, B에서 각각 $\overline{\mathrm{AB}}$, $\overline{\mathrm{BC}}$, $\overline{\mathrm{AC}}$에 내린 수선의 발을 차례로 D, E, F라 하고, $\overline{\mathrm{PQ}}$와 $\overline{\mathrm{BF}}$의 교점을 H, 원의 반지름의 길이를 $r\,\mathrm{cm}$라 하면

$\overline{\mathrm{PD}}=\overline{\mathrm{QE}}=\overline{\mathrm{HF}}=r\,\mathrm{cm}$, $\overline{\mathrm{PQ}}=10r\,\mathrm{cm}$

△ABC에서 $\overline{\mathrm{AC}}^2=6^2+8^2=100$

이때 $\overline{\mathrm{AC}}>0$이므로 $\overline{\mathrm{AC}}=10(\mathrm{cm})$

한편, $\overline{\mathrm{AB}}\times\overline{\mathrm{BC}}=\overline{\mathrm{AC}}\times\overline{\mathrm{BF}}$이므로

$6\times 8=10\times\overline{\mathrm{BF}}$ ∴ $\overline{\mathrm{BF}}=\dfrac{24}{5}(\mathrm{cm})$

△ABC=□APQC+△PAB+△QBC+△PBQ이므로

$\dfrac{1}{2}\times 8\times 6=\dfrac{1}{2}\times(10+10r)\times r+\dfrac{1}{2}\times 6\times r+\dfrac{1}{2}\times 8\times r$
$\qquad\qquad\qquad+\dfrac{1}{2}\times 10r\times\left(\dfrac{24}{5}-r\right)$

$24=(5r+5r^2)+3r+4r+(24r-5r^2)$

$36r=24$ ∴ $r=\dfrac{2}{3}$

따라서 원의 반지름의 길이는 $\dfrac{2}{3}$ cm이다.

02 길잡이 점 E, F에서 각각 $\overline{\mathrm{DB}}$, $\overline{\mathrm{GC}}$의 연장선에 수선을 그어 직각삼각형을 만든 후 △DEB와 △CFG의 높이와 넓이를 각각 구한다.

□DBAI$=8^2=64$, □ACGH$=5^2=25$

∴ □BEFC=□DBAI+□ACGH
$\qquad\quad\;=64+25=89$

$\overline{\mathrm{AI}}=\overline{\mathrm{AB}}=8$, $\overline{\mathrm{AH}}=\overline{\mathrm{AC}}=5$,

$\angle \mathrm{IAH}=\angle \mathrm{BAC}=90°$ (맞꼭지각)이므로

△AHI$=\dfrac{1}{2}\times 8\times 5=20$

오른쪽 그림과 같이 점 E에서 $\overline{\mathrm{DB}}$의 연장선에 내린 수선의 발을 P, 점 F에서 $\overline{\mathrm{GC}}$의 연장선에 내린 수선의 발을 Q라 하면

△PBE와 △ABC에서

$\angle \mathrm{BPE}=\angle \mathrm{BAC}=90°$, $\overline{\mathrm{BE}}=\overline{\mathrm{BC}}$,

$\angle \mathrm{PBE}=90°-\angle \mathrm{PBC}=\angle \mathrm{ABC}$이므로

△PBE≡△ABC (RHA 합동)

∴ $\overline{\mathrm{PE}}=\overline{\mathrm{AC}}=5$

∴ △DEB$=\dfrac{1}{2}\times\overline{\mathrm{DB}}\times\overline{\mathrm{PE}}=\dfrac{1}{2}\times 8\times 5=20$

같은 방법으로 △QFC≡△ABC (RHA 합동)이므로

$\overline{\mathrm{QF}}=\overline{\mathrm{AB}}=8$

$$\therefore \triangle CFG = \frac{1}{2} \times \overline{CG} \times \overline{QF} = \frac{1}{2} \times 5 \times 8 = 20$$

$\therefore$ (육각형 DEFGHI의 넓이)
$$= \square DBAI + \square ACGH + \square BEFC$$
$$+ \triangle ABC + \triangle AHI + \triangle DEB + \triangle CFG$$
$$= 64 + 25 + 89 + 4 \times 20$$
$$= 258$$

03 길잡이 $\triangle AEP \backsim \triangle DPQ$(AA 닮음)임을 이용한다.

$\overline{AE} : \overline{AP} = 4 : 3$이므로

$\overline{AE} = 4a \, \text{cm}, \ \overline{AP} = 3a \, \text{cm}(a > 0)$라 하면

$\overline{EP}^2 = (3a)^2 + (4a)^2 = 25a^2$

이때 $\overline{EP} > 0$이므로 $\overline{EP} = 5a(\text{cm})$

$\therefore \overline{EB} = \overline{EP} = 5a \, \text{cm}$

이때 $\overline{AB} = \overline{AE} + \overline{EB} = 18 \, \text{cm}$이므로

$4a + 5a = 18, \ 9a = 18$ $\therefore a = 2$

즉, $\overline{AE} = 4 \times 2 = 8(\text{cm})$, $\overline{AP} = 3 \times 2 = 6(\text{cm})$,

$\overline{EB} = \overline{EP} = 5 \times 2 = 10(\text{cm})$

또 $\triangle AEP$와 $\triangle DPQ$에서

$\angle A = \angle D = 90°$, $\angle AEP = 90° - \angle APE = \angle DPQ$이므로

$\triangle AEP \backsim \triangle DPQ$(AA 닮음)

따라서 오른쪽 그림에서

$\overline{AE} : \overline{DP} = \overline{EP} : \overline{PQ}$이므로

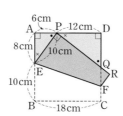

$8 : 12 = 10 : \overline{PQ}$

$8\overline{PQ} = 120$

$\therefore \overline{PQ} = 15(\text{cm})$

이때 $\overline{PR} = \overline{BC} = 18 \, \text{cm}$이므로

$\overline{QR} = \overline{PR} - \overline{PQ} = 18 - 15 = 3(\text{cm})$

04 길잡이 $\overline{AB}$와 $\overline{DC}$가 일치하도록 $\triangle ABP$를 평행이동시켜 두 대각선이 직교하는 사각형을 만든다.

오른쪽 그림과 같이 $\triangle ABP$를 $\overline{AB}$와 $\overline{DC}$가 일치하도록 평행이동시키면 $\square DQCP'$에서 $\overline{DC} \perp \overline{QP'}$이므로

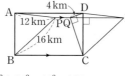

$4^2 + 16^2 = 12^2 + \overline{CQ}^2$, $\overline{CQ}^2 = 4^2 + 16^2 - 12^2 = 128$

$\triangle DQC$에서 $\overline{CD}^2 = 4^2 + 128 = 144$

이때 $\overline{CD} > 0$이므로 $\overline{CD} = 12(\text{km})$

P. 76~77 **3~5 서술형 완성하기**

[과정은 풀이 참조]

1 큰 피자 4개를 사는 것   **2** $\frac{2}{3}$

3 (1) 3 cm (2) 2 cm   **4** (1) 5 (2) $\frac{15}{4}$ (3) 4 : 3

5 3 cm   **6** $\frac{200}{3}$ cm²   **7** 36   **8** 50 cm

---

1 작은 피자와 큰 피자의 닮음비는 $35 : 40 = 7 : 8$이므로 넓이의 비는

$7^2 : 8^2 = 49 : 64$ $\cdots$ (i)

작은 피자 5개와 큰 피자 4개의 넓이의 비는

$49 \times 5 : 64 \times 4 = 245 : 256$ $\cdots$ (ii)

이때 작은 피자 5개와 큰 피자 4개의 가격은 모두 8만 원으로 같고, 작은 피자 5개보다 큰 피자 4개의 양이 더 많으므로 큰 피자 4개를 사는 것이 경제적으로 더 유리하다. $\cdots$ (iii)

채점 기준	비율
(i) 작은 피자와 큰 피자의 넓이의 비 구하기	30 %
(ii) 작은 피자 5개와 큰 피자 4개의 넓이의 비 구하기	30 %
(iii) 작은 피자 5개와 큰 피자 4개의 가격에 따른 양 비교하기	40 %

2 $\triangle ADC$와 $\triangle BED$에서

$\angle A = \angle B = 60°$

$\angle ADC = 180° - (60° + \angle BDE)$
$= \angle BED$

$\therefore \triangle ADC \backsim \triangle BED$(AA 닮음)
$\cdots$ (i)

$\overline{AD} = \overline{AB} - \overline{DB} = 3 - 2 = 1$이고, $\cdots$ (ii)

$\overline{AC} : \overline{BD} = \overline{AD} : \overline{BE}$이므로

$3 : 2 = 1 : \overline{BE}, \ 3\overline{BE} = 2$ $\therefore \overline{BE} = \frac{2}{3}$ $\cdots$ (iii)

채점 기준	비율
(i) $\triangle ADC \backsim \triangle BED$임을 보이기	40 %
(ii) $\overline{AD}$의 길이 구하기	20 %
(iii) $\overline{BE}$의 길이 구하기	40 %

3 (1) $\overline{BC} = x \, \text{cm}$라 하면

$\overline{AB} : \overline{AC} = \overline{BE} : \overline{CE}$이므로

$4 : 2 = (x + 3) : 3, \ 2(x + 3) = 12, \ 2x = 6$

$\therefore x = 3$ $\therefore \overline{BC} = 3 \, \text{cm}$ $\cdots$ (i)

(2) $\overline{BD} = y \, \text{cm}$라 하면

$\overline{AB} : \overline{AC} = \overline{BD} : \overline{CD}$이므로

$4 : 2 = y : (3 - y), \ 2y = 4(3 - y), \ 6y = 12$

$\therefore y = 2$ $\therefore \overline{BD} = 2 \, \text{cm}$ $\cdots$ (ii)

채점 기준	비율
(i) $\overline{BC}$의 길이 구하기	50 %
(ii) $\overline{BD}$의 길이 구하기	50 %

4 (1) $\square AQCP$가 마름모이므로

$\overline{AC} \perp \overline{PQ}, \ \overline{AO} = \overline{CO}, \ \overline{PO} = \overline{QO}$

$\therefore \overline{CO} = \frac{1}{2}\overline{AC} = \frac{1}{2} \times 10 = 5$ $\cdots$ (i)

(2) $\triangle COQ$와 $\triangle CBA$에서

$\angle COQ = \angle CBA = 90°$, $\angle OCQ$는 공통이므로

$\triangle COQ \backsim \triangle CBA$(AA 닮음) $\cdots$ (ii)

즉, $\overline{CO} : \overline{CB} = \overline{OQ} : \overline{BA}$ 이므로

$5 : 8 = \overline{OQ} : 6$, $8\overline{OQ} = 30$

$\therefore \overline{OQ} = \dfrac{15}{4}$ ··· (iii)

(3) $\overline{PQ} = 2\overline{OQ} = 2 \times \dfrac{15}{4} = \dfrac{15}{2}$

$\therefore \overline{AC} : \overline{PQ} = 10 : \dfrac{15}{2} = 4 : 3$ ··· (iv)

채점 기준	비율
(i) $\overline{CO}$의 길이 구하기	20 %
(ii) $\triangle COQ \backsim \triangle CBA$임을 보이기	30 %
(iii) $\overline{OQ}$의 길이 구하기	30 %
(iv) $\overline{AC} : \overline{PQ}$ 구하기	20 %

5 $\triangle EBC$에서 $\overline{BD} = \overline{DC}$, $\overline{FD} /\!/ \overline{EC}$이므로 $\overline{BF} = \overline{FE}$

$\therefore \overline{FD} = \dfrac{1}{2}\overline{EC} = \dfrac{1}{2} \times 4 = 2(cm)$ ··· (i)

$\triangle AFD$에서 $\overline{AG} = \overline{GD}$, $\overline{EG} /\!/ \overline{FD}$이므로 $\overline{AE} = \overline{EF}$

$\therefore \overline{EG} = \dfrac{1}{2}\overline{FD} = \dfrac{1}{2} \times 2 = 1(cm)$ ··· (ii)

$\therefore \overline{GC} = \overline{EC} - \overline{EG} = 4 - 1 = 3(cm)$ ··· (iii)

채점 기준	비율
(i) $\overline{FD}$의 길이 구하기	40 %
(ii) $\overline{EG}$의 길이 구하기	40 %
(iii) $\overline{GC}$의 길이 구하기	20 %

6 $\overline{QD} = \overline{AD} = 20\,cm$이므로

$\triangle DQC$에서 $\overline{QC}^2 + 12^2 = 20^2$, $\overline{QC}^2 = 20^2 - 12^2 = 256$

이때 $\overline{QC} > 0$이므로 $\overline{QC} = 16(cm)$

$\therefore \overline{BQ} = \overline{BC} - \overline{QC} = 20 - 16 = 4(cm)$ ··· (i)

$\triangle PBQ$와 $\triangle QCD$에서

$\angle B = \angle C = 90°$, $\angle BPQ = 90° - \angle PQB = \angle CQD$이므로

$\triangle PBQ \backsim \triangle QCD$ (AA 닮음)

따라서 $\overline{BQ} : \overline{CD} = \overline{PQ} : \overline{QD}$이므로

$4 : 12 = \overline{PQ} : 20$, $12\overline{PQ} = 80$ $\therefore \overline{PQ} = \dfrac{20}{3}(cm)$ ··· (ii)

$\therefore \triangle PQD = \dfrac{1}{2} \times \overline{PQ} \times \overline{QD}$

$= \dfrac{1}{2} \times \dfrac{20}{3} \times 20 = \dfrac{200}{3}(cm^2)$ ··· (iii)

채점 기준	비율
(i) $\overline{BQ}$의 길이 구하기	30 %
(ii) $\overline{PQ}$의 길이 구하기	40 %
(iii) $\triangle PQD$의 넓이 구하기	30 %

7   점 G는 $\triangle ABC$의 무게중심이므로

$\triangle ABG = \triangle ACG = \triangle BCG = \dfrac{1}{3}\triangle ABC$

두 점 E, F는 각각 $\overline{BG}$, $\overline{CG}$의 중점이므로

$\triangle AEG = \dfrac{1}{2}\triangle ABG = \dfrac{1}{6}\triangle ABC$ ··· ㉠

$\triangle AFG = \dfrac{1}{2}\triangle ACG = \dfrac{1}{6}\triangle ABC$ ··· ㉡   ··· (i)

또 $\triangle GEF$와 $\triangle GBC$에서

$\overline{GE} : \overline{GB} = \overline{GF} : \overline{GC} = 1 : 2$, $\angle BGC$는 공통이므로

$\triangle GEF \backsim \triangle GBC$ (SAS 닮음)   ··· (ii)

이때 닮음비는 $1 : 2$이므로

$\triangle GEF : \triangle GBC = 1^2 : 2^2 = 1 : 4$

$\therefore \triangle GEF = \dfrac{1}{4}\triangle GBC = \dfrac{1}{12}\triangle ABC$ ··· ㉢   ··· (iii)

따라서 ㉠, ㉡, ㉢에 의해

$\triangle AEF = \triangle AEG + \triangle AFG + \triangle GEF$

$= \dfrac{1}{6}\triangle ABC + \dfrac{1}{6}\triangle ABC + \dfrac{1}{12}\triangle ABC$

$= \dfrac{5}{12}\triangle ABC$ ··· (iv)

$\therefore \triangle ABC = \dfrac{12}{5}\triangle AEF = \dfrac{12}{5} \times 15 = 36$ ··· (v)

채점 기준	비율
(i) $\triangle AEG$와 $\triangle AFG$의 넓이가 $\triangle ABC$의 넓이의 몇 배인지 구하기	20 %
(ii) $\triangle GEF \backsim \triangle GBC$임을 보이기	30 %
(iii) $\triangle GEF$의 넓이가 $\triangle ABC$의 넓이의 몇 배인지 구하기	30 %
(iv) $\triangle AEF$의 넓이가 $\triangle ABC$의 넓이의 몇 배인지 구하기	10 %
(v) $\triangle ABC$의 넓이 구하기	10 %

8   오른쪽 그림과 같은 원뿔대의 옆면의 전개도에서 구하는 최단 거리는 $\overline{AM}$의 길이와 같다.   ··· (i)

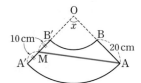

이때 처음 원뿔의 꼭짓점을 O라 하면 원뿔대의 두 밑면의 반지름의 길이가 각각 $5\,cm$, $10\,cm$이므로 $\overline{OB} : \overline{OA} = 5 : 10 = 1 : 2$

즉, $\overline{OB} : (\overline{OB} + 20) = 1 : 2$에서

$\overline{OB} = 20(cm)$ ··· (ii)

$\angle A'OA = \angle x$라 하면 부채꼴의 호의 길이는 밑면인 원의 둘레의 길이와 같으므로

$2\pi \times 40 \times \dfrac{x}{360} = 2\pi \times 10$

$\therefore \angle x = 90°$ ··· (iii)

따라서 $\triangle OMA$에서

$\overline{AM}^2 = 40^2 + (20 + 10)^2 = 2500$

이때 $\overline{AM} > 0$이므로 $\overline{AM} = 50(cm)$ ··· (iv)

채점 기준	비율
(i) 원뿔대의 전개도를 그리고, 최단 거리 표시하기	20 %
(ii) $\overline{OB}$의 길이 구하기	20 %
(iii) 부채꼴의 중심각의 크기 구하기	30 %
(iv) 최단 거리 구하기	30 %

6. 경우의 수

P. 80~82 개념＋대표 문제 확인하기

1 ②	**2** 9	**3** ③	**4** 288	**5** 9
6 ③	**7** ④	**8** ③	**9** 12	**10** 17개
11 ②	**12** ④	**13** 6	**14** 48경기	**15** 15개
16 ②	**17** ③			

1 서로 다른 두 개의 주사위를 동시에 던질 때, 나오는 두 눈의 수의 곱이 6인 경우를 순서쌍으로 나타내면
$(1, 6), (2, 3), (3, 2), (6, 1)$
이므로 구하는 경우의 수는 4이다.

2 400원을 지불하는 경우를 표로 나타내면 다음과 같다.

100원짜리(개)	4	3	3	2	2	1	1	0	0
50원짜리(개)	0	2	1	4	3	6	5	8	7
10원짜리(개)	0	0	5	0	5	0	5	0	5

따라서 지불하는 경우의 수는 9이다.

3 카드에 적힌 수가 3의 배수인 경우는
3, 6, 9, 12, 15, 18의 6가지
카드에 적힌 수가 7의 배수인 경우는 7, 14의 2가지
따라서 구하는 경우의 수는
$6+2=8$

4 동전 1개를 던질 때 일어나는 경우는 앞면과 뒷면의 2가지이고, 주사위 1개를 던질 때 일어나는 경우는 1에서 6까지의 6가지이다.
따라서 구하는 경우의 수는
$2 \times 2 \times 2 \times 6 \times 6 = 288$

5 인천에서 도쿄를 거쳐 로스앤젤레스로 가는 경우의 수는
$2 \times 3 = 6$
인천에서 도쿄를 거치지 않고 로스앤젤레스로 가는 경우의 수는 3
따라서 구하는 경우의 수는
$6+3=9$

6 A 지점에서 P 지점까지 최단 거리로 가는 경우의 수는 3
P 지점에서 B 지점까지 최단 거리로 가는 경우의 수는 3
따라서 구하는 경우의 수는
$3 \times 3 = 9$

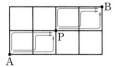

다른 풀이
최단 거리로 가는 경우의 수는 진행 방향의 수끼리의 합으로 구할 수도 있다.

7 오른쪽 그림에서 A 지점에서 P 지점까지 최단 거리로 가는 경우의 수는 3
P 지점에서 B 지점까지 최단 거리로 가는 경우의 수는 3
따라서 구하는 경우의 수는 $3 \times 3 = 9$

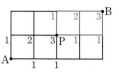

7 4명을 한 줄로 세우는 경우의 수는 $4 \times 3 \times 2 \times 1 = 24$
① $(1, 3), (2, 2), (3, 1) \Rightarrow 3$
② $3 \times 3 \times 3 = 27$
③ $4 \times 4 = 16$
④ $4 \times 3 \times 2 \times 1 = 24$
⑤ $5 \times 4 \times 3 \times 2 = 120$
따라서 주어진 경우의 수와 같은 것은 ④이다.

8 모음은 A, I이므로 A, I를 하나로 묶어 5개의 문자를 일렬로 배열하는 경우의 수는
$5 \times 4 \times 3 \times 2 \times 1 = 120$
이때 A와 I가 자리를 바꾸는 경우의 수는 2
따라서 구하는 경우의 수는
$120 \times 2 = 240$

9 처음과 마지막 주자가 남학생인 경우의 수는
(수찬, □, □, □, 병욱), (병욱, □, □, □, 수찬)
의 2
여학생이 달리는 순서를 정하는 경우의 수는
$3 \times 2 \times 1 = 6$
따라서 구하는 경우의 수는
$2 \times 6 = 12$

10 (ⅰ) 1□□인 경우: 십의 자리에 올 수 있는 숫자는 1을 제외한 4개, 일의 자리에 올 수 있는 숫자는 1과 십의 자리의 숫자를 제외한 3개이므로
$4 \times 3 = 12$(개)
(ⅱ) 21□인 경우: 213, 214, 215의 3개
(ⅲ) 23□인 경우: 231, 234의 2개
따라서 (ⅰ)~(ⅲ)에 의해 구하는 자연수의 개수는
$12+3+2=17$(개)

11 홀수가 되려면 일의 자리에 올 수 있는 숫자는 1 또는 3 또는 5이고 0은 백의 자리에 올 수 없으므로
(ⅰ) □□1인 경우: $3 \times 3 = 9$(개)
(ⅱ) □□3인 경우: $3 \times 3 = 9$(개)
(ⅲ) □□5인 경우: $3 \times 3 = 9$(개)
따라서 (ⅰ)~(ⅲ)에 의해 구하는 홀수의 개수는
$9+9+9=27$(개)

12 6명 중에서 자격이 다른 2명을 뽑는 경우의 수이므로
$6 \times 5 = 30$

13 4명 중에서 자격이 같은 2명을 뽑는 경우의 수이므로
$$\frac{4 \times 3}{2 \times 1} = 6$$

14 4팀이 속한 한 조에서 치르는 경기 수는 4명 중에서 자격이 같은 2명을 뽑는 경우의 수와 같으므로
$$\frac{4 \times 3}{2 \times 1} = 6(경기)$$
따라서 8개 조에서 치르는 모든 경기 수는
$$6 \times 8 = 48(경기)$$

15 만들 수 있는 선분의 개수는 6개의 점 중에서 순서를 생각하지 않고 2개를 뽑는 경우의 수와 같으므로
$$\frac{6 \times 5}{2 \times 1} = 15(개)$$

16 8개의 점 중에서 순서를 생각하지 않고 3개를 뽑는 경우의 수는 $\frac{8 \times 7 \times 6}{3 \times 2 \times 1} = 56$
그런데 한 직선 위에 있는 세 점으로는 삼각형을 만들 수 없으므로 한 직선 위에 있는 세 점을 뽑는 경우, 즉 4가지 경우는 제외해야 한다.
따라서 만들 수 있는 삼각형의 개수는
$$56 - 4 = 52(개)$$

17 서로 다른 맛의 아이스크림 8개 중에서 순서를 생각하지 않고 5개를 뽑는 경우의 수이므로
$$\frac{8 \times 7 \times 6 \times 5 \times 4}{5 \times 4 \times 3 \times 2 \times 1} = 56$$

P. 83~87 내신 **5%** 따라잡기

1 6	**2** ①	**3** 8	**4** ②	**5** ③
6 51점	**7** ③	**8** 21	**9** 16	**10** ③
11 37	**12** ②	**13** ①	**14** 72	**15** 24
16 66번째	**17** ③	**18** 20	**19** ③	**20** ④
21 182개	**22** 78개	**23** 5860	**24** 35	**25** 6
26 ②	**27** 34	**28** 18번	**29** 45	**30** ②
31 1560개	**32** 16	**33** 10		

1 각각의 주머니에서 꺼낸 3개의 공에 적혀 있는 숫자의 합이 5가 되는 경우를 순서쌍으로 나타내면
$(1, 1, 3)$, $(1, 2, 2)$, $(1, 3, 1)$,
$(2, 1, 2)$, $(2, 2, 1)$, $(3, 1, 1)$
이므로 구하는 경우의 수는 6이다.

---

2 두 직선 $y = ax + 1$과 $y = (2b-1)x + a$가 서로 평행하려면 두 직선의 기울기는 같고 y절편은 달라야 하므로 $a = 2b - 1$이고 $a \neq 1$이어야 한다.
(i) $b = 1$일 때, $a = 2 \times 1 - 1 = 1$
그런데 $a \neq 1$이어야 하므로 조건을 만족시키지 않는다.
(ii) $b = 2$일 때, $a = 2 \times 2 - 1 = 3$
(iii) $b = 3$일 때, $a = 2 \times 3 - 1 = 5$
(iv) $b \geq 4$일 때, $a > 6$이므로 조건을 만족시키지 않는다.
따라서 (i)~(iv)에 의해 주어진 조건을 만족시키는 순서쌍 (a, b)는 $(3, 2)$, $(5, 3)$이므로 구하는 경우의 수는 2이다.

3 지불할 수 있는 금액을 표로 나타내면 다음과 같다.

100원짜리(개) \ 50원짜리(개)	1	2	3	4
1	150원	200원	250원	300원
2	250원	300원	350원	400원
3	350원	400원	450원	500원

따라서 지불할 수 있는 모든 금액은
150원, 200원, 250원, 300원, 350원, 400원, 450원, 500원
이므로 구하는 경우의 수는 8이다.

4 삼각형의 가장 긴 변의 길이는 나머지 두 변의 길이의 합보다 짧아야 한다.
이때 선택하는 3개의 선분의 길이를 각각 a cm, b cm, c cm $(a < b < c)$라 하면 $a + b > c$를 만족시키는 순서쌍 (a, b, c)는
$(3, 5, 6)$, $(3, 5, 7)$, $(3, 6, 7)$, $(3, 7, 9)$,
$(5, 6, 7)$, $(5, 6, 9)$, $(5, 7, 9)$, $(6, 7, 9)$
따라서 만들 수 있는 삼각형의 개수는 8개이다.

5 경주, 서희, 정민, 근석의 우산을 각각 a, b, c, d라 하자.
이때 4명이 모두 다른 사람의 우산을 집어 드는 경우를 나뭇가지 모양의 그림으로 나타내면 오른쪽과 같으므로 구하는 경우의 수는 9이다.

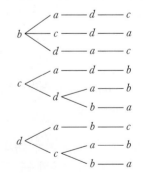

6 (i) 최소 점수를 얻는 경우
주사위의 눈의 수가 1, 1, 1이 나와서 끝나는 경우로 이때 얻는 점수는 3점이다.
(ii) 최대 점수를 얻는 경우
주사위의 눈의 수가 1부터 5까지 2번씩 나오고, 6이 3번 나와서 끝나는 경우로 이때 얻는 점수는

$$(1+2+3+4+5)\times2+6\times3=30+18$$
$$=48(\text{점})$$
따라서 (i), (ii)에 의해 최소 점수와 최대 점수의 합은
$3+48=51(\text{점})$

7 A가 이기는 경우는 혼자 이기는 경우와 다른 사람과 같이
이기는 경우가 있다.
A, B, C가 가위바위보를 내는 것을 차례로 순서쌍으로 나
타내면
(i) A만 이기는 경우
(가위, 보, 보), (바위, 가위, 가위), (보, 바위, 바위)의
3가지
(ii) A와 B가 이기는 경우
(가위, 가위, 보), (바위, 바위, 가위), (보, 보, 바위)의
3가지
(iii) A와 C가 이기는 경우
(가위, 보, 가위), (바위, 가위, 바위), (보, 바위, 보)의
3가지
따라서 (i)~(iii)에 의해 구하는 경우의 수는
$3+3+3=9$

8 공에 적힌 수가 3의 배수인 경우는
3, 6, 9, ···, 45의 15가지
공에 적힌 수가 5의 배수인 경우는
5, 10, 15, ···, 45의 9가지
이때 3의 배수이면서 동시에 5의 배수인 수, 즉 두 수의 최
소공배수인 15의 배수는 중복으로 포함되었으므로 제외해
야 한다.
공에 적힌 수가 15의 배수인 경우는
15, 30, 45의 3가지
따라서 구하는 경우의 수는
$15+9-3=21$

9 원판 A에서 가리키는 수가 6의 약수인 경우는
1, 2, 3, 6의 4가지
원판 B에서 가리키는 수가 4의 배수인 경우는
4, 8, 12, 16의 4가지
따라서 구하는 경우의 수는
$4\times4=16$

10 (i) 반찬①이 제육볶음이 아닌 경우
밥, 국, 제육볶음을 제외한 반찬①, 반찬②를 하나씩 고
르면 되므로
$2\times3\times2\times3=36(\text{가지})$
(ii) 반찬①이 제육볶음인 경우
밥, 국, 반찬②, 후식을 하나씩 고르면 되므로
$2\times3\times3\times2=36(\text{가지})$
따라서 (i), (ii)에 의해 짤 수 있는 식단의 종류는
$36+36=72(\text{가지})$

11 (i) A → C → D인 경우의 수는
$3\times3=9$
(ii) A → B → D인 경우의 수는
$2\times2=4$
(iii) A → C → B → D인 경우의 수는
$3\times2\times2=12$
(iv) A → B → C → D인 경우의 수는
$2\times2\times3=12$
따라서 (i)~(iv)에 의해 구하는 경우의 수는
$9+4+12+12=37$

12 A 지점에서 P 지점까지 최단 거
리로 가려면 ①을 지나야 한다.
A 지점에서 C 지점까지 최단 거
리로 가는 경우의 수는 2
C 지점에서 D 지점까지 최단 거
리로 가는 경우의 수는 1

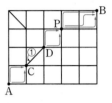

D 지점에서 P 지점까지 최단 거리로 가는 경우의 수는 2
P 지점에서 B 지점까지 최단 거리로 가는 경우의 수는 3
따라서 구하는 경우의 수는
$2\times1\times2\times3=12$

13 꼭짓점 A에서 출발하여 모서리를 따라 꼭짓점 B까지 최단
거리로 가려면 5개의 모서리만 지나야 한다.
따라서 최단 거리로 가는 경로를 나뭇가지 모양의 그림으로
나타내면 다음과 같으므로 구하는 경우의 수는 6이다.

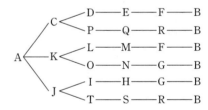

14 A부터 색칠하면 A에 칠할 수 있는 색은 4가지
B에 칠할 수 있는 색은 A에 칠한 색을 제외한 3가지
C에 칠할 수 있는 색은 A, B에 칠한 색을 제외한 2가지
D에 칠할 수 있는 색은 C에 칠한 색을 제외한 3가지
따라서 구하는 경우의 수는
$4\times3\times2\times3=72$

15 색깔과 모양이 모두 달라야 하므로 각 색깔별로 모양이 다
른 스티커를 하나씩 고르면
첫 번째 가로줄에서 고를 수 있는 스티커는 4가지
두 번째 가로줄에서 고를 수 있는 스티커는 3가지
세 번째 가로줄에서 고를 수 있는 스티커는 2가지
네 번째 가로줄에서 고를 수 있는 스티커는 1가지
따라서 구하는 경우의 수는
$4\times3\times2\times1=24$

16 (i) A□□□□인 경우: $4 \times 3 \times 2 \times 1 = 24$(개)

(ii) E□□□□인 경우: $4 \times 3 \times 2 \times 1 = 24$(개)

(iii) KA□□□인 경우: $3 \times 2 \times 1 = 6$(개)

(iv) KE□□□인 경우: $3 \times 2 \times 1 = 6$(개)

(v) KOA□□인 경우: $2 \times 1 = 2$(개)

(vi) KOE□□인 경우: $2 \times 1 = 2$(개)

(i)~(vi)에서 모두

$24 + 24 + 6 + 6 + 2 + 2 = 64$(개)

따라서 KORAE가 65번째이므로 KOREA는 66번째로 나타난다.

17 허브 화분을 A, 선인장 화분을 B라 하면 허브 화분과 선인장 화분을 교대로 놓는 경우는 ABABAB, BABABA의 2가지이다.

각각의 경우에 대하여 허브 화분 3개를 놓는 경우의 수는

$3 \times 2 \times 1 = 6$

선인장 화분 3개를 놓는 경우의 수는

$3 \times 2 \times 1 = 6$

따라서 구하는 경우의 수는

$2 \times 6 \times 6 = 72$

18 5개 중 2개의 자리에 유정이와 주리를 먼저 세우고 나머지 3개의 자리에 정민, 은영, 현미를 조건에 맞게 세우면 된다.

(i) 유정이와 주리를 먼저 세우는 경우의 수는 $5 \times 4 = 20$

(ii) 나머지 3개의 자리 중 가운데 자리에 은영이를 세우고, 그 앞쪽, 뒤쪽 자리에 각각 정민, 현미를 세우는 경우의 수는 1

따라서 (i), (ii)에 의해 구하는 경우의 수는

$20 \times 1 = 20$

19 2명씩 짝을 이루어 3줄로 서므로 소연이와 정민이가 짝을 이루어 첫 번째, 두 번째, 세 번째 줄 중에서 한 줄을 선택하는 경우의 수는 3

이때 소연이와 정민이가 서로 자리를 바꾸는 경우의 수는 2

또 나머지 4명이 2명씩 짝을 이루어 2줄을 서는 경우는 4명이 한 줄로 서는 경우의 수와 같으므로

$4 \times 3 \times 2 \times 1 = 24$

따라서 구하는 경우의 수는

$3 \times 2 \times 24 = 144$

20 자녀의 수를 x명이라 하면 부모님을 하나로 묶어 $(x+1)$명을 한 줄로 세우는 경우의 수는

$(x+1) \times x \times (x-1) \times \cdots \times 2 \times 1$

이때 부모님이 서로 자리를 바꾸는 경우의 수는 2이므로

$\{(x+1) \times x \times (x-1) \times \cdots \times 2 \times 1\} \times 2 = 240$

$(x+1) \times x \times (x-1) \times \cdots \times 2 \times 1 = 120$

$(x+1) \times x \times (x-1) \times \cdots \times 2 \times 1 = 5 \times 4 \times 3 \times 2 \times 1$

즉, $x+1=5$이므로 $x=4$

따라서 자녀는 모두 4명이다.

21 각 자리의 숫자가 0이 아닌 서로 다른 숫자로 이루어진 세 자리의 자연수는 1, 2, 3, $\cdots$, 9의 9개의 숫자 중에서 서로 다른 3개의 숫자를 뽑아 세 자리의 자연수를 만든 것이다.

이때 320 초과 640 미만인 수의 개수는

(i) 32□, 34□, 35□, 36□, 37□, 38□, 39□인 경우: 각각 7개

(ii) 4□□인 경우: $8 \times 7 = 56$(개)

(iii) 5□□인 경우: $8 \times 7 = 56$(개)

(iv) 61□, 62□, 63□인 경우: 각각 7개

따라서 (i)~(iv)에 의해 구하는 수의 개수는

$7 \times 7 + 56 + 56 + 7 \times 3 = 182$(개)

22 만들 수 있는 모든 네 자리의 자연수의 개수는

$4 \times 4 \times 3 \times 2 = 96$(개)

십의 자리의 숫자가 3인 네 자리의 자연수는 □□3□의 꼴이므로 그 개수는 $3 \times 3 \times 2 = 18$(개)

따라서 구하는 수의 개수는

$96 - 18 = 78$(개)

23 (i) 2□□□인 경우: $5 \times 4 \times 3 = 60$(개)

(ii) 3□□□인 경우: $5 \times 4 \times 3 = 60$(개)

(iii) 5□□□인 경우: $5 \times 4 \times 3 = 60$(개)

(i)~(iii)에서 모두 $60 + 60 + 60 = 180$(개)

따라서 180번째로 나타나는 수는 천의 자리의 숫자가 5인 수 중에서 가장 큰 수인 5863이고, 179번째로 나타나는 수는 5862이므로 178번째로 나타나는 수는 5860이다.

24 7명의 학생 중에서 4명의 학생을 뽑는 경우의 수는

$\dfrac{7 \times 6 \times 5 \times 4}{4 \times 3 \times 2 \times 1} = 35$

이때 뽑은 4명의 학생을 키가 작은 학생부터 순서대로 세우는 경우의 수는 1

따라서 구하는 경우의 수는

$35 \times 1 = 35$

25 자기가 쓴 모자에 적힌 번호와 같은 번호가 적힌 의자에 앉는 2명을 뽑는 경우의 수는

$\dfrac{4 \times 3}{2 \times 1} = 6$

만약 1, 2번 학생이 각각 1, 2번 의자에 앉는다면 3, 4번 학생은 다른 학생의 자리에 앉아야 한다.

이때 3, 4번 학생이 자기 번호와 다른 자리에 앉는 경우는 오른쪽과 같으므로 경우의 수는 1

의자 번호	3	4
자기 번호	4	3

따라서 구하는 경우의 수는 $6 \times 1 = 6$

26 (i) 여자 3명, 남자 2명을 선발하는 경우

5명의 여자 중에서 3명을 선발하는 경우의 수는

$\dfrac{5 \times 4 \times 3}{3 \times 2 \times 1} = 10$

4명의 남자 중에서 2명을 선발하는 경우의 수는

$$\frac{4\times3}{2\times1}=6$$

따라서 여자 3명, 남자 2명을 선발하는 경우의 수는

$$10\times6=60 \qquad \therefore a=60$$

(ii) 경희를 포함하여 남녀 구분 없이 5명을 선발하는 경우
경희를 제외한 8명 중에서 4명을 선발하는 경우의 수와 같으므로

$$\frac{8\times7\times6\times5}{4\times3\times2\times1}=70 \qquad \therefore b=70$$

따라서 (i), (ii)에 의해 $a+b=60+70=130$

27 (i) A 도시에서 세 곳의 유적지를 선택하는 경우의 수는

$$\frac{4\times3\times2}{3\times2\times1}=4$$

(ii) B 도시에서 세 곳의 유적지를 선택하는 경우의 수는

$$\frac{5\times4\times3}{3\times2\times1}=10$$

(iii) C 도시에서 세 곳의 유적지를 선택하는 경우의 수는

$$\frac{6\times5\times4}{3\times2\times1}=20$$

따라서 (i)~(iii)에 의해 구하는 경우의 수는

$$4+10+20=34$$

28 (i) 아내들이 자신의 남편을 제외한 남자들과만 한 사람도 빠짐없이 서로 한 번씩 악수를 하는 횟수, 즉 아내 1명 당 악수할 수 있는 남자의 수가 3명이므로 악수를 하는 횟수는 $3\times4=12$(번)

(ii) 아내 4명끼리만 한 사람도 빠짐없이 서로 한 번씩 악수를 하는 횟수는

$$\frac{4\times3}{2\times1}=6(번)$$

따라서 (i), (ii)에 의해 구하는 횟수는

$$12+6=18(번)$$

다른 풀이

(i) 8명의 사람들이 다른 사람들과 한 사람도 빠짐없이 서로 한 번씩 악수를 하는 횟수는

$$\frac{8\times7}{2\times1}=28(번)$$

(ii) 남편들끼리만 한 사람도 빠짐없이 서로 한 번씩 악수를 하는 횟수는

$$\frac{4\times3}{2\times1}=6(번)$$

(iii) 모든 남편들이 자신의 아내와 악수를 하는 횟수는 부부가 4쌍이므로 4번이다.

따라서 (i)~(iii)에 의해 구하는 횟수는

$$28-6-4=18(번)$$

29 (i) 직선의 개수

만들 수 있는 직선의 개수는 6개의 점 중에서 순서를 생각하지 않고 2개를 뽑는 경우의 수와 같으므로

$$\frac{6\times5}{2\times1}=15(개) \qquad \therefore a=15$$

(ii) 반직선의 개수

$\overrightarrow{AB}$와 $\overrightarrow{BA}$는 다르기 때문에 만들 수 있는 반직선의 개수는 6개의 점 중에서 순서를 생각하여 2개를 뽑는 경우의 수와 같으므로

$$6\times5=30(개) \qquad \therefore b=30$$

따라서 (i), (ii)에 의해

$$a+b=15+30=45$$

30 가로 방향의 5개의 직선 중에서 2개, 세로 방향의 5개의 직선 중에서 2개를 각각 선택하면 서로 다른 직사각형을 만들 수 있다.

가로 방향의 5개의 직선 중에서 2개를 선택하는 경우의 수는

$$\frac{5\times4}{2\times1}=10$$

세로 방향의 5개의 직선 중에서 2개를 선택하는 경우의 수는

$$\frac{5\times4}{2\times1}=10$$

따라서 만들 수 있는 직사각형의 개수는

$$10\times10=100(개)$$

31 **길잡이** 각 글자에 받침이 있는 경우와 없는 경우가 있으므로 각각의 경우를 생각하여 글자의 개수를 구한다.

(i) 첫 번째 글자가 (자음+모음)인 경우는 $5\times3=15$(개), 두 번째 글자가 (자음+모음)인 경우는 $4\times2=8$(개) 이므로 첫 번째 글자가 (자음+모음)이고, 두 번째 글자가 (자음+모음)인 단어는

$$15\times8=120(개)$$

(ii) 첫 번째 글자가 (자음+모음)인 경우는

$$5\times3=15(개),$$

두 번째 글자가 (자음+모음+자음)인 경우는

$$4\times2\times3=24(개)$$

이므로 첫 번째 글자가 (자음+모음)이고, 두 번째 글자가 (자음+모음+자음)인 단어는

$$15\times24=360(개)$$

(iii) 첫 번째 글자가 (자음+모음+자음)인 경우는

$$5\times3\times4=60(개),$$

두 번째 글자가 (자음+모음)인 경우는

$$3\times2=6(개)$$

이므로 첫 번째 글자가 (자음+모음+자음)이고, 두 번째 글자가 (자음+모음)인 단어는

$$60\times6=360(개)$$

(iv) 첫 번째 글자가 (자음+모음+자음)인 경우는

$$5\times3\times4=60(개),$$

두 번째 글자가 (자음+모음+자음)인 경우는

$$3\times2\times2=12(개)$$

이므로 첫 번째 글자가 (자음+모음+자음)이고, 두 번째 글자가 (자음+모음+자음)인 단어는

$$60\times12=720(개)$$

따라서 (i)~(iv)에 의해 구하는 단어의 개수는

$$120+360+360+720=1560(개)$$

32 길잡이 최단 거리가 아니므로 거쳐 갈 수 있는 모든 경우를 생각한다.

미로의 출발 지점을 A, 도착 지점을 F라 하고, 오른쪽 그림과 같이 미로의 갈림길이 있는 각 지점에 B, C, D, E를 정하자.

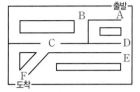

(i) A → B → C → F의 경우의 수는
$$1 \times 2 \times 2 = 4$$

(ii) A → B → C → E → F의 경우의 수는
$$1 \times 2 \times 1 \times 2 = 4$$

(iii) A → D → F의 경우의 수는
$$2 \times 2 = 4$$

(iv) A → D → E → F의 경우의 수는
$$2 \times 1 \times 2 = 4$$

따라서 (i)~(iv)에 의해 구하는 경우의 수는
$$4 + 4 + 4 + 4 = 16$$

33 길잡이 각각의 말이 검은 말을 포위할 수 있는 위치에 가는 모든 경우를 생각한다.

(i) ①번 말을 이동해서 검은 말을 잡을 수 있는 경우
①번 말을 오른쪽으로 1칸 이동하거나 위쪽으로 2칸 이동하면 A를 잡을 수 있으므로 $a_1 = 2$

(ii) ②번 말을 이동해서 검은 말을 잡을 수 있는 경우
②번 말을 오른쪽으로 1칸 이동하면 B를, 오른쪽으로 3칸 이동하면 C를 잡을 수 있으므로 $a_2 = 2$

(iii) ③번 말을 이동해서 검은 말을 잡을 수 있는 경우
③번 말을 왼쪽으로 1칸 이동하면 A를 잡을 수 있으므로 $a_3 = 1$

(iv) ④번 말을 이동해서 검은 말을 잡을 수 있는 경우
④번 말을 아래쪽으로 1칸 이동하거나 왼쪽으로 1칸 이동하면 C를, 아래쪽으로 2칸 이동하면 D를 잡을 수 있으므로 $a_4 = 3$

(v) ⑤번 말을 이동해서 검은 말을 잡을 수 있는 경우
⑤번 말을 왼쪽으로 3칸 이동하면 A를, 위쪽으로 1칸 이동하면 D를 잡을 수 있으므로 $a_5 = 2$

따라서 (i)~(v)에 의해
$$a_1 + a_2 + a_3 + a_4 + a_5 = 2 + 2 + 1 + 3 + 2 = 10$$

P. 88~89 내신 **1%** 뛰어넘기

| **01** 9 | **02** 21 | **03** 3360 | **04** 9 | **05** 1989개 |
| **06** 35 | | | | |

01 길잡이 96을 소인수분해한 후 곱하는 세 자연수 중 가장 작은 자연수가 1, 2, 3인 경우로 나누어 구한다.

96을 소인수분해하면 $2^5 \times 3$이므로 곱하는 세 자연수 중

(i) 가장 작은 자연수가 1인 경우
$$1 \times 2 \times (2^4 \times 3) = 1 \times 2 \times 48,$$
$$1 \times 3 \times 2^5 = 1 \times 3 \times 32,$$
$$1 \times 2^2 \times (2^3 \times 3) = 1 \times 4 \times 24,$$
$$1 \times (2 \times 3) \times 2^4 = 1 \times 6 \times 16,$$
$$1 \times 2^3 \times (2^2 \times 3) = 1 \times 8 \times 12 의 5가지$$

(ii) 가장 작은 자연수가 2인 경우
$$2 \times 3 \times 2^4 = 2 \times 3 \times 16,$$
$$2 \times 2^2 \times (2^2 \times 3) = 2 \times 4 \times 12,$$
$$2 \times (2 \times 3) \times 2^3 = 2 \times 6 \times 8 의 3가지$$

(iii) 가장 작은 자연수가 3인 경우
$$3 \times 2^2 \times 2^3 = 3 \times 4 \times 8 의 1가지$$

따라서 (i)~(iii)에 의해 구하는 방법의 수는
$$5 + 3 + 1 = 9$$

02 길잡이 각 방에 번호를 붙이고 3개, 4개, 5개, 6개, 7개의 방을 거쳐서 가는 경우로 나누어 생각한다.

오른쪽 그림과 같이 각각의 방에 번호를 붙여 입구에서 출구까지 가는 경로를 거쳐서 가는 방의 개수에 따라 나타내어 보면

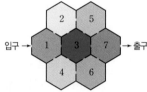

(i) 3개의 방을 거쳐서 가는 경우
(1, 3, 7)의 1가지

(ii) 4개의 방을 거쳐서 가는 경우
가능한 경로를 나뭇가지 모양의 그림으로 나타내면 오른쪽과 같으므로 6가지이다.

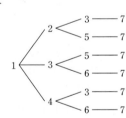

(iii) 5개의 방을 거쳐서 가는 경우
가능한 경로를 나뭇가지 모양의 그림으로 나타내면 오른쪽과 같으므로 8가지이다.

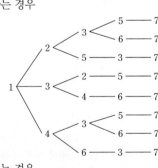

(iv) 6개의 방을 거쳐서 가는 경우
가능한 경로를 나뭇가지 모양의 그림으로 나타내면 다음과 같으므로 4가지이다.

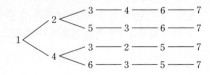

(v) 7개의 방을 거쳐서 가는 경우

　　$(1, 2, 5, 3, 4, 6, 7), (1, 4, 6, 3, 2, 5, 7)$의 2가지

따라서 (i)~(v)에 의해 구하는 경우의 수는

　　$1+6+8+4+2=21$

03 길잡이 전체 경우의 수에서 강아지와 고양이를 이웃하게 넣는 경우의 수를 제외한다.

7마리의 동물을 서로 다른 우리에 넣는 전체 경우의 수는 7마리의 동물을 한 줄로 세우는 경우의 수와 같으므로

　　$7 \times 6 \times 5 \times 4 \times 3 \times 2 \times 1 = 5040$

그런데 강아지와 고양이를 이웃하지 않게 넣는 경우의 수는 전체 경우의 수에서 강아지와 고양이를 이웃하게 넣는 경우의 수를 제외한 경우의 수와 같다.

강아지와 고양이를 이웃하게 넣는 경우는

　　(1번 우리, 2번 우리), (1번 우리, 4번 우리),

　　(2번 우리, 3번 우리), (2번 우리, 5번 우리),

　　(4번 우리, 5번 우리), (4번 우리, 6번 우리),

　　(6번 우리, 7번 우리)

의 7가지이고 각 경우에 강아지와 고양이의 자리를 바꾸어 넣을 수 있으므로 경우의 수는

　　$7 \times 2 = 14$

이때 나머지 5마리의 동물을 남은 우리에 넣는 경우의 수는 5마리의 동물을 일렬로 세우는 경우의 수와 같으므로

　　$5 \times 4 \times 3 \times 2 \times 1 = 120$

즉, 강아지와 고양이를 이웃하게 넣는 경우의 수는

　　$14 \times 120 = 1680$

따라서 강아지와 고양이를 이웃하지 않게 넣는 경우의 수는

　　$5040 - 1680 = 3360$

04 길잡이 x좌표가 2가 되려면 주사위를 던졌을 때 1의 눈이 두 번 나와야 하고, y좌표가 4가 되려면 주사위를 던졌을 때 2의 눈이 두 번 나오거나 4의 눈이 한 번 나와야 한다.

주사위를 던져서 나오는 눈의 수가 홀수이면 x축의 양의 방향으로 이동하므로 홀수의 합이 2가 되는 경우는 1의 눈이 2번 나오는 경우이다.

또 주사위를 던져서 나오는 눈의 수가 짝수이면 y축의 양의 방향으로 이동하므로 짝수의 합이 4가 되는 경우는 2의 눈이 두 번 나오거나 4의 눈이 한 번 나오는 경우이다.

즉, 구하는 경우의 수는 1, 1, 2, 2를 한 줄로 배열하는 경우의 수와 1, 1, 4를 한 줄로 배열하는 경우의 수를 합한 것과 같다.

(i) 1, 1, 2, 2를 한 줄로 배열하는 경우

　　$(1, 1, 2, 2), (1, 2, 1, 2), (1, 2, 2, 1),$

　　$(2, 1, 1, 2), (2, 1, 2, 1), (2, 2, 1, 1)$

　　의 6가지

(ii) 1, 1, 4를 한 줄로 배열하는 경우

　　$(1, 1, 4), (1, 4, 1), (4, 1, 1)$의 3가지

따라서 (i), (ii)에 의해 구하는 경우의 수는

　　$6+3=9$

05 길잡이 $\boxed{a}\boxed{b}$와 $\boxed{c}\boxed{d}$가 같은 경우의 수와 $\boxed{a}\boxed{b}$와 $\boxed{d}\boxed{e}$가 같은 경우의 수의 합에서 두 경우에 중복으로 포함된 경우의 수와 $\boxed{0}\boxed{0}-\boxed{0}\boxed{0}\boxed{0}$인 경우의 수를 뺀다.

a, b, c, d, e는 각각 0, 1, 2, $\cdots$, 9의 10개의 수가 될 수 있으므로 $\boxed{a}\boxed{b}$와 $\boxed{c}\boxed{d}$가 같은 경우와 $\boxed{a}\boxed{b}$와 $\boxed{d}\boxed{e}$가 같은 경우를 찾아보면

(i) $\boxed{a}\boxed{b}$와 $\boxed{c}\boxed{d}$가 같은 경우

　　$a(c)$가 될 수 있는 수는 10개, $b(d)$가 될 수 있는 수는 10개이고, 이때 e가 될 수 있는 수는 10개이므로 이 경우의 행운의 수의 개수는

　　$10 \times 10 \times 10 = 1000$(개)

(ii) $\boxed{a}\boxed{b}$와 $\boxed{d}\boxed{e}$가 같은 경우

　　$a(d)$가 될 수 있는 수는 10개, $b(e)$가 될 수 있는 수는 10개이고, 이때 c가 될 수 있는 수는 10개이므로 이 경우의 행운의 수의 개수는

　　$10 \times 10 \times 10 = 1000$(개)

그런데 (i), (ii)에서 $a=b=c=d=e$인 경우의 10개가 중복되므로 제외해야 한다.

또 $\boxed{0}\boxed{0}-\boxed{0}\boxed{0}\boxed{0}$인 경우도 제외해야 하므로 구하는 행운의 수의 개수는

　　$1000+1000-10-1=1989$(개)

참고 $\boxed{a}\boxed{b}$와 $\boxed{c}\boxed{d}$가 같은 경우와 $\boxed{a}\boxed{b}$와 $\boxed{d}\boxed{e}$가 같은 경우에 $a=b=c=d=e$인 경우가 중복으로 포함되어 있음에 주의한다.

06 길잡이 네 개의 점을 연결하여 사각형을 만들려면 위에 있는 평행선에서 두 개의 점을, 아래에 있는 평행선에서 두 개의 점을 선택해야 한다.

위에 있는 평행선에서 두 개의 점을 선택하였을 때 두 점 사이의 거리를 a cm, 아래에 있는 평행선에서 2개의 점을 선택하였을 때 두 점 사이의 거리를 b cm라 하자.

네 개의 점을 연결하여 만든 사각형의 넓이는 6 cm²이므로

　　$\dfrac{1}{2} \times (a+b) \times 2 = 6$

　　$\therefore a+b=6$

그런데 a, b는 $1 \leq a \leq 5$, $1 \leq b \leq 5$인 자연수이므로 $a+b=6$인 경우를 구해 보면

(i) $a=1$, $b=5$인 경우

　　$5 \times 1 = 5$(가지)

(ii) $a=2$, $b=4$인 경우

　　$4 \times 2 = 8$(가지)

(iii) $a=3$, $b=3$인 경우

　　$3 \times 3 = 9$(가지)

(iv) $a=4$, $b=2$인 경우

　　$2 \times 4 = 8$(가지)

(v) $a=5$, $b=1$인 경우

　　$1 \times 5 = 5$(가지)

따라서 (i)~(v)에 의해 구하는 경우의 수는

　　$5+8+9+8+5=35$

1 $\dfrac{3}{8}$ **2** ③ **3** $\dfrac{3}{5}$ **4** ② **5** $\dfrac{3}{5}$

6 $\dfrac{7}{10}$ **7** ④ **8** $\dfrac{17}{25}$ **9** $\dfrac{5}{36}$ **10** ③

11 $\dfrac{3}{8}$ **12** $\dfrac{3}{4}$ **13** $\dfrac{12}{25}$ **14** $\dfrac{3}{10}$ **15** ⑤

16 $\dfrac{1}{4}$ **17** ④

1 서로 다른 100원짜리 동전 2개와 500원짜리 동전 1개를 동시에 던져 나오는 모든 경우의 수는
$2 \times 2 \times 2 = 8$
앞면이 2개 나오는 경우는
(앞, 앞, 뒤), (앞, 뒤, 앞), (뒤, 앞, 앞)의 3가지
따라서 구하는 확률은 $\dfrac{3}{8}$

2 5명의 학생 중에서 동아리 대표 2명을 뽑는 경우의 수는
$\dfrac{5 \times 4}{2 \times 1} = 10$
종원이를 대표로 뽑는 경우의 수는 종원이를 제외한 4명 중에서 나머지 대표 1명을 뽑는 경우의 수와 같으므로 4
따라서 구하는 확률은 $\dfrac{4}{10} = \dfrac{2}{5}$

3 예나와 병훈이가 5장의 카드 중에서 각자 한 장씩 뽑는 경우의 수는
$5 \times 4 = 20$
2장의 카드에 적힌 수의 합이 6 이상인 경우는
$(1, 5), (2, 4), (2, 5), (3, 4), (3, 5), (4, 2), (4, 3),$
$(4, 5), (5, 1), (5, 2), (5, 3), (5, 4)$의 12가지
따라서 구하는 확률은 $\dfrac{12}{20} = \dfrac{3}{5}$

4 한 개의 주사위를 2번 던질 때 나오는 모든 경우의 수는
$6 \times 6 = 36$
① 두 눈의 수가 같은 경우는
　$(1, 1), (2, 2), (3, 3), (4, 4), (5, 5), (6, 6)$의 6가지
　따라서 그 확률은 $\dfrac{6}{36} = \dfrac{1}{6}$
② 두 눈의 수의 합은 항상 2 이상이므로 두 눈의 수의 합이 1일 확률은 0이다.
③ 두 눈의 수의 차가 3인 경우는
　$(1, 4), (2, 5), (3, 6), (4, 1), (5, 2), (6, 3)$의 6가지
　따라서 그 확률은 $\dfrac{6}{36} = \dfrac{1}{6}$
④ 두 눈의 수의 곱은 항상 1 이상이므로 그 확률은 1이다.
⑤ 두 눈의 수의 합이 10 이상인 경우는
　$(4, 6), (5, 5), (5, 6), (6, 4), (6, 5), (6, 6)$의 6가지

따라서 그 확률은 $\dfrac{6}{36} = \dfrac{1}{6}$
따라서 옳지 않은 것은 ②이다.

5 5명을 한 줄로 세우는 경우의 수는
$5 \times 4 \times 3 \times 2 \times 1 = 120$
A와 B가 서로 이웃하여 서는 경우의 수는
$(4 \times 3 \times 2 \times 1) \times 2 = 48$
이므로 그 확률은 $\dfrac{48}{120} = \dfrac{2}{5}$
따라서 A와 B가 서로 이웃하여 서지 않을 확률은
$1 - \dfrac{2}{5} = \dfrac{3}{5}$

6 5개의 건전지 중에서 2개를 택하는 경우의 수는
$\dfrac{5 \times 4}{2 \times 1} = 10$
2개 모두 새 건전지가 나오는 경우의 수는
$\dfrac{3 \times 2}{2 \times 1} = 3$
이므로 그 확률은 $\dfrac{3}{10}$
따라서 사용한 건전지가 적어도 한 개 나올 확률은
$1 - \dfrac{3}{10} = \dfrac{7}{10}$

7 4개의 윷가락을 동시에 던져 나오는 모든 경우의 수는
$2 \times 2 \times 2 \times 2 = 16$
(i) 도가 나오는 경우
　윷가락 4개 중 1개의 배가 나오는 경우의 수는 4이므로
　그 확률은 $\dfrac{4}{16} = \dfrac{1}{4}$
(ii) 걸이 나오는 경우
　윷가락 4개 중 3개의 배가 나오는 경우의 수는 1개의 등이 나오는 경우의 수와 같으므로 4이다.
　즉, 그 확률은 $\dfrac{4}{16} = \dfrac{1}{4}$
따라서 (i), (ii)에 의해 구하는 확률은
$\dfrac{1}{4} + \dfrac{1}{4} = \dfrac{1}{2}$

8 혈액형이 A형인 사람에게 수혈을 해 줄 수 있는 사람은 O형 또는 A형인 사람이다.
(i) 임의로 선택한 지원자가 O형인 사람일 확률은
　$\dfrac{59}{59 + 77 + 43 + 21} = \dfrac{59}{200}$
(ii) 임의로 선택한 지원자가 A형인 사람일 확률은
　$\dfrac{77}{59 + 77 + 43 + 21} = \dfrac{77}{200}$
따라서 (i), (ii)에 의해 구하는 확률은
$\dfrac{59}{200} + \dfrac{77}{200} = \dfrac{136}{200} = \dfrac{17}{25}$

9 A, B 두 개의 주사위를 동시에 던져 나오는 모든 경우의 수는
$6 \times 6 = 36$

(i) $x=-3$일 때

$-3a+b=0$, 즉 $b=3a$인 순서쌍 (a, b)는

$(1, 3)$, $(2, 6)$의 2가지이므로 그 확률은 $\dfrac{2}{36}=\dfrac{1}{18}$

(ii) $x=-2$일 때

$-2a+b=0$, 즉 $b=2a$인 순서쌍 (a, b)는

$(1, 2)$, $(2, 4)$, $(3, 6)$의 3가지이므로 그 확률은

$\dfrac{3}{36}=\dfrac{1}{12}$

따라서 (i), (ii)에 의해 구하는 확률은

$\dfrac{1}{18}+\dfrac{1}{12}=\dfrac{5}{36}$

10 (i) 성규의 필통을 선택하여 연필 1자루를 꺼낼 확률은

$\dfrac{1}{2}\times\dfrac{2}{5}=\dfrac{1}{5}$

(ii) 진영이의 필통을 선택하여 연필 1자루를 꺼낼 확률은

$\dfrac{1}{2}\times\dfrac{1}{5}=\dfrac{1}{10}$

따라서 (i), (ii)에 의해 구하는 확률은

$\dfrac{1}{5}+\dfrac{1}{10}=\dfrac{3}{10}$

11 문화상품권이 있는 곳에 도착하는 경우는 오른쪽 그림과 같이 ①번 경로로 가는 경우 또는 ②번 경로로 가는 경우가 있다.

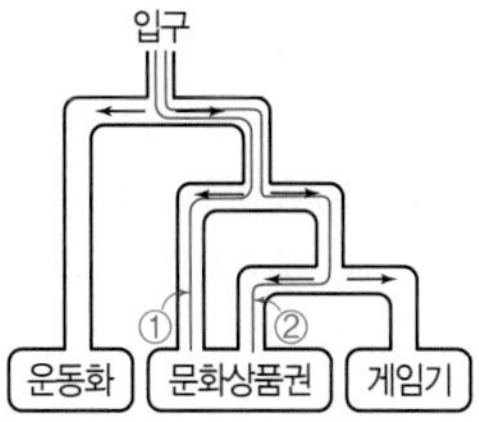

(i) ①번 경로로 갈 확률은 갈림길이 2곳이 있으므로

$\dfrac{1}{2}\times\dfrac{1}{2}=\dfrac{1}{4}$

(ii) ②번 경로로 갈 확률은 갈림길이 3곳이 있으므로

$\dfrac{1}{2}\times\dfrac{1}{2}\times\dfrac{1}{2}=\dfrac{1}{8}$

따라서 (i), (ii)에 의해 구하는 확률은

$\dfrac{1}{4}+\dfrac{1}{8}=\dfrac{3}{8}$

12 두 사람이 한 마리의 꿩을 동시에 총으로 쏠 때, 꿩이 총에 맞을 확률은 적어도 한 사람은 꿩을 맞힐 확률과 같다.

꿩이 두 사람의 총에 모두 맞지 않을 확률은

$\left(1-\dfrac{1}{4}\right)\times\left(1-\dfrac{2}{3}\right)=\dfrac{3}{4}\times\dfrac{1}{3}=\dfrac{1}{4}$

따라서 꿩이 총에 맞을 확률은 $1-\dfrac{1}{4}=\dfrac{3}{4}$

13 (i) 첫 번째에는 흰 공, 두 번째에는 검은 공을 꺼낼 확률은

$\dfrac{2}{5}\times\dfrac{3}{5}=\dfrac{6}{25}$

(ii) 첫 번째에는 검은 공, 두 번째에는 흰 공을 꺼낼 확률은

$\dfrac{3}{5}\times\dfrac{2}{5}=\dfrac{6}{25}$

따라서 (i), (ii)에 의해 구하는 확률은

$\dfrac{6}{25}+\dfrac{6}{25}=\dfrac{12}{25}$

14 (i) 수경이가 아몬드가 들어 있는 초콜릿을 꺼낸 후 미연이도 아몬드가 들어 있는 초콜릿을 꺼낼 확률은

$\dfrac{3}{10}\times\dfrac{2}{9}=\dfrac{1}{15}$

(ii) 수경이가 아몬드가 들어 있지 않은 초콜릿을 꺼낸 후 미연이가 아몬드가 들어 있는 초콜릿을 꺼낼 확률은

$\dfrac{7}{10}\times\dfrac{3}{9}=\dfrac{7}{30}$

따라서 (i), (ii)에 의해 구하는 확률은

$\dfrac{1}{15}+\dfrac{7}{30}=\dfrac{3}{10}$

15 10개의 구슬 중에서 3개의 구슬을 차례로 꺼낼 때, 금이 가지 않은 구슬 3개를 꺼낼 확률은

$\dfrac{6}{10}\times\dfrac{5}{9}\times\dfrac{4}{8}=\dfrac{1}{6}$

따라서 적어도 한 개는 금이 간 구슬을 꺼낼 확률은

$1-\dfrac{1}{6}=\dfrac{5}{6}$

16 (i) 4등분된 원판에서 소수 2, 3이 적힌 부분을 맞힐 확률은

$\dfrac{2}{4}=\dfrac{1}{2}$

(ii) 6등분된 원판에서 소수 2, 3, 5가 적힌 부분을 맞힐 확률은

$\dfrac{3}{6}=\dfrac{1}{2}$

따라서 (i), (ii)에 의해 구하는 확률은

$\dfrac{1}{2}\times\dfrac{1}{2}=\dfrac{1}{4}$

17 세 원의 반지름의 길이를 각각 a, $2a$, $3a(a>0)$라 하면 과녁 전체의 넓이는

$\pi\times(3a)^2=9\pi a^2$

이므로 화살을 한 번 쏘아 각 점수를 받을 확률은 다음과 같다.

점수	확률
1점	$\dfrac{\pi\times(3a)^2-\pi\times(2a)^2}{9\pi a^2}=\dfrac{5\pi a^2}{9\pi a^2}=\dfrac{5}{9}$
2점	$\dfrac{\pi\times(2a)^2-\pi\times a^2}{9\pi a^2}=\dfrac{3\pi a^2}{9\pi a^2}=\dfrac{1}{3}$
3점	$\dfrac{\pi\times a^2}{9\pi a^2}=\dfrac{1}{9}$

이때 화살을 2번 쏘아 4점을 받는 경우는 다음의 3가지이다.

(i) 첫 번째에는 1점, 두 번째에는 3점을 받을 확률은

$\dfrac{5}{9}\times\dfrac{1}{9}=\dfrac{5}{81}$

(ii) 첫 번째에는 2점, 두 번째에는 2점을 받을 확률은

$\dfrac{1}{3}\times\dfrac{1}{3}=\dfrac{1}{9}$

(iii) 첫 번째에는 3점, 두 번째에는 1점을 받을 확률은

$\dfrac{1}{9}\times\dfrac{5}{9}=\dfrac{5}{81}$

따라서 (i)~(iii)에 의해 구하는 확률은

$\dfrac{5}{81}+\dfrac{1}{9}+\dfrac{5}{81}=\dfrac{19}{81}$

1 ③		**2** $\frac{5}{18}$		**3** $\frac{1}{2}$		**4** $\frac{1}{3}$		**5** ③	
6 $\frac{2}{3}$		**7** $\frac{3}{8}$		**8** $\frac{11}{17}$		**9** $\frac{5}{8}$		**10** $\frac{44}{125}$	
11 ③		**12** $\frac{8}{15}$		**13** $\frac{5}{12}$		**14** $\frac{117}{125}$		**15** ②	
16 ④		**17** ⑤		**18** $\frac{21}{32}$		**19** $\frac{11}{72}$		**20** $\frac{5}{12}$	
21 $\frac{2}{5}$		**22** ②		**23** ⑤		**24** $\frac{7}{15}$		**25** $\frac{1}{2}$	
26 $\frac{8}{27}$		**27** $\frac{5}{32}$		**28** 민혁		**29** $\frac{35}{128}$			
30 $\frac{121}{1679616}$									

1 5장의 카드 중에서 3장을 선택하여 만들 수 있는 세 자리의
자연수의 개수는 $4 \times 4 \times 3 = 48$(개)
이때 300보다 큰 수가 되려면 백의 자리에 올 수 있는 숫자
는 3 또는 4이다.
(i) 3 □□ 인 경우: $4 \times 3 = 12$(개)
(ii) 4 □□ 인 경우: $4 \times 3 = 12$(개)
따라서 (i), (ii)에 의해 300보다 큰 수는
$12 + 12 = 24$(개)이므로 구하는 확률은 $\frac{24}{48} = \frac{1}{2}$

다른 풀이
만들 수 있는 세 자리의 자연수는
$1 \square\square$, $2 \square\square$, $3 \square\square$, $4 \square\square$
이때 $1 \square\square$, $2 \square\square$인 수는 300보다 작고,
$3 \square\square$, $4 \square\square$인 수는 300보다 크며
각각의 개수는 모두 $4 \times 3 = 12$(개)로 같다.
따라서 구하는 확률은
$\frac{2}{4} = \frac{1}{2}$

2 A, B 두 개의 주사위를 동시에 던져 나오는 모든 경우의 수는
$6 \times 6 = 36$
이때 $3a - 2b > 7$, 즉 $3a > 2b + 7$을 만족시키는 순서쌍
(a, b)를 구해 보면
(i) $b = 1$일 때, $3a > 2 \times 1 + 7$ ∴ $a > 3$
즉, 순서쌍 (a, b)는 $(4, 1)$, $(5, 1)$, $(6, 1)$의 3가지
(ii) $b = 2$일 때, $3a > 2 \times 2 + 7$ ∴ $a > \frac{11}{3}$
즉, 순서쌍 (a, b)는 $(4, 2)$, $(5, 2)$, $(6, 2)$의 3가지
(iii) $b = 3$일 때, $3a > 2 \times 3 + 7$ ∴ $a > \frac{13}{3}$
즉, 순서쌍 (a, b)는 $(5, 3)$, $(6, 3)$의 2가지
(iv) $b = 4$일 때, $3a > 2 \times 4 + 7$ ∴ $a > 5$
즉, 순서쌍 (a, b)는 $(6, 4)$의 1가지
(v) $b = 5$일 때, $3a > 2 \times 5 + 7$ ∴ $a > \frac{17}{3}$
즉, 순서쌍 (a, b)는 $(6, 5)$의 1가지

(vi) $b = 6$일 때, $3a > 2 \times 6 + 7$ ∴ $a > \frac{19}{3}$
즉, 주어진 조건을 만족시키는 순서쌍 (a, b)는 없다.
따라서 (i)~(vi)에 의해 주어진 부등식을 만족시키는 순서
쌍 (a, b)는 $3 + 3 + 2 + 1 + 1 = 10$(가지)이므로 구하는 확
률은 $\frac{10}{36} = \frac{5}{18}$

3 처음 정사각형 5개로 이루어진 평면
도형에 정사각형 1개를 변끼리 꼭 맞
게 붙이는 경우의 수는 오른쪽 그림
과 같이 8가지이다.
이때 정육면체의 전개도가 되는 경
우는 ①, ③, ⑤, ⑦의 4가지이다.
따라서 정육면체의 전개도가 될 확률은 $\frac{4}{8} = \frac{1}{2}$

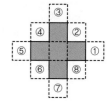

4 4명의 학생이 한 줄로 서는 모든 경우의 수는
$4 \times 3 \times 2 \times 1 = 24$
4명의 학생을 키가 작은 학생부터 차례로 A, B, C, D라 하
면 가장 왼쪽에서 3번째의 학생이 자신과 이웃한 두 학생보
다 키가 작으려면 3번째의 학생은 A 또는 B이어야 한다.
(i) 3번째의 학생이 A, 즉 □□A□인 경우
$3 \times 2 \times 1 = 6$(가지)
(ii) 3번째의 학생이 B, 즉 □□B□인 경우
ACBD, ADBC의 2가지
따라서 (i), (ii)에 의해 가장 왼쪽에서 3번째의 학생이 자신
과 이웃한 두 학생보다 키가 작은 경우는 $6 + 2 = 8$(가지)이
므로 구하는 확률은 $\frac{8}{24} = \frac{1}{3}$

5 길이가 1 cm인 철사 10개를 모두 사용하여 만들 수 있는
3개의 선분의 길이는
(1 cm, 1 cm, 8 cm), (1 cm, 2 cm, 7 cm),
(1 cm, 3 cm, 6 cm), (1 cm, 4 cm, 5 cm),
(2 cm, 2 cm, 6 cm), (2 cm, 3 cm, 5 cm),
(2 cm, 4 cm, 4 cm), (3 cm, 3 cm, 4 cm)
의 8가지이다.
이 중에서 삼각형을 만들 수 있는 3개의 선분의 길이는
(2 cm, 4 cm, 4 cm), (3 cm, 3 cm, 4 cm)의 2가지이므
로 구하는 확률은 $\frac{2}{8} = \frac{1}{4}$

6 서진이가 고른 주머니에는 디지털카메라 또는 야구공이 들
어 있다.
(i) 처음에 디지털카메라가 들어 있는 주머니를 고른 경우
선생님이 보여 준 주머니를 제외한 나머지 주머니에는
모두 야구공이 들어 있으므로 서진이가 처음 고른 주머
니를 바꾸어 다른 주머니를 고르면 야구공을 받는다.
(ii) 처음에 야구공이 들어 있는 주머니를 고른 경우
선생님이 보여 준 주머니를 제외한 나머지 주머니에는

디지털카메라가 들어 있으므로 서진이가 처음 고른 주머니를 바꾸어 다른 주머니를 고르면 디지털카메라를 받는다.

즉, (i), (ii)에서 서진이가 처음 고른 주머니를 바꾸어 다른 주머니를 골랐을 때, 디지털카메라를 받게 되는 경우는 처음에 야구공이 들어 있는 주머니를 고른 경우이다.

이때 서진이가 고를 수 있는 주머니는 3개이므로 전체 경우의 수는 3이고, 서진이가 처음에 야구공이 들어 있는 주머니를 고르는 경우의 수는 2이므로 구하는 확률은 $\dfrac{2}{3}$

7 동전을 4번 던져 나오는 모든 경우의 수는

$2 \times 2 \times 2 \times 2 = 16$

동전을 던져 앞면, 뒷면이 나오는 횟수를 각각 x번, y번이라 하면

$x + y = 4$ … ㉠

점 P는 앞면이 나오면 $+2$만큼, 뒷면이 나오면 -1만큼 움직이고 4번 움직인 후 점 P에 대응하는 수가 2이어야 하므로

$2x - y = 2$ … ㉡

㉠, ㉡을 연립하여 풀면 $x = 2$, $y = 2$

즉, 앞면이 2번, 뒷면이 2번 나오는 경우는

(앞, 앞, 뒤, 뒤), (앞, 뒤, 앞, 뒤), (앞, 뒤, 뒤, 앞),
(뒤, 앞, 앞, 뒤), (뒤, 앞, 뒤, 앞), (뒤, 뒤, 앞, 앞)

의 6가지이다.

따라서 구하는 확률은 $\dfrac{6}{16} = \dfrac{3}{8}$

8 6개의 점에서 3개의 점을 선택하는 경우의 수는

$\dfrac{6 \times 5 \times 4}{3 \times 2 \times 1} = 20$

그런데 한 직선 위에 있는 세 점으로는 삼각형을 만들 수 없으므로 3개의 점이 한 직선 위에 있는 3가지 경우는 제외하여야 한다.

즉, 삼각형을 만드는 모든 경우의 수는 $20 - 3 = 17$

이 중에서 이등변삼각형이 되는 경우는 다음과 같이 11가지가 있다.

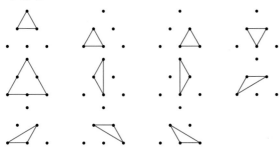

따라서 구하는 확률은 $\dfrac{11}{17}$

9 4명이 선물을 나누어 갖는 모든 경우의 수는

$4 \times 3 \times 2 \times 1 = 24$

나연, 진희, 수헌, 정민이가 준비한 선물을 각각 a, b, c, d라 하자.

이때 4명이 모두 자신이 준비한 선물을 갖지 않는 경우를 나뭇가지 모양의 그림으로 나타내면 오른쪽과 같으므로 그 경우의 수는 9이다.

나연(a) 진희(b) 수헌(c) 정민(d)

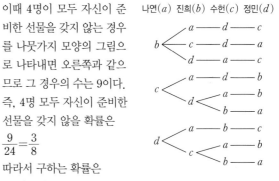

즉, 4명 모두 자신이 준비한 선물을 갖지 않을 확률은

$\dfrac{9}{24} = \dfrac{3}{8}$

따라서 구하는 확률은

$1 - \dfrac{3}{8} = \dfrac{5}{8}$

10 작은 정육면체 중에서 1개를 선택했을 때, 적어도 두 면에 색이 칠해진 정육면체이려면 오른쪽 그림과 같이 두 면 또는 세 면에 색이 칠해진 정육면체이어야 한다.

(i) 두 면에 색이 칠해진 정육면체의 개수
   각 모서리마다 3개씩 있으므로 $3 \times 12 = 36$(개)

(ii) 세 면에 색이 칠해진 정육면체의 개수
   각 꼭짓점마다 1개씩 있으므로 $1 \times 8 = 8$(개)

따라서 (i), (ii)에 의해 적어도 두 면에 색이 칠해진 정육면체는 $36 + 8 = 44$(개)이므로 구하는 확률은 $\dfrac{44}{125}$

다른 풀이

어떤 사건이 일어나지 않을 확률을 이용할 수도 있다. 오른쪽 그림에서 한 면 또는 색이 칠해지지 않은 정육면체의 개수를 구해 보자.

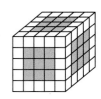

(i) 한 면에만 색이 칠해진 정육면체의 개수
   각 면마다 9개씩 있으므로
   $9 \times 6 = 54$(개)

(ii) 한 면에도 색이 칠해지지 않은 정육면체의 개수
   내부에 있는 정육면체의 개수이므로
   $3 \times 3 \times 3 = 27$(개)

(i), (ii)에서 한 면 이하의 면에 색이 칠해진 정육면체의 개수는 $54 + 27 = 81$(개)

따라서 적어도 두 면에 색이 칠해진 정육면체를 선택할 확률은

$1 - \dfrac{81}{125} = \dfrac{44}{125}$

11 5장의 카드 중에서 연속하여 2장의 카드를 뽑는 경우의 수는

$5 \times 4 = 20$

(i) $\dfrac{y}{x}$가 순환소수가 되는 경우
   분모에 2 또는 5 이외의 소인수가 있는 경우이므로
   $x = 3$
   즉, 순서쌍 (x, y)는 $(3, 1)$, $(3, 2)$, $(3, 4)$, $(3, 5)$의
   4가지이므로 그 확률은 $\dfrac{4}{20} = \dfrac{1}{5}$

(ii) $\dfrac{y}{x}$가 4의 약수가 되는 경우

4의 약수는 1, 2, 4이므로 순서쌍 (x, y)는

$\dfrac{y}{x}=1$인 경우: 뽑은 카드를 다시 넣지 않으므로 $\dfrac{y}{x}=1$,

즉 $y=x$가 될 수 없다.

$\dfrac{y}{x}=2$인 경우: $(1, 2)$, $(2, 4)$의 2가지

$\dfrac{y}{x}=4$인 경우: $(1, 4)$의 1가지

즉, $2+1=3$(가지)이므로 그 확률은 $\dfrac{3}{20}$

따라서 (i), (ii)에 의해 구하는 확률은 $\dfrac{1}{5}+\dfrac{3}{20}=\dfrac{7}{20}$

12 (i) A 상자에서 흰 바둑돌, B 상자에서 검은 바둑돌을 꺼낼
확률은 $\dfrac{4}{6}\times\dfrac{3}{5}=\dfrac{2}{5}$

(ii) A 상자에서 검은 바둑돌, B 상자에서 흰 바둑돌을 꺼낼
확률은 $\dfrac{2}{6}\times\dfrac{2}{5}=\dfrac{2}{15}$

따라서 (i), (ii)에 의해 구하는 확률은

$\dfrac{2}{5}+\dfrac{2}{15}=\dfrac{8}{15}$

13 $a+b$가 짝수인 경우는 a, b가 모두 홀수인 경우 또는 a, b가
모두 짝수인 경우인 경우이다.

(i) a, b가 모두 홀수일 확률은
$\dfrac{2}{3}\times\left(1-\dfrac{3}{4}\right)=\dfrac{2}{3}\times\dfrac{1}{4}=\dfrac{1}{6}$

(ii) a, b가 모두 짝수일 확률은
$\left(1-\dfrac{2}{3}\right)\times\dfrac{3}{4}=\dfrac{1}{3}\times\dfrac{3}{4}=\dfrac{1}{4}$

따라서 (i), (ii)에 의해 구하는 확률은
$\dfrac{1}{6}+\dfrac{1}{4}=\dfrac{5}{12}$

14 이 선수가 자유투를 1번 던졌을 때 성공시키는 확률은
$\dfrac{6}{10}=\dfrac{3}{5}$이므로 이 선수가 3번의 자유투를 모두 성공시키지
못할 확률은
$\left(1-\dfrac{3}{5}\right)\times\left(1-\dfrac{3}{5}\right)\times\left(1-\dfrac{3}{5}\right)=\dfrac{2}{5}\times\dfrac{2}{5}\times\dfrac{2}{5}=\dfrac{8}{125}$
따라서 적어도 한 번은 성공시킬 확률은
$1-\dfrac{8}{125}=\dfrac{117}{125}$

15 B 문제를 맞힐 확률을 x라 하자.

A, B 두 문제를 모두 틀릴 확률은 $\dfrac{3}{25}$이므로

$\left(1-\dfrac{3}{5}\right)\times(1-x)=\dfrac{3}{25}$

$\dfrac{2}{5}-\dfrac{2}{5}x=\dfrac{3}{25}$, $\dfrac{2}{5}x=\dfrac{7}{25}$ $\quad\therefore x=\dfrac{7}{10}$

따라서 A 문제는 틀리고 B 문제는 맞힐 확률은
$\left(1-\dfrac{3}{5}\right)\times\dfrac{7}{10}=\dfrac{2}{5}\times\dfrac{7}{10}=\dfrac{7}{25}$

16 세 사람이 가위바위보를 하여 승패가 결정될 확률은 전체
확률에서 세 사람이 비길 확률을 뺀 것과 같다.

이때 세 사람이 가위바위보를 하여 비기는 경우는 모두 같
은 것을 내거나 모두 다른 것을 낼 때이다.

A, B, C 세 사람이 가위바위보를 할 때, 모든 경우의 수는
$3\times3\times3=27$

(i) 세 사람이 모두 같은 것을 내는 경우의 수는 3이므로 그

확률은 $\dfrac{3}{27}=\dfrac{1}{9}$

(ii) 세 사람이 모두 다른 것을 내는 경우의 수는

$3\times2\times1=6$이므로 그 확률은 $\dfrac{6}{27}=\dfrac{2}{9}$

따라서 (i), (ii)에 의해 세 사람이 비길 확률은 $\dfrac{1}{9}+\dfrac{2}{9}=\dfrac{1}{3}$

이므로 승패가 결정될 확률은 $1-\dfrac{1}{3}=\dfrac{2}{3}$

다른 풀이

A, B, C 세 사람이 가위바위보를 할 때, 승패가 결정되려
면 한 사람이 다른 두 사람을 이기거나 두 사람이 다른 한
사람을 이겨야 한다.

(i) 한 사람이 다른 두 사람을 이기는 경우
(가위, 보, 보), (보, 가위, 보), (보, 보, 가위),
(바위, 가위, 가위), (가위, 바위, 가위), (가위, 가위, 바위),
(보, 바위, 바위), (바위, 보, 바위), (바위, 바위, 보)

의 9가지이므로 그 확률은 $\dfrac{9}{27}=\dfrac{1}{3}$

(ii) 두 사람이 다른 한 사람을 이기는 경우
(가위, 가위, 보), (가위, 보, 가위), (보, 가위, 가위),
(바위, 바위, 가위), (바위, 가위, 바위), (가위, 바위, 바위),
(보, 보, 바위), (보, 바위, 보), (바위, 보, 보)

의 9가지이므로 그 확률은 $\dfrac{9}{27}=\dfrac{1}{3}$

따라서 (i), (ii)에 의해 구하는 확률은 $\dfrac{1}{3}+\dfrac{1}{3}=\dfrac{2}{3}$

17 (i) A팀이 부전승으로 올라가는 경우

A팀이 부전승으로 올라갈 확률은 $\dfrac{1}{3}$

결승전에 B팀이 올라가고, A팀이 우승

할 확률은 $\dfrac{3}{4}\times\dfrac{1}{2}=\dfrac{3}{8}$

결승전에 C팀이 올라가고, A팀이 우승할 확률은

$\left(1-\dfrac{3}{4}\right)\times\left(1-\dfrac{1}{4}\right)=\dfrac{1}{4}\times\dfrac{3}{4}=\dfrac{3}{16}$

즉, A팀이 부전승으로 올라갔을 때 우승할 확률은

$\dfrac{1}{3}\times\left(\dfrac{3}{8}+\dfrac{3}{16}\right)=\dfrac{1}{3}\times\dfrac{9}{16}=\dfrac{3}{16}$

(ii) B팀이 부전승으로 올라가는 경우

B팀이 부전승으로 올라갈 확률은 $\dfrac{1}{3}$

A팀이 C팀과 B팀을 차례로 이기고

우승할 확률은

$\left(1-\dfrac{1}{4}\right)\times\dfrac{1}{2}=\dfrac{3}{4}\times\dfrac{1}{2}=\dfrac{3}{8}$

즉, B팀이 부전승으로 올라갔을 때 A팀이 우승할 확률은

$$\frac{1}{3} \times \frac{3}{8} = \frac{1}{8}$$

(iii) C팀이 부전승으로 올라가는 경우

C팀이 부전승으로 올라갈 확률은 $\frac{1}{3}$

A팀이 B팀과 C팀을 차례로 이기고
우승할 확률은

$$\frac{1}{2} \times \left(1 - \frac{1}{4}\right) = \frac{1}{2} \times \frac{3}{4} = \frac{3}{8}$$

즉, C팀이 부전승으로 올라갔을 때 A팀이 우승할 확률은

$$\frac{1}{3} \times \frac{3}{8} = \frac{1}{8}$$

따라서 (i)~(iii)에 의해 A팀이 우승할 확률은

$$\frac{3}{16} + \frac{1}{8} + \frac{1}{8} = \frac{7}{16}$$

18 눈이 오는 경우를 ○, 눈이 오지 않는 경우를 ×라 하면 1월 5일에 눈이 오고, 같은 달 8일에 눈이 오지 않는 경우와 각각의 확률은 다음과 같다.

5일	6일	7일	8일	확률
○	○	○	×	$\frac{1}{2} \times \frac{1}{2} \times \left(1 - \frac{1}{2}\right) = \frac{1}{8}$
○	○	×	×	$\frac{1}{2} \times \left(1 - \frac{1}{2}\right) \times \left(1 - \frac{1}{4}\right) = \frac{3}{16}$
○	×	○	×	$\left(1 - \frac{1}{2}\right) \times \frac{1}{4} \times \left(1 - \frac{1}{2}\right) = \frac{1}{16}$
○	×	×	×	$\left(1 - \frac{1}{2}\right) \times \left(1 - \frac{1}{4}\right) \times \left(1 - \frac{1}{4}\right) = \frac{9}{32}$

따라서 구하는 확률은 $\frac{1}{8} + \frac{3}{16} + \frac{1}{16} + \frac{9}{32} = \frac{21}{32}$

19 ㈎의 경우를 →라 하면 그 확률은 $\frac{2}{6} = \frac{1}{3}$

㈏의 경우를 ↑라 하면 그 확률은 $\frac{1}{6}$

㈐의 경우를 ×라 하면 그 확률은 $\frac{3}{6} = \frac{1}{2}$

한 개의 주사위를 3번 던졌을 때, 점 P가 직선 $y = x + 1$ 위에 있으려면 점 P의 좌표는 $(0, 1)$ 또는 $(1, 2)$이어야 한다.

(i) 점 P의 좌표가 $(0, 1)$인 경우

(↑, ×, ×)인 경우: $\frac{1}{6} \times \frac{1}{2} \times \frac{1}{2} = \frac{1}{24}$

(×, ↑, ×)인 경우: $\frac{1}{2} \times \frac{1}{6} \times \frac{1}{2} = \frac{1}{24}$

(×, ×, ↑)인 경우: $\frac{1}{2} \times \frac{1}{2} \times \frac{1}{6} = \frac{1}{24}$

$\therefore \frac{1}{24} + \frac{1}{24} + \frac{1}{24} = \frac{1}{8}$

(ii) 점 P의 좌표가 $(1, 2)$인 경우

(↑, ↑, →)인 경우: $\frac{1}{6} \times \frac{1}{6} \times \frac{1}{3} = \frac{1}{108}$

(↑, →, ↑)인 경우: $\frac{1}{6} \times \frac{1}{3} \times \frac{1}{6} = \frac{1}{108}$

(→, ↑, ↑)인 경우: $\frac{1}{3} \times \frac{1}{6} \times \frac{1}{6} = \frac{1}{108}$

$\therefore \frac{1}{108} + \frac{1}{108} + \frac{1}{108} = \frac{1}{36}$

따라서 (i), (ii)에 의해 구하는 확률은

$$\frac{1}{8} + \frac{1}{36} = \frac{11}{72}$$

20 (i) 동전의 앞면이 나오는 경우

동전의 앞면이 나올 확률은 $\frac{1}{2}$

주사위에서 나오는 눈의 수의 2배만큼 이동하므로 시계 방향으로 2, 4, 6, 8, 10, 12만큼 이동할 수 있다.

이때 점 P가 꼭짓점 C에 있는 경우는 2, 6, 10의 3가지

이므로 그 확률은 $\frac{3}{6} = \frac{1}{2}$

즉, 구하는 확률은 $\frac{1}{2} \times \frac{1}{2} = \frac{1}{4}$

(ii) 동전의 뒷면이 나오는 경우

동전의 뒷면이 나올 확률은 $\frac{1}{2}$

주사위에서 나오는 눈의 수만큼 이동하므로 시계 반대 방향으로 1, 2, 3, 4, 5, 6만큼 이동할 수 있다.

이때 점 P가 꼭짓점 C에 있는 경우는 2, 6의 2가지이므로 그 확률은 $\frac{2}{6} = \frac{1}{3}$

즉, 구하는 확률은 $\frac{1}{2} \times \frac{1}{3} = \frac{1}{6}$

따라서 (i), (ii)에 의해 구하는 확률은 $\frac{1}{4} + \frac{1}{6} = \frac{5}{12}$

21 (i) A 주머니에서 꺼낸 공이 빨간 공인 경우

A 주머니에서 빨간 공을 꺼낼 확률은 $\frac{4}{10} = \frac{2}{5}$

이때 B 주머니에는 빨간 공 6개, 검은 공 3개가 들어 있게 되므로 검은 공을 꺼낼 확률은 $\frac{3}{9} = \frac{1}{3}$

즉, 구하는 확률은 $\frac{2}{5} \times \frac{1}{3} = \frac{2}{15}$

(ii) A 주머니에서 꺼낸 공이 검은 공인 경우

A 주머니에서 검은 공을 꺼낼 확률은 $\frac{6}{10} = \frac{3}{5}$

이때 B 주머니에는 빨간 공 5개, 검은 공 4개가 들어 있게 되므로 검은 공을 꺼낼 확률은 $\frac{4}{9}$

즉, 구하는 확률은 $\frac{3}{5} \times \frac{4}{9} = \frac{4}{15}$

따라서 (i), (ii)에 의해 구하는 확률은 $\frac{2}{15} + \frac{4}{15} = \frac{2}{5}$

22 (i) 민우와 경민이가 당첨 제비를 뽑을 확률은

$$\frac{3}{10} \times \frac{2}{9} \times \frac{7}{8} = \frac{7}{120}$$

(ii) 민우와 주헌이가 당첨 제비를 뽑을 확률은

$$\frac{3}{10} \times \frac{7}{9} \times \frac{2}{8} = \frac{7}{120}$$

(iii) 경민이와 주헌이가 당첨 제비를 뽑을 확률은

$$\frac{7}{10} \times \frac{3}{9} \times \frac{2}{8} = \frac{7}{120}$$

따라서 (i)~(iii)에 의해 구하는 확률은

$$\frac{7}{120} + \frac{7}{120} + \frac{7}{120} = \frac{7}{40}$$

23 노란 구슬의 개수를 x개라 하면 두 번 모두 노란 구슬을 꺼낼 확률은 $\dfrac{x}{10} \times \dfrac{x}{10} = \dfrac{x^2}{100}$

적어도 한 번은 빨간 구슬이 나올 확률은 $\dfrac{9}{25}$이므로

$$1 - \frac{x^2}{100} = \frac{9}{25}, \ \frac{x^2}{100} = \frac{16}{25}, \ x^2 = 64$$

이때 $x > 0$이므로 $x = 8$
따라서 노란 구슬의 개수는 8개이다.

24 (i) 10장의 카드 중에서 9 이상의 숫자가 적힌 카드는 2장이 므로 1회에 A가 이길 확률은 $\dfrac{2}{10} = \dfrac{1}{5}$

(ii) 3회에 A가 이길 확률은 1회에 A가 2장을 제외한 한 장을 뽑고, 2회에 B가 2장을 제외한 한 장을 뽑고, 3회에 A가 2장 중 한 장을 뽑으면 되므로 $\dfrac{8}{10} \times \dfrac{7}{9} \times \dfrac{2}{8} = \dfrac{7}{45}$

(iii) 같은 방법으로 하면 5회에 A가 이길 확률은

$$\frac{8}{10} \times \frac{7}{9} \times \frac{6}{8} \times \frac{5}{7} \times \frac{2}{6} = \frac{1}{9}$$

따라서 (i)~(iii)에 의해 5회 이내에 A가 이길 확률은

$$\frac{1}{5} + \frac{7}{45} + \frac{1}{9} = \frac{7}{15}$$

25 $1 \le \overline{\text{OP}} \le 3$인 경우는 점 P가 오른쪽 그림에서 색칠한 부분에 있을 때이므로 구하는 확률은

$$\frac{(\text{색칠한 부분의 넓이})}{(\text{원 O의 넓이})} = \frac{\pi \times 3^2 - \pi \times 1^2}{\pi \times 4^2}$$
$$= \frac{8\pi}{16\pi} = \frac{1}{2}$$

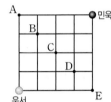

26 화살이 빨간색을 맞힐 확률은 $\dfrac{5}{9}$, 초록색을 맞힐 확률은 $\dfrac{2}{9}$,

파란색을 맞힐 확률은 $\dfrac{2}{9}$이다.

(i) (4점, 2점)을 얻을 확률은 $\dfrac{5}{9} \times \dfrac{2}{9} = \dfrac{10}{81}$

(ii) (3점, 3점)을 얻을 확률은 $\dfrac{2}{9} \times \dfrac{2}{9} = \dfrac{4}{81}$

(iii) (2점, 4점)을 얻을 확률은 $\dfrac{2}{9} \times \dfrac{5}{9} = \dfrac{10}{81}$

따라서 (i)~(iii)에 의해 구하는 확률은 $\dfrac{10}{81} + \dfrac{10}{81} + \dfrac{4}{81} = \dfrac{8}{27}$

27 화살을 차례로 2발 쏠 때, 맞힌 부분에 적힌 수의 합이 3이 되는 경우는
$(0, 3), (3, 0), (1, 2), (2, 1), (-1, 4), (4, -1)$이다.

(i) $(0, 3)$ 또는 $(3, 0)$을 쏠 확률은

$$\left(\frac{1}{8} \times \frac{2}{8} \right) + \left(\frac{2}{8} \times \frac{1}{8} \right) = \frac{1}{16}$$

(ii) $(1, 2)$ 또는 $(2, 1)$을 쏠 확률은

$$\left(\frac{1}{8} \times \frac{1}{8} \right) + \left(\frac{1}{8} \times \frac{1}{8} \right) = \frac{1}{32}$$

(iii) $(-1, 4)$ 또는 $(4, -1)$을 쏠 확률은

$$\left(\frac{2}{8} \times \frac{1}{8} \right) + \left(\frac{1}{8} \times \frac{2}{8} \right) = \frac{1}{16}$$

따라서 (i)~(iii)에 의해 구하는 확률은 $\dfrac{1}{16} + \dfrac{1}{32} + \dfrac{1}{16} = \dfrac{5}{32}$

28 길잡이 꺼낸 것을 다시 넣으면 처음에 뽑을 때의 전체 개수와 나중에 뽑을 때의 전체 개수가 같다.

(i) 수민이가 미션을 완수할 확률은 $\dfrac{6}{18} \times \dfrac{9}{18} \times \dfrac{6}{18} = \dfrac{1}{18}$

(ii) 성빈이가 미션을 완수할 확률은 $\dfrac{6}{18} \times \dfrac{6}{18} \times \dfrac{3}{18} = \dfrac{1}{54}$

(iii) 민혁이가 미션을 완수할 확률은 $\dfrac{9}{18} \times \dfrac{9}{18} \times \dfrac{6}{18} = \dfrac{1}{12}$

따라서 (i)~(iii)에 의해 미션을 완수할 확률이 가장 큰 학생은 민혁이다.

29 길잡이 두 사람의 말이 만날 수 있는 지점은 각각의 말이 4칸씩 이동한 지점이다.

두 사람의 말이 만날 수 있는 곳은 오른쪽 그림에서 A, B, C, D, E 이다.

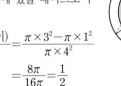

(i) A에서 만나는 경우
민욱이는 동전의 뒷면이 4번, 운서는 동전의 앞면이 4번 나와야 하고, 그 경우의 수는 각각 1이므로 그 확률은

$$\left(\frac{1}{2} \right)^4 \times \left(\frac{1}{2} \right)^4 = \frac{1}{256}$$

(ii) B에서 만나는 경우
민욱이는 동전의 앞면이 1번, 뒷면이 3번, 운서는 동전의 앞면이 3번, 뒷면이 1번 나와야 하고, 그 경우의 수는 각각 4이므로 그 확률은

$$\left\{ 4 \times \left(\frac{1}{2} \right)^4 \right\} \times \left\{ 4 \times \left(\frac{1}{2} \right)^4 \right\} = \frac{16}{256}$$

(iii) C에서 만나는 경우
민욱이는 동전의 앞면이 2번, 뒷면이 2번, 운서는 동전의 앞면이 2번, 뒷면이 2번 나와야 하고, 그 경우의 수는 각각 6이므로 그 확률은

$$\left\{ 6 \times \left(\frac{1}{2} \right)^4 \right\} \times \left\{ 6 \times \left(\frac{1}{2} \right)^4 \right\} = \frac{36}{256}$$

(iv) D에서 만나는 경우
민욱이는 동전의 앞면이 3번, 뒷면이 1번, 운서는 동전의 앞면이 1번, 뒷면이 3번 나와야 하고, 그 경우의 수는 각각 4이므로 그 확률은

$$\left\{ 4 \times \left(\frac{1}{2} \right)^4 \right\} \times \left\{ 4 \times \left(\frac{1}{2} \right)^4 \right\} = \frac{16}{256}$$

(v) E에서 만나는 경우
민욱이는 동전의 앞면이 4번, 운서는 동전의 뒷면이 4번 나와야 하고, 그 경우의 수는 각각 1이므로 그 확률은

$$\left(\frac{1}{2} \right)^4 \times \left(\frac{1}{2} \right)^4 = \frac{1}{256}$$

따라서 (i)~(v)에 의해 두 사람의 말이 만날 확률은

$$\frac{1}{256}+\frac{16}{256}+\frac{36}{256}+\frac{16}{256}+\frac{1}{256}=\frac{35}{128}$$

30 [길잡이] 각각의 말이 움직일 수 있는 경우를 생각한 후 이를 순서쌍으로 나타낸다.

서로 다른 2개의 주사위를 동시에 던질 때 나오는 눈의 수의 합은 2부터 12까지이므로 2회 시행 후 나오는 눈의 수의 총합은 4부터 24이다.

(i) 철수의 말이 마닐라에 있는 경우

말이 마닐라에 있으려면 2회 시행 후 주사위의 눈의 수의 총합이 4 또는 22이어야 하므로 각 시행에서 나오는 눈의 수의 합과 각각의 확률은 다음과 같다.

주사위의 눈의 수의 합		경우		확률
1회	2회	1회	2회	
2	2	(1, 1)	(1, 1)	$\frac{1}{6^2}\times\frac{1}{6^2}$
10	12	(4, 6), (5, 5), (6, 4)	(6, 6)	$\frac{3}{6^2}\times\frac{1}{6^2}$
11	11	(5, 6), (6, 5)	(5, 6), (6, 5)	$\frac{2}{6^2}\times\frac{2}{6^2}$
12	10	(6, 6)	(4, 6), (5, 5), (6, 4)	$\frac{1}{6^2}\times\frac{3}{6^2}$

∴ (철수의 말이 마닐라에 있을 확률)

$$=\frac{1}{6^2}\times\frac{1}{6^2}+\frac{3}{6^2}\times\frac{1}{6^2}+\frac{2}{6^2}\times\frac{2}{6^2}+\frac{1}{6^2}\times\frac{3}{6^2}$$

$$=\frac{11}{6^2\times6^2}=\frac{11}{6^4}$$

(ii) 영희의 말이 뉴델리에 있는 경우

말이 뉴델리에 있으려면 2회 시행 후 주사위의 눈의 수의 총합이 6 또는 24이어야 하므로 각 시행에서 나오는 눈의 수의 합과 각각의 확률은 다음과 같다.

주사위의 눈의 수의 합		경우		확률
1회	2회	1회	2회	
2	4	(1, 1)	(1, 3), (2, 2), (3, 1)	$\frac{1}{6^2}\times\frac{3}{6^2}$
3	3	(1, 2), (2, 1)	(1, 2), (2, 1)	$\frac{2}{6^2}\times\frac{2}{6^2}$
4	2	(1, 3), (2, 2), (3, 1)	(1, 1)	$\frac{3}{6^2}\times\frac{1}{6^2}$
12	12	(6, 6)	(6, 6)	$\frac{1}{6^2}\times\frac{1}{6^2}$

∴ (영희의 말이 뉴델리에 있을 확률)

$$=\frac{1}{6^2}\times\frac{3}{6^2}+\frac{2}{6^2}\times\frac{2}{6^2}+\frac{3}{6^2}\times\frac{1}{6^2}+\frac{1}{6^2}\times\frac{1}{6^2}$$

$$=\frac{11}{6^2\times6^2}=\frac{11}{6^4}$$

따라서 (i), (ii)에 의해 구하는 확률은

$$\frac{11}{6^4}\times\frac{11}{6^4}=\frac{121}{6^8}=\frac{121}{1679616}$$

P. 100~101 내신 **1%** 뛰어넘기

01 ㄱ, ㄷ	**02** 10개, 8개	**03** $\frac{28}{55}$	**04** $\frac{19}{81}$
05 $\frac{7}{45}$	**06** $\frac{55}{324}$		

01 [길잡이] 모니터가 켜지는 경우는 스위치를 누른 횟수가 홀수 번일 때이다.

지원이와 정규가 임의로 모니터 2대의 스위치를 누르는 경우의 수는 각각 모니터 4대 중 2대를 선택하는 경우의 수와 같으므로 $\frac{4\times3}{2\times1}=6$으로 서로 같다.

즉, 모든 경우의 수는 $6\times6=36$

(i) 정규가 지원이가 누르지 않은 모니터 2대의 스위치를 누르면 켜져 있는 모니터의 수는 4대이고,

경우의 수는 $\frac{4\times3}{2\times1}\times1=6$이므로 그 확률은 $\frac{6}{36}=\frac{1}{6}$

(ii) 정규가 지원이가 누른 모니터 2대의 스위치 중 하나를 누르고 지원이가 누르지 않은 모니터 2대의 스위치 중 하나를 누르면 켜져 있는 모니터의 수는 2대이고,

경우의 수는 $\frac{4\times3}{2\times1}\times2\times2=24$이므로

그 확률은 $\frac{24}{36}=\frac{2}{3}$

(iii) 정규가 지원이가 누른 모니터 2대의 스위치를 모두 누르면 켜져 있는 모니터의 수는 0대이고,

경우의 수는 $\frac{4\times3}{2\times1}\times1=6$이므로 그 확률은 $\frac{6}{36}=\frac{1}{6}$

ㄴ. (iii)에서 모니터가 모두 꺼져 있을 확률은 $\frac{1}{6}$이고, (i)에

서 모니터가 모두 켜져 있을 확률도 $\frac{1}{6}$이므로 두 확률은

서로 같다.

따라서 옳은 것은 ㄱ, ㄷ이다.

02 [길잡이] 흰 바둑돌과 검은 바둑돌의 개수를 각각 x개, y개라 하면 흰 바둑돌과 검은 바둑돌을 꺼낼 확률은 각각 $\frac{x}{x+y}$, $\frac{y}{x+y}$이다.

주머니 속에 들어 있는 흰 바둑돌의 개수를 x개, 검은 바둑돌의 개수를 y개라 하면

㉮에서 주머니 속에 남아 있는 흰 바둑돌의 개수는 $(x-4)$개이고, 검은 바둑돌의 개수는 y개이므로 전체 바둑돌의 개수는 $(x-4)+y=x+y-4$(개)

이때 남은 바둑돌 중에서 흰 바둑돌을 꺼낼 확률은 $\frac{3}{7}$이므로

$\frac{x-4}{x+y-4}=\frac{3}{7}$, $7(x-4)=3(x+y-4)$

$7x-28=3x+3y-12$ ∴ $4x-3y=16$ ……㉠

㉯에서 주머니 속에 남아 있는 흰 바둑돌의 개수는 x개이고, 검은 바둑돌의 개수는 $(y-2)$개이므로 전체 바둑돌의 개수는 $x+(y-2)=x+y-2$(개)

이때 남은 바둑돌 중에서 검은 바둑돌을 꺼낼 확률은 $\frac{3}{8}$이므로

$\dfrac{y-2}{x+y-2}=\dfrac{3}{8}$, $8(y-2)=3(x+y-2)$

$8y-16=3x+3y-6$ $\quad\therefore 3x-5y=-10 \quad\cdots\;\text{ⓛ}$

㉠, ㉡을 연립하여 풀면 $x=10$, $y=8$

따라서 흰 바둑돌은 10개이고, 검은 바둑돌은 8개이다.

03 [길잡이] 처음 정십이각형의 변과 한 변을 공유하는 경우, 두 변을 공유하는 경우로 나누어 생각한다.

12개의 점 중에서 3개의 점을 선택하여 만들 수 있는 삼각형의 개수는 $\dfrac{12\times11\times10}{3\times2\times1}=220$(개)

(i) 처음 정십이각형과 한 변을 공유하는 경우

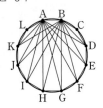

오른쪽 그림과 같이 $\overline{\text{AB}}$를 기준으로 $\overline{\text{AB}}$와 이웃한 두 꼭짓점 C와 L을 제외하고 나머지 8개의 꼭짓점을 연결하여 처음 정십이각형과 한 변을 공유하는 삼각형을 만들 수 있으므로 △ABD,

△ABE, △ABF, ⋯, △ABK의 8개

같은 방법으로 하면 $\overline{\text{BC}}$, $\overline{\text{CD}}$, $\overline{\text{DE}}$, ⋯, $\overline{\text{LA}}$의 11개의 변을 기준으로 삼각형을 각각 8개씩 만들 수 있다.

따라서 구하는 삼각형의 개수는 $12\times8=96$(개)

(ii) 처음 정십이각형과 두 변을 공유하는 경우

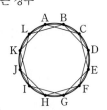

오른쪽 그림과 같이 이웃한 세 꼭짓점을 연결하면 처음 정십이각형과 두 변을 공유하는 삼각형을 만들 수 있으므로 구하는 삼각형의 개수는 △ABC, △BCD,

△CDE, ⋯, △LAB의 12개

(i), (ii)에 의해 처음 정십이각형과 공유하는 변이 있는 삼각형은 $96+12=108$(개)이므로 그 확률은 $\dfrac{108}{220}=\dfrac{27}{55}$

따라서 구하는 확률은 $1-\dfrac{27}{55}=\dfrac{28}{55}$

04 [길잡이] 가위바위보를 4번 하였을 때, 두 사람이 이긴 횟수가 같거나 진 횟수가 같으면 같은 계단에 있게 된다.

일규가 이긴 횟수를 x번, 승훈이가 이긴 횟수를 y번, 비긴 횟수를 z번이라 하면

$x+y+z=4 \quad\cdots\;\text{㉠}$

일규가 이긴 경우는 승훈이가 진 경우와 같고, 승훈이가 이긴 경우는 일규가 진 경우와 같으므로

일규가 움직인 계단의 수는 $(2x-y)$개

승훈이가 움직인 계단의 수는 $(2y-x)$개

가위바위보를 4번 한 후에 두 사람이 같은 계단에 있어야 하므로

$2x-y=2y-x$, $3x=3y$ $\quad\therefore x=y \quad\cdots\;\text{㉡}$

㉠, ㉡을 만족시키는 순서쌍 $(x,\,y,\,z)$는 $(2,\,2,\,0)$, $(1,\,1,\,2)$, $(0,\,0,\,4)$이다.

일규를 기준으로 승패를 생각해 보면 일규가 이길 확률, 질 확률, 비길 확률은 각각 $\dfrac{1}{3}$이므로

(i) 일규가 2번 이기고 2번 진 경우

(승, 승, 패, 패), (승, 패, 승, 패), (승, 패, 패, 승), (패, 승, 승, 패), (패, 승, 패, 승), (패, 패, 승, 승)

의 6가지이므로 그 확률은

$6\times\left(\dfrac{1}{3}\times\dfrac{1}{3}\times\dfrac{1}{3}\times\dfrac{1}{3}\right)=\dfrac{2}{27}$

(ii) 일규가 1번 이기고 1번 지고 2번 비긴 경우

(승, 패, 무, 무), (승, 무, 패, 무), (승, 무, 무, 패), (무, 승, 패, 무), (무, 승, 무, 패), (무, 패, 승, 무), (무, 패, 무, 승), (무, 무, 승, 패), (무, 무, 패, 승), (패, 승, 무, 무), (패, 무, 승, 무), (패, 무, 무, 승)

의 12가지이므로 그 확률은

$12\times\left(\dfrac{1}{3}\times\dfrac{1}{3}\times\dfrac{1}{3}\times\dfrac{1}{3}\right)=\dfrac{4}{27}$

(iii) 4번 모두 비긴 경우

(무, 무, 무, 무)의 1가지이므로 그 확률은

$1\times\dfrac{1}{3}\times\dfrac{1}{3}\times\dfrac{1}{3}\times\dfrac{1}{3}=\dfrac{1}{81}$

따라서 (i)~(iii)에 의해 구하는 확률은

$\dfrac{2}{27}+\dfrac{4}{27}+\dfrac{1}{81}=\dfrac{19}{81}$

05 [길잡이] 점 P가 3초 후에 꼭짓점 B에 있으려면 3번만 이동하여 꼭짓점 B에 도착해야 한다.

꼭짓점 A에 이웃한 다른 꼭짓점은 5개가 있으므로 점 P가 꼭짓점 A에서 이웃한 다른 꼭짓점으로 이동할 확률은 각각 $\dfrac{1}{5}$로 모두 같고, 5개의 꼭짓점 B, C, D, E, F에 이웃한 다른 꼭짓점은 각각 3개이므로 점 P가 5개의 꼭짓점 B, C, D, E, F에서 이웃한 다른 꼭짓점으로 이동할 확률은 각각 $\dfrac{1}{3}$로 모두 같다.

점 P가 3초 후에 꼭짓점 B에 있으려면 꼭짓점 A에서 출발하여 3번만 이동하여야 한다.

(i) A → B → A → B, A → C → A → B, A → D → A → B, A → E → A → B, A → F → A → B인 경우

각각의 확률이 $\dfrac{1}{5}\times\dfrac{1}{3}\times\dfrac{1}{5}=\dfrac{1}{75}$로 모두 같으므로

그 확률은 $5\times\dfrac{1}{75}=\dfrac{1}{15}$

(ii) A → B → F → B, A → B → C → B인 경우

각각의 확률이 $\dfrac{1}{5}\times\dfrac{1}{3}\times\dfrac{1}{3}=\dfrac{1}{45}$로 모두 같으므로

그 확률은 $2\times\dfrac{1}{45}=\dfrac{2}{45}$

(iii) A → D → C → B, A → E → F → B인 경우

각각의 확률이 $\dfrac{1}{5}\times\dfrac{1}{3}\times\dfrac{1}{3}=\dfrac{1}{45}$로 모두 같으므로

그 확률은 $2\times\dfrac{1}{45}=\dfrac{2}{45}$

따라서 (i)~(iii)에 의해 구하는 확률은

$\dfrac{1}{15}+\dfrac{2}{45}+\dfrac{2}{45}=\dfrac{7}{45}$

06 길잡이 5발의 화살을 쏘아 24점을 얻는 경우는 7점 1번, 5점 1번, 4점 3번을 얻는 경우 또는 5점 4번, 4점 1번을 얻는 경우이다.

화살을 A 부분에 맞힐 확률은

$$1-\left(\frac{1}{3}+\frac{1}{2}\right)=\frac{1}{6}$$

(ⅰ) 7점 1번, 5점 1번, 4점 3번을 얻는 경우

5개의 자리에서 7점, 5점을 놓을 자리를 먼저 선택하고 나머지 자리에 4점을 놓으면 된다.

즉, 5개에서 2개를 차례로 뽑는 경우의 수와 같으므로

$5\times4=20$에서 그 확률은

$$20\times\frac{1}{6}\times\frac{1}{3}\times\frac{1}{2}\times\frac{1}{2}\times\frac{1}{2}=\frac{5}{36}$$

(ⅱ) 5점 4번, 4점 1번을 얻는 경우

경우의 수는 5이므로 그 확률은

$$5\times\frac{1}{3}\times\frac{1}{3}\times\frac{1}{3}\times\frac{1}{3}\times\frac{1}{2}=\frac{5}{162}$$

따라서 (ⅰ), (ⅱ)에 의해 구하는 확률은

$$\frac{5}{36}+\frac{5}{162}=\frac{55}{324}$$

P. 102~103 **6~7 서술형 완성하기**

[과정은 풀이 참조]

1 144 **2** 720 **3** 20 **4** $\frac{1}{6}$

5 (1) $\frac{1}{4}$ (2) $\frac{1}{16}$ (3) $\frac{21}{64}$ **6** $\frac{49}{72}$ **7** 18

8 $\frac{1}{2}$

---

1 ㈎, ㈏에서 유럽 지역의 쇼트트랙 감독들을 양 끝에 세우면서 서로 이웃하지 않게 세우는 경우는

유	아	유	아	유	아	유

　　　　　　　　　　　　　　　　　　　　… (ⅰ)

이때 유럽 지역의 쇼트트랙 감독 4명을 한 줄로 세우는 경우의 수는 $4\times3\times2\times1=24$ … (ⅱ)

또 아시아 지역의 쇼트트랙 감독 3명을 한 줄로 세우는 경우의 수는 $3\times2\times1=6$ … (ⅲ)

따라서 주어진 조건을 만족시키도록 세우는 경우의 수는

$24\times6=144$ … (ⅳ)

채점 기준	비율
(ⅰ) 주어진 조건을 만족시키도록 세우는 경우 알기	20 %
(ⅱ) 유럽 지역의 쇼트트랙 감독 4명을 한 줄로 세우는 경우의 수 구하기	30 %
(ⅲ) 아시아 지역의 쇼트트랙 감독 3명을 한 줄로 세우는 경우의 수 구하기	30 %
(ⅳ) 주어진 조건을 만족시키도록 세우는 경우의 수 구하기	20 %

---

2 지우가 코믹 8편 중 1편을 고르는 경우의 수는 8 … (ⅰ)

지우가 드라마 4편 중 2편을 고르는 경우의 수는

$$\frac{4\times3}{2\times1}=6$$ … (ⅱ)

지우가 공포 6편 중 2편을 고르는 경우의 수는

$$\frac{6\times5}{2\times1}=15$$ … (ⅲ)

따라서 지우가 코믹 1편, 드라마 2편, 공포 2편을 고르는 경우의 수는 $8\times6\times15=720$ … (ⅳ)

채점 기준	비율
(ⅰ) 코믹 1편을 고르는 경우의 수 구하기	30 %
(ⅱ) 드라마 2편을 고르는 경우의 수 구하기	30 %
(ⅲ) 공포 2편을 고르는 경우의 수 구하기	30 %
(ⅳ) 주어진 조건을 만족시키도록 고르는 경우의 수 구하기	10 %

---

3 두 점을 이어 만들 수 있는 직선의 개수는 5개의 점 중에서 2개를 뽑는 경우의 수와 같으므로

$$\frac{5\times4}{2\times1}=10(개) \quad \therefore x=10$$ … (ⅰ)

세 점을 이어 만들 수 있는 삼각형의 개수는 5개의 점 중에서 3개를 뽑는 경우의 수와 같으므로

$$\frac{5\times4\times3}{3\times2\times1}=10(개) \quad \therefore y=10$$ … (ⅱ)

$$\therefore x+y=10+10=20$$ … (ⅲ)

채점 기준	비율
(ⅰ) x의 값 구하기	40 %
(ⅱ) y의 값 구하기	40 %
(ⅲ) $x+y$의 값 구하기	20 %

---

4 모든 경우의 수는 $5\times4\times3\times2\times1=120$ … (ⅰ)

1부터 5까지의 수험 번호를 각각 발급받은 수험생을 차례로 ①, ②, ③, ④, ⑤라 하면 5명 중 2명이 자신의 수험 번호와 같은 숫자가 적힌 자리에 앉는 경우의 수는 5명 중 자격이 같은 2명을 뽑는 경우의 수와 같으므로 $\frac{5\times4}{2\times1}=10$ … (ⅱ)

①과 ②가 자신의 수험 번호와 같은 숫자가 적힌 자리에 앉고, 나머지 3명은 자신의 수험 번호와 다른 숫자가 적힌 자리에 앉게 되는 경우의 수는 위와 같이 2이다. … (ⅲ)

（　1　　2　　3　　4　　5　）

①—②〈 ④—⑤—③
　　　 ⑤—③—④

따라서 조건을 만족시키는 경우의 수는 $10\times2=20$이므로 구하는 확률은 $\frac{20}{120}=\frac{1}{6}$ … (ⅳ)

채점 기준	비율
(ⅰ) 5명이 앉는 모든 경우의 수 구하기	20 %
(ⅱ) 5명의 수험생 중 자신의 수험 번호와 같은 숫자가 적힌 자리에 앉는 2명을 뽑는 경우의 수 구하기	30 %
(ⅲ) ①, ②를 제외한 나머지 3명이 자신의 수험 번호와 다른 숫자가 적힌 자리에 앉는 경우의 수 구하기	30 %
(ⅳ) 주어진 조건을 만족시키도록 앉을 확률 구하기	20 %

5 (1) 동전을 던져 앞면이 나올 확률과 뒷면이 나올 확률은 각

각 $\dfrac{1}{2}$로 서로 같다.

2회에 B가 이기려면 1회에 뒷면이 나오고 2회에 앞면이

나와야 하므로 그 확률은

$\dfrac{1}{2} \times \dfrac{1}{2} = \dfrac{1}{4}$　　　　　　　　　　… (i)

(2) 4회에 B가 이기려면 1, 2, 3회에 모두 뒷면이 나오고 4

회에 앞면이 나와야 하므로 그 확률은

$\dfrac{1}{2} \times \dfrac{1}{2} \times \dfrac{1}{2} \times \dfrac{1}{2} = \dfrac{1}{16}$　　　　　… (ii)

(3) 6회에 B가 이기려면 1, 2, 3, 4, 5회에 모두 뒷면이 나오

고 6회에 앞면이 나와야 하므로 그 확률은

$\dfrac{1}{2} \times \dfrac{1}{2} \times \dfrac{1}{2} \times \dfrac{1}{2} \times \dfrac{1}{2} \times \dfrac{1}{2} = \dfrac{1}{64}$　… (iii)

따라서 6회 이내에 B가 이길 확률은

$\dfrac{1}{4} + \dfrac{1}{16} + \dfrac{1}{64} = \dfrac{21}{64}$　　　　　… (iv)

채점 기준	비율
(i) 2회에 B가 이길 확률 구하기	30 %
(ii) 4회에 B가 이길 확률 구하기	30 %
(iii) 6회에 B가 이길 확률 구하기	30 %
(iv) 6회 이내에 B가 이길 확률 구하기	10 %

6 A, B 주머니에서 모두 흰 공을 꺼낼 확률은

$\dfrac{4}{9} \times \dfrac{1}{8} = \dfrac{1}{18}$　　　　　　　　… (i)

A, B 주머니에서 모두 검은 공을 꺼낼 확률은

$\dfrac{2}{9} \times \dfrac{2}{8} = \dfrac{1}{18}$　　　　　　　… (ii)

A, B 주머니에서 모두 노란 공을 꺼낼 확률은

$\dfrac{3}{9} \times \dfrac{5}{8} = \dfrac{5}{24}$　　　　　　　… (iii)

즉, 두 공의 색깔이 같을 확률은

$\dfrac{1}{18} + \dfrac{1}{18} + \dfrac{5}{24} = \dfrac{23}{72}$

따라서 구하는 확률은

$1 - \dfrac{23}{72} = \dfrac{49}{72}$　　　　　　　　… (iv)

채점 기준	비율
(i) A, B 주머니에서 모두 흰 공을 꺼낼 확률 구하기	25 %
(ii) A, B 주머니에서 모두 검은 공을 꺼낼 확률 구하기	25 %
(iii) A, B 주머니에서 모두 노란 공을 꺼낼 확률 구하기	25 %
(iv) 두 공의 색깔이 다를 확률 구하기	25 %

7 오른쪽 그림에서 진숙이가 A 지점에

서 B 지점까지 최단 거리로 이동하는

경우의 수와 진영이가 B 지점에서 A

지점까지 최단 거리로 이동하는 경우

의 수는 각각 6이므로 전체 경우의

수는

$6 \times 6 = 36$　　　　　　　　　　… (i)

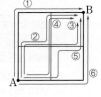

이때 진숙이와 진영이가 움직이는 속

력이 같으므로 오른쪽 그림의 세 지점

P, Q, R에서 만날 수 있다.

P 지점에서 만나는 경우

진숙이가 A 지점에서 P 지점을 거쳐

B 지점까지 최단 거리로 가는 경우의 수가 1,

진영이가 B 지점에서 P 지점을 거쳐 A 지점까지 최단 거리

로 가는 경우의 수가 1

이므로 그 경우의 수는

$1 \times 1 = 1$　　　　　　　　　　　… (ii)

Q 지점에서 만나는 경우

진숙이가 A 지점에서 Q 지점을 거쳐 B 지점까지 최단 거

리로 가는 경우의 수가 $2 \times 2 = 4$

진영이가 B 지점에서 Q 지점을 거쳐 A 지점까지 최단 거

리로 가는 경우의 수가 $2 \times 2 = 4$

이므로 그 경우의 수는

$4 \times 4 = 16$　　　　　　　　　　… (iii)

R 지점에서 만나는 경우

P 지점에서 만나는 경우의 수와 같으므로 1　　　… (iv)

따라서 구하는 경우의 수는

$36 - (1 + 16 + 1) = 18$　　　　　… (v)

채점 기준	비율
(i) 전체 경우의 수 구하기	20 %
(ii) 두 사람이 P 지점에서 만나는 경우의 수 구하기	20 %
(iii) 두 사람이 Q 지점에서 만나는 경우의 수 구하기	20 %
(iv) 두 사람이 R 지점에서 만나는 경우의 수 구하기	20 %
(v) 주어진 조건을 만족시키는 경우의 수 구하기	20 %

8 오른쪽 그림과 같이 점 P에서 $\overline{BC}$에 내린

수선의 발을 H라 하면

$\triangle \mathrm{PBC} = \dfrac{1}{2} \times \overline{\mathrm{BC}} \times \overline{\mathrm{PH}}$

$\qquad\quad = \dfrac{5}{2}\overline{\mathrm{PH}}$　　　　… (i)

이때 △PBC의 넓이가 10보다 작으려면

$0 < \dfrac{5}{2}\overline{\mathrm{PH}} < 10$

$\therefore 0 < \overline{\mathrm{PH}} < 4$　　　　　　　… (ii)

$\overline{\mathrm{AB}}$, $\overline{\mathrm{DC}}$의 중점을 각각 M, N이라 하면 점 P는 직사각형

MBCN의 내부에 존재해야 하므로 △PBC의 넓이가 10보

다 작을 확률은

$\dfrac{(\text{직사각형 MBCN의 넓이})}{(\text{직사각형 ABCD의 넓이})} = \dfrac{5 \times 4}{5 \times 8} = \dfrac{1}{2}$　… (iii)

채점 기준	비율
(i) △PBC의 넓이를 높이에 대한 식으로 나타내기	30 %
(ii) △PBC의 넓이가 10보다 작기 위한 높이의 범위 구하기	30 %
(iii) △PBC의 넓이가 10보다 작을 확률 구하기	40 %

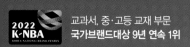

2022
K·NBA
KOREA NATIONAL BRAND AWARDS
교과서, 중·고등 교재 부문
국가브랜드대상 9년 연속 1위

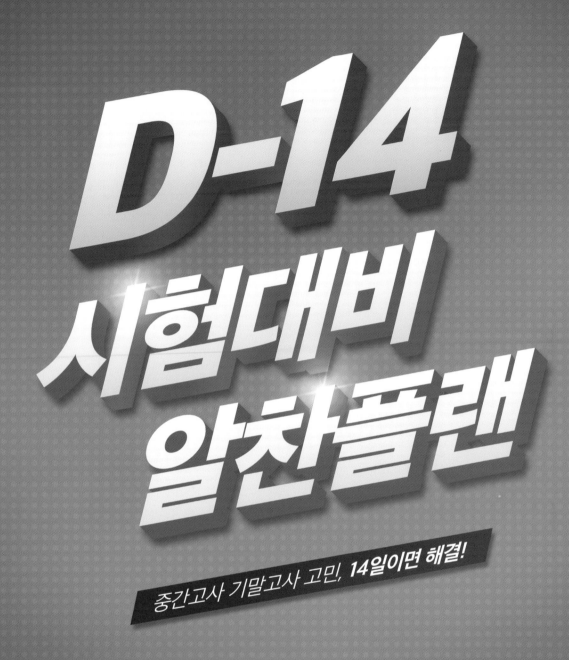

D-14 시험대비 알차플랜

중간고사 기말고사 고민, 14일이면 해결!

알찬 기출문제집

시험 잘 치는 중학생들의 **전 과목 고득점 비법**

· 교과서 분석을 바탕으로 시험에 꼭 출제되는 **핵심 개념을 체계적으로 정리**
· **최신 기출 문제 분석**을 통해 출제 경향을 반영한 적중률 높은 문제를 수록
· 출판사별 교재 제공, 내 교과서에 딱 맞는 시험 대비
· 수박씨 닷컴 **전 과목의 1등 동영상 강의**를 웹과 모바일로 제공(국어 제외)

$+$ 개념·플러스·유형·시리즈   개념과 유형이 하나로! 가장 효과적인 수학 공부 방법을 제시합니다.

대표전화 1544-0554

주소 서울특별시 구로구 디지털로33길 48 대륭포스트타워 7차 20층

협의 없는 무단 복제는 법으로 금지되어 있습니다.